W9-DIF-746

Pour l'amour du hockey

Bobby Orr

Pour l'amour du hockey

L'histoire de Bobby Orr

Autobiographie

Traduction de l'anglais par André Gagnon

Hurtubise

Catalogage avant publication de Bibliothèque et Archives nationales du Québec et Bibliothèque et Archives Canada

Orr, Bobby, 1948-

[Orr. Français]

Pour l'amour du hockey : l'histoire de Bobby Orr

Traduction de : Orr : my story.

ISBN 978-2-89723-487-4

1. Orr, Bobby, 1948- . 2. Joueurs de hockey - Canada - Biographies. I. Titre. II. Titre : Orr. Français.

GV848.5.O7A3 2014 796.962092 C2014-941189-8

Les Éditions Hurtubise bénéficient du soutien financier des institutions suivantes pour leurs activités d'édition :

- Conseil des Arts du Canada ;
- Gouvernement du Canada par l'entremise du Fonds du livre du Canada (FLC) ;
- Société de développement des entreprises culturelles du Québec (SODEC) ;
- Gouvernement du Québec par l'entremise du programme de crédit d'impôt pour l'édition de livres.

Nous remercions le gouvernement du Canada de son soutien financier pour nos activités de traduction dans le cadre du Programme national de traduction pour l'édition du livre.

Traduction : André Gagnon
Conception graphique : René St-Amand
Photographie de la couverture : © *Boston Herald*
Maquette intérieure et mise en pages : Folio infographie

Titre original : *Orr : My Story*

ISBN (version imprimée) : 978-2-89723-487-4
ISBN (version numérique PDF) : 978-2-89723-488-1
ISBN (version numérique ePub) : 978-2-89723-489-8

Dépôt légal : 4e trimestre 2014
Bibliothèque et Archives nationales du Québec
Bibliothèque et Archives Canada

Diffusion-distribution au Canada :
Distribution HMH
1815, avenue De Lorimier,
Montréal (Québec) H2K 3W6
www.distributionhmh.com

Diffusion-distribution en Europe :
Librairie du Québec/DNM
30, rue Gay-Lussac
75005 Paris FRANCE
www.librairieduquebec.fr

Imprimé au Canada
www.editionshurtubise.com

Je dédie ce livre aux gens
qui ont été si chers à mon cœur
au fil de ma vie :
ma femme, Peggy ;
mes deux fils, Darren et Brent ;
mes belles-filles, Chelsea et Kelly ;
mes petits-enfants, Alexis et Braxton ;
mes beaux-parents, Clara et Bill Wood ;
et, enfin, mes parents,
Arva et Doug Orr.
Merci à tous et à chacun d'entre vous.

Avant-propos

Les garçons avaient besoin d'un entraîneur, alors je me suis porté volontaire. La même chose arrive chaque année à l'approche de la saison du hockey, d'un bout à l'autre du pays, et l'histoire n'était pas différente cet automne-là. Ils étaient une bonne bande de jeunes, du premier au dernier, et chacun d'eux était spécial à sa manière. Mais celui qui nous rejoindrait quelques mois plus tard était encore plus spécial…

C'était un tout jeune garçon qui jouait dans une division de niveau novice, et la première fois que je l'ai aperçu, je l'ai trouvé si chétif que je me rappelle avoir pensé qu'un bon coup de vent suffirait à l'assommer. Il était poli, très respectueux et un sourire fendait perpétuellement sa figure en deux. C'était un beau garçon, il portait les cheveux taillés en brosse et venait d'une famille de bonnes personnes. En janvier, il était si dominant dans sa division qu'il a été décidé de le faire passer à l'échelon supérieur, soit l'équipe d'étoiles de sa catégorie, et c'est à ce moment que nos trajectoires respectives se sont croisées.

Je me souviendrai toute ma vie du jour où je l'ai vu patiner pour la première fois, lors d'un entraînement. Vous allez penser que j'exagère, mais dès ce moment-là, j'ai su qu'il *l*'avait. Quand j'ai vu ses pieds commencer à aller et venir, j'ai compris que je n'avais jamais été témoin d'un pareil spectacle sur une patinoire. Il patinait en donnant l'impression de ne fournir aucun effort, avec un rythme tout simplement magique, y allant de foulées si souples et naturelles qu'il n'avait même pas l'air d'exercer la moindre poussée sur ses jambes. Il avait les jambes légèrement arquées, et j'ai décidé de le faire jouer à l'aile droite. Ce tout jeune garçon possédait sans aucun doute quelque chose de spécial, et je savais qu'il avait un don que nul n'avait jamais pu observer dans notre sport. Le temps me donnerait raison là-dessus.

C'était une tout autre époque, en ce temps-là, et pas une fois n'ai-je entendu un parent se plaindre pour quelque raison que ce soit. Ils ne s'assoyaient jamais près du banc des joueurs pendant une partie, ne disaient pas un traître mot sur le temps de glace de leur enfant. Durant toute cette année-là, les parents avaient fait de petits rubans verts et blancs avec un trèfle dessus, et ils les ont portés durant la saison entière en signe de soutien à leurs enfants et à l'équipe.

Ce jeune garçon aux cheveux en brosse pouvait compter sur de merveilleux parents : Arva et Doug. Même s'il devenait évident aux yeux de tous, au fil du calendrier, que leur fils était sans conteste le meilleur d'entre les meilleurs, jamais ils n'ont demandé pour lui la moindre faveur particulière. Non, Doug n'a jamais joué au père-de-futur-joueur-étoile. Oui, c'était bel et bien un autre temps…

Les années passent et c'est toute une vie qui semble s'être écoulée en un éclair. On m'a dit que ce jeune garçon aux cheveux en brosse est maintenant grand-père. Il a mené une vie qui peut servir d'exemple aux plus grands de ce monde sous les rapports de l'humilité et l'altruisme, et aussi sur la manière de traiter les autres avec humanité. Avoir été son entraîneur cette saison-là ainsi que la suivante, avoir eu cette chance d'apprendre à le connaître comme personne et comme joueur, tout cela représente pour moi un grand bonheur. Aujourd'hui, que l'on me demande d'évoquer ces quelques souvenirs à son propos constitue un immense honneur.

Dans ma mémoire, toutefois, il a toujours huit ans, sa légende reste encore à écrire, et ses futurs succès sont quelque part devant lui. Je me trouve en sa compagnie, par une froide et lointaine journée de janvier, sur une patinoire extérieure de Parry Sound, et je le regarde survoler la glace pendant l'un des exercices de notre séance d'entraînement.

Et je ne peux m'empêcher de me demander si je ne devrais pas faire jouer ce garçon à la défense…

Introduction

Ce matin-là, j'étais debout dès cinq heures. Ce 10 mai 2010 était un jour comme les autres, mais une chose n'était pas comme les autres. Il y avait bien longtemps que je n'avais pas ressenti cette sensation de papillons dans l'estomac. Voilà que j'étais levé avant l'aube, l'esprit occupé par une seule chose. Au fur et à mesure que s'écoulait la journée, je n'avais envie de parler à personne. Et pourtant, ce matin-là, j'étais entouré d'amis et de proches, et je serrais la main d'une infinité de gens me souhaitant bonne chance : personnalités, admirateurs, athlètes, politiciens.

J'aurais aimé apprécier chacun de ces moments. Et j'espère avoir été en mesure de témoigner à tous ces gens un peu de la chaleur qu'ils m'ont manifestée. Mais je dois bien l'avouer, j'étais si nerveux que je parvenais à grand peine à échanger quelques mots, même avec de vieux amis.

Ce qui me rendait si anxieux, c'était la simple perspective de monter sur une tribune. Au fil des années, j'avais évidemment dû souvent composer avec les micros et m'adresser à des foules. Mais je mentirais de façon éhontée si je disais que je suis de ceux qui aiment monter sur une scène pour parler d'eux-mêmes. Il y a bien des gens qui n'aiment pas parler en public et j'en fais partie.

Je devais faire une apparition publique devant le TD Garden, à côté de là où s'élevait autrefois le vieux Garden de Boston. C'est dans cet amphithéâtre que je me trouvais 40 ans plus tôt, le jour où j'ai compté ce but du 10 mai 1970. Le photographe qui était assis sur un tabouret, derrière la baie vitrée, dans le coin de la patinoire, avait quitté son poste pour quelques minutes et Ray Lussier a pris sa place quelques instants avant qu'on me remette la rondelle et que j'enfile le but, juste avant qu'on me fasse trébucher et que je vole dans les airs. Lussier a appuyé sur le déclencheur et il a capté un moment qui est devenu cher pour les amateurs des Bruins de Boston et dont se souviennent les partisans de hockey de toutes allégeances.

Quarante ans plus tard, j'étais de retour sur les lieux, accompagné par tout un groupe de gars qui étaient présents le jour où cette photo a été prise : Johnny Bucyk, Derek Sanderson, Gary Doak, Kenny Hodge, Pie McKenzie, Don Marcotte, Harry Sinden et l'ancien directeur général des Bruins, Milt Schmidt. Le maire Menino y était aussi, et le président des Bruins John Wentzell, ainsi que le propriétaire de l'équipe, Jeremy Jacobs. L'assistance comptait aussi quelques-uns de mes bons amis des Red Sox, David « Big Papi » Ortiz et le grand artiste de la balle courbe Tim Wakefield, tous des gens dont la présence signifiait beaucoup pour moi. Mon fils Darren et ma belle-fille Chelsea étaient venus avec mon petit-fils, Alexis. Sans compter, bien sûr, des admirateurs.

Je devais m'adresser à tous ces gens-là, parce que j'apparaissais sur la photo dont on s'était inspiré pour faire une statue. Et j'étais là pour son dévoilement. C'était une belle journée de printemps. L'estrade était cernée par des caméramans. Les Bruins disputaient le deuxième tour des séries éliminatoires et la ville était en effervescence. Tout était en place pour la cérémonie.

Cependant, la dernière chose au monde que je désirais était de me retrouver devant un micro et d'avoir à parler de moi ou de revivre un moment de gloire. Je n'avais aucune envie de recevoir des louanges et je n'étais certainement pas là pour m'attribuer le moindre mérite. Au contraire, je voulais expliquer que le mérite de cet exploit devait être partagé entre une foule de gens et non centré autour de ma personne.

Je me souvins brusquement de la toute première fois que j'avais vu la photo de ce but maintenant célèbre. J'étais à Lynnfield, au Massachusetts, à l'hôtel Colonial, en train de déjeuner avec mon père et ses amis. Cela se passait le 11 mai 1970, au lendemain de notre conquête de la coupe, moins de vingt-quatre heures après le but. Vous pouvez vous imaginer l'ambiance qui régnait. Ce n'est pas tous les jours que vous réalisez un rêve, et c'est encore plus rare de pouvoir partager ce moment unique en compagnie de votre père.

Je ne me souviens pas vraiment de ce dont nous avons parlé pendant le déjeuner. La discussion a certainement dû être animée, et entrecoupée çà et là de moments de silence. Cela prend un certain moment à vous habituer au fait que vous avez atteint un objectif pour lequel vous vous êtes tant battu. Puis quelqu'un m'a tendu une copie du *Boston Record-American*, et je me suis reconnu à la une du journal, planant dans les airs avec cette expression de surprise et de joie confondues illuminant mon visage. Ce but n'était encore vieux que de quelques heures. Je n'ai jeté qu'un bref coup d'œil à cette photographie, car je ne suis pas le genre d'homme à regarder des clichés de lui-même lorsqu'il est assis dans un restaurant bondé. Sans compter que j'avais une parade en vue de laquelle je devais me préparer.

Mais alors que le souvenir de cette parade de la coupe Stanley s'est plus ou moins dissout avec les années, cette photo, elle, a imprégné nos mémoires. En fait, elle a plus qu'imprégné les mémoires : elle est devenue l'une des images les plus célèbres de l'histoire du hockey. Non pas parce qu'elle me montre, moi ; c'est une extraordinaire photo, peu importe qui est le gars volant dans les airs. Et bien que je l'aie à peine regardée en 1970, 40 ans plus tard, elle rend mieux que toute autre cette partie qui a changé tant de vies : le vieux Garden de Boston rempli à pleine capacité, le bruit de la foule et l'humidité qui stagnait sur la patinoire alors qu'a débuté la prolongation.

Le jeu n'a pris que quelques secondes à se développer, et la photo n'évoque qu'une infime fraction de ces quelques secondes. Néanmoins, du moins pour moi, elle restitue davantage qu'un jeu et qu'un après-midi humide de mai. Tous les joueurs des Bruins avaient accompli beaucoup de bonnes choses pour pouvoir se rendre en prolongation. Rick Smith avait déjà une soirée de deux points en banque. Nos meilleurs marqueurs avaient abattu le même boulot que tout au long de l'année et des deux premières rondes éliminatoires – sauf en ce qui me concernait. Je n'avais pas encore compté de toute la série contre les Blues. C'était le reste de l'équipe qui nous avait emmenés jusqu'à cette première minute de prolongation. Je ne sais pas ce que voient les autres quand ils regardent cette photo, mais pour ma part, je vois bien plus qu'un gars venant de marquer un but.

Une chose me paraît bizarre dans cette scène où l'on me voit les bras tendus, filant dans l'air comme si plus rien d'autre n'avait d'importance : je n'ai jamais été du type à célébrer quand je comptais. Je sais que la plupart des gars aiment bien manifester leur joie après un but, mais j'ai toujours trouvé ces gestes irrespectueux à l'égard de l'adversaire. Et pourtant, c'est bien moi qu'on voit sur cette fameuse photo, les deux bras en l'air. Je pourrais blâmer le défenseur des Blues, Noël Picard, pour m'avoir fait trébucher. Mais je suis forcé d'avouer qu'il s'agit bel et bien d'un saut de joie – qu'on m'ait fait trébucher ou non.

Sans doute qu'une scène plus représentative aurait été celle qu'on a pu voir quelques instants après mon saut, quand mes coéquipiers se sont rués sur moi pour m'ensevelir et célébrer notre victoire. Ce n'est pas vraiment de mon but dont il est question, et il n'y a pas juste moi qui célébrait. Il y avait foule sur la patinoire, des joueurs en noir et jaune, mais aussi les entraîneurs et les soigneurs. Le Garden grondait à en trembler sur ses assises. Il n'y avait pas qu'un gars immensément heureux qui fendait l'air, seul au monde. Mais peu en importe la raison, cette photo fameuse n'a cessé de fasciner, cristallisant ce moment dans le temps.

Et maintenant il y avait cette statue, de je ne sais combien de livres de bronze scintillant, nous racontant la même histoire. Ne vous méprenez pas, je pense que c'est une merveilleuse œuvre d'art. Mais j'étais frappé par tout ce que cette statue ne disait pas. En montrant cet instant précis de la séquence, elle faisait l'impasse sur l'avant et l'après. En mettant en évidence une seule personne, elle laissait de côté tous ces gens qui avaient remporté la coupe cette année-là, et tous ceux qui nous y avaient aidé, et aussi les partisans qui partageaient cette victoire avec nous. Cela n'aurait rien signifié si j'avais marqué ce but dans un Garden de Boston désert, tout comme il aurait été absurde que je sois seul au dévoilement de cette statue. Ce ne sont pas des choses qui arrivent à une seule personne. Une partie de ce que je veux accomplir en écrivant ce livre consiste à aller au-delà de ce moment précis dans le temps, de manière à ce que l'histoire qui le précède et le suit prenne tout son sens.

Cela n'en est pas moins une étrange sensation que d'écrire sur soi-même. Pendant toutes ces années où j'ai été sous les feux des projecteurs, j'ai rarement parlé de moi. On m'a consacré des livres et des articles de journal et de magazine, mais je ne voyais pas l'utilité de les lire. Qu'un journaliste me porte aux nues ou me descende en flammes ne m'importait guère, puisque j'étais invariablement le premier à me critiquer. Il y avait peu de journalistes capables de dire sur mon jeu des choses que j'ignorais. Si l'un d'entre eux voulait dire que j'avais commis une gaffe, j'aurais pu lui donner bien d'autres exemples. S'il voulait insister sur un jeu particulièrement réussi, j'aurais pu lui répliquer que j'avais été chanceux, ou que le jeu n'aurait pas été possible sans le geste intelligent d'un coéquipier à l'autre bout de la patinoire. Et si j'avais réalisé ce que je croyais être un bon jeu, n'était-ce pas, après tout, ce pour quoi on me payait ? Je n'avais pas besoin de lire là-dessus. Je savais parfaitement quand je jouais mal, tout comme je savais quand je jouais bien. Et toute l'équipe pouvait en dire autant.

Parfois on fait tout ce qu'il faut, dans les règles de l'art, et la rondelle effectue un mauvais bond. D'autres fois, on joue moins bien et la chance nous sourit. Mais au bout du compte, si on joue le hockey comme il doit être joué, on finit par atteindre les objectifs que l'on recherche. Tous les gars dans le vestiaire savent cela. Et si à l'occasion il nous arrivait de ne pas être honnêtes par rapport à nous-mêmes, nous pouvions toujours compter sur des leaders pour nous donner l'heure juste. L'équipe d'entraîneurs était, elle aussi, disposée en tout temps à nous ramener à la réalité. Je ne veux pas manquer de respect aux journalistes de sport, mais aucun d'entre eux ne pouvait écrire quoi que ce soit qui allait modifier notre vision du hockey.

De toute façon, je n'aimais tout simplement pas lire sur mon compte. Alors imaginez un peu mon hésitation à l'idée de m'asseoir pour écrire un livre. Un livre contenant des dizaines de milliers de mots sur moi-même. Sur ce que j'ai fait. Sur ce que j'ai pensé. Comment dire ? Ce n'est pas tout à fait l'idée que je me fais d'une partie de plaisir !

L'idée d'écrire ce livre avait été soulevée plusieurs fois au fil des ans, et toutes sortes de gens m'avaient fait part de l'angle sous lequel je pourrais présenter le récit de ma carrière. On m'avait offert d'écrire une biographie autorisée de ma vie, mais bien honnêtement, ça ne m'avait jamais intéressé. En fait, ce que recherchaient plusieurs d'entre eux était un témoignage à l'emporte-pièce où j'en aurais profité pour déterrer de vieilles histoires et éclabousser les gens que j'avais croisés sur mon chemin. Je ne prétends pas être un saint, mais ce genre de règlement de compte n'est pas ma tasse de thé et ne le sera jamais. Ce livre doit faire bien mieux et aller plus loin que cela.

Je crois pertinent de signaler trois choses alors que vous entreprenez la lecture des pages qui suivent. Premièrement, je ne me sens pas du tout à mon aise de parler et d'écrire en long et en large au sujet de gens si je dois le faire d'une manière négative, surtout dans un cadre tel que celui-ci, qui me semble présenter un potentiel infiniment plus grand. Considérez-moi comme vieux jeu, mais à l'époque où j'ai grandi, et surtout en pratiquant des sports, on nous a appris à ne jamais frapper sur quelqu'un qui se trouvait déjà dans une mauvaise posture. Ne vous en faites pas, je n'éprouve aucune difficulté à dire la vérité quand il s'agit d'un événement ou d'un sujet particulier, ainsi que vous allez le constater. Mais dire la vérité et s'acharner sur quelqu'un sont deux choses entièrement différentes.

Deuxièmement, bien des choses ont été rapportées sur ma vie personnelle et ma carrière depuis toutes ces années, et beaucoup de ces choses qui sont allées sous presse n'avaient été ni exprimées ni approuvées par moi. Tout le monde a le droit d'avoir son opinion, et je suppose que certaines personnes se rappellent certains faits d'une autre manière. Cependant, les faits sont les faits. Et je suis heureux d'avoir aujourd'hui l'occasion d'offrir quelques opinions de mon cru.

Troisièmement, enfin, j'ai toujours pensé que beaucoup de gens se trompaient quand ils croyaient que les choses étaient plus faciles pour moi que pour d'autres joueurs, ou que j'étais, d'une certaine manière, différent de tous les autres. Si cela avait été le cas, qu'y aurait-il dans mon histoire qui vaudrait la peine d'être dit ? Mais je ne suis pas différent de quiconque. Si certaines choses avaient été faciles pour moi, ce n'était pas là-dessus que j'entendais écrire. J'ai décidé que si je m'engageais dans la rédaction d'un livre, ce serait précisément pour témoigner des choses qui avaient été difficiles.

Si j'écrivais ce livre uniquement pour verser dans la nostalgie d'un certain âge d'or du hockey, je ne ferais que surenchérir à propos d'une version de l'histoire que je n'ai jamais jugée digne d'intérêt. Les trophées, les championnats des compteurs, les coupes Stanley, tout cela est extrêmement bien documenté désormais. Cependant, comme cette fameuse photo, ou cette statue érigée à l'extérieur du TD Garden, ces jalons d'une carrière sont bien loin de tout dire. Ils ne parlent pas des valeurs qui guident les gens, ni des motivations qui les font se battre. Ils ne disent rien des sources d'inspiration et n'attribuent pas des astérisques aux gens qui m'ont aidé ou qui m'ont encouragé. Ces jalons servent à rappeler, de la manière la plus symbolique, ce qui s'est passé sur la patinoire, mais ne révèlent rien sur la manière dont je suis arrivé là, ou sur les gens que j'ai croisés sur ma route et de qui j'ai tant appris.

Avec tout le respect que je dois à toutes les personnes qu'il m'a été donné de rencontrer, il est indiscutable que j'ai joui d'une chance inimaginable. Je sens que le temps est enfin venu pour moi de réfléchir sur certaines de ces rencontres et de les partager avec vous. Finalement, je me suis rendu compte que ce livre me permettrait de partager plusieurs réflexions et points de vue sur un sport que j'aime tant, et qu'il n'aurait pas à être centré seulement sur ma personne.

Bien entendu, il s'agissait d'une autre époque. Tant de choses qui semblaient alors faites pour durer ne sont plus là. Le vieux Garden a disparu – tout comme le *Boston Record-American*, à la une duquel la photo du « But » est parue pour la première fois. Certains amis proches de ces jours-là sont toujours à mes côtés, tandis que d'autres, qui n'étaient pas moins proches, n'y sont plus. Je n'aurais jamais pu prévoir comment le monde de 1970, ce monde représenté dans cette statue, pourrait autant changer.

L'enfance elle-même n'est plus la même. En considérant cette statue et en travaillant sur ce livre, j'ai l'impression que tout était vraiment beaucoup plus simple à cette époque. Je sais bien que c'est un cliché : plus vous vieillissez et plus il vous semble que tout était meilleur autrefois. Mais le fait qu'il s'agit d'un cliché signifie-t-il que ce soit faux ? Les choses sont différentes. Les choses changent. Les règles n'étaient pas les mêmes, alors. Les valeurs prônées par Twitter et Facebook sont différentes de celles des sports d'équipe, de l'autorité parentale, ou même des bandes de jeunes du voisinage qui jouent au hockey sur un étang gelé. Il n'y a pas à en sortir : le monde symbolisé par cette statue a disparu.

Cela dit, il y a certaines choses qui ne changent pas. Quarante ans plus tard, ce qui nous intéresse, dans ce but, ce n'est pas quand il a été marqué ou qui l'a pris en photo. Le nom de celui qui l'a marqué, cela même n'est pas important. Je crois que quand une personne qui connaît bien le hockey regarde cette statue, elle ne voit pas un gars qui a été à la bonne place au bon moment, ou un but particulier dans un match donné. Pour être tout à fait franc, je ne crois pas que vous ayez besoin d'être un fan de hockey pour comprendre ce que représente cette statue. Oui, évidemment, je suis flatté d'être ce gars immortalisé dans le bronze, mais vous n'avez nul besoin de connaître mon nom pour savoir que ce hockeyeur volant ne symbolise pas vraiment un certain exploit ou une ère évanouie. Cette statue parle de constance, et c'est réellement le propos de ce livre.

A l'occasion de cette cérémonie, alors que j'étais assis devant le TD Garden à Boston, je me suis rappelé qu'en 1970, le 10 mai était la fête des Mères. Et j'ai souhaité que ma mère pût être à mes côtés pour voir cette statue. Il est absolument impossible pour un jeune homme dans la vingtaine de pouvoir comprendre tout ce que ses parent ont fait pour lui – pas de la manière dont il le comprendra plus tard, lorsqu'il sera à son tour parent. J'aurais aimé pouvoir lui offrir un autre cadeau de la fête des Mères pour la remercier.

J'avais toutefois quelqu'un d'autre à remercier : ma femme, Peggy. Je l'ai rencontrée peu après avoir compté ce but, et elle a été depuis ce temps aussi solide que cette statue. J'ai toujours tenu à garder la plus grande discrétion sur ma vie privée – ce qui me semble aller de soi pour une personnalité publique. Notre mariage durant l'été 1973 était aussi tranquille que peuvent l'être des noces célébrées dans une petite ville. Et maintenant que je me suis mis à écrire ce livre, je me rends compte qu'il n'existe aucune façon d'y intégrer ma femme d'une manière qui lui rendrait justice. Elle n'est pas une histoire de ma vie parmi tant d'autres ; elle n'est pas qu'un chapitre. C'est à chaque page que s'est inscrit son rôle dans ma vie. Elle a fait ma connaissance au moment où je me croyais au sommet du monde, et elle était là quand ce qui comptait tant pour moi dans la vie m'a été enlevé. Quand je remercie la vie pour tout ce qu'elle m'a donné, Peggy n'est jamais loin dans mes pensées.

J'ai décidé de m'engager dans l'écriture de ce livre quand j'ai eu la conviction d'avoir quelque chose à partager. Pas parce que j'ai compté un but célèbre, ou parce que j'ai gagné tel ou tel trophée, ou parce que je détiens tel ou tel record. Les parents ont des expériences qui valent la peine d'être partagées, tout comme les entraîneurs et les autres mentors. Je suis un père et un grand-père, et c'est dans cet esprit que je pense avoir une histoire qui vaut la peine d'être racontée, et des leçons de vie qui valent la peine d'être transmises.

Ma présence au dévoilement de cette statue m'a permis de renouer avec plusieurs personnes, tantôt par une simple poignée de main ou un bout de conversation, tantôt par un simple regard et un sourire. Le temps s'envole si vite, et pourtant certains moments m'ont obligé à m'arrêter et observer une pause. Alors que j'étais assis sur la tribune, j'ai aperçu Kathy Bailey et j'ai immédiatement pensé à son défunt mari et à mon ancien coéquipier, Ace. Et je me suis souvenu de cette époque où nous avions joué, ici même, ensemble pour les Bruins. Ace était l'un des passagers du vol 175 d'American Airlines, le 11 septembre 2001. Les réminiscences de ce jour du dévoilement n'étaient, hélas, pas toutes heureuses.

Parfois, des événements nous rappellent qu'il y a des choses bien plus importantes que le hockey. Mais il n'y a probablement pas beaucoup de choses plus importantes que celles qu'une carrière dans le hockey peut vous apprendre. Je souhaite que la lecture de ce livre vous rappelle certaines des choses importantes de votre propre vie, alors que, tout comme moi, vous poursuivez votre destinée.

Si ce livre a une raison d'être, c'est là qu'il faut la trouver.

CHAPITRE 1

Parry Sound

C'était aux environs de 7 h 30 du matin, peut-être 7 h 45 si maman me laissait dormir un peu plus longtemps. Je l'entendais alors me dire « Bobby, c'est le temps de te lever », et la journée commençait. La plupart des journées débutaient de la même manière chez les Orr. Papa se levait très tôt pour aller travailler à l'usine Canadian Industries Limited. Maman nous avait habituellement préparé un déjeuner, mais parfois nous devions y voir par nous-mêmes. Puis venait le temps de partir et de nous hâter vers l'école.

Nous marchions jusqu'à l'école élémentaire Victory – nous marchions parce qu'il n'y avait personne pour nous y véhiculer, ni en voiture ni en autobus. Que nous passions par la rue Bowes ou que nous empruntions un raccourci par les bois, cela représentait une bonne petite balade. Mais en hiver, lorsque la neige devenait trop haute, nous restions généralement sur le trottoir. J'ai suivi ce parcours tant de fois que je pourrais sans doute, encore aujourd'hui, marcher jusqu'à ma chère vieille école les yeux bandés. Et peut-être aurait-on dû me les bander à l'époque, tant je m'arrêtais à tout moment pour tout regarder. Je présume que j'étais comme n'importe quel autre garçon de mon âge, incapable de tenir en place. À peine débarqué quelque part, j'étais déjà en route pour ailleurs.

En clair, « ailleurs » signifiait deux endroits : l'école et le ruisseau. Non, je ne tenais jamais en place. Dans une ville comme Parry Sound, il y avait toujours quelque chose à faire. Par temps chaud, après l'école ou la fin de semaine, je ne ratais jamais une occasion d'empoigner ma canne à pêche et de suivre la route qui se trouvait juste devant notre maison et qui suivait le cours de la rivière. Une fois arrivé, je repérais un point de chute sur la rive et, quelques secondes plus tard, j'avais déjà lancé ma ligne à l'eau, imaginant qu'une prise gigantesque n'attendait que mon hameçon. Mon excursion ne durait parfois que quelques minutes, mais cela faisait de moi un garçon heureux pour toute la journée.

Je ne peux pas dire que je détestais l'école, mais j'aimais en revanche beaucoup pêcher. La mémoire est une drôle de chose. Je ne me souviens pas de grand-chose de mes cours de géographie, mais je me rappelle exactement la sensation d'être assis sur le bord de la rivière Seguin, excité à l'idée de ce que je pourrais en tirer. J'aimais cette sensation, et cette joie toute simple ne m'a jamais quitté de toute ma vie.

Pendant les longs mois d'hiver, je prenais place derrière mon pupitre d'écolier et la grosse horloge de la salle de classe monopolisait de plus en plus mon attention au fur et à mesure que filait l'après-midi. J'étais impatient que retentisse la cloche marquant la fin des classes, signal qui me permettrait de franchir à toute allure la porte de l'école, une fois mes livres rangés. Je savais que j'aurais bientôt mes patins aux pieds et que ce serait une partie de plaisir – aussi longtemps qu'il y aurait assez de lumière pour voir la rondelle. La routine quotidienne de ma vie d'enfant était on ne peut plus simple. D'une manière ou d'une autre, elle semblait toujours me mener en direction d'un cours d'eau, peu importe le moment de l'année. La seule variante étant qu'elle soit glacée, pour jouer au hockey, ou s'écoulant librement, disponible pour la baignade ou la pêche.

Si vous vous questionnez sur ce que vous avez accompli dans ce monde, il est important de comprendre d'abord d'où vous venez et où vous êtes allé. Cela s'apparente à encadrer une photographie qui vous tient à cœur. Les lieux où vous êtes né et où vous avez été élevé servent de frontières à bon nombre des événements et des incidents qui vont se dérouler dans cette photo. L'endroit d'où tout est parti remet, pour qui que ce soit, les choses en contexte.

En ce qui me concerne, ce point de départ est Parry Sound, en Ontario, une petite ville nichée sur le bord de la baie Géorgienne. Je suppose que Parry Sound était le genre de localité que vous retrouviez à travers tout le Canada dans ce temps-là. Je veux dire par là que c'était un endroit sûr, habituellement très paisible, et un lieu extraordinaire pour un enfant.

Parry Sound se trouve à quelques heures au nord de Toronto, là où on trouve encore de l'eau, des buissons et beaucoup d'espace, tout ce qui fait le délice des enfants curieux et amoureux du grand air. Du temps de ma jeunesse, la population normale devait se situer aux alentours de 5 000 personnes pendant l'hiver, l'automne et le printemps. Mais quand arrivait l'été, je crois que ce chiffre se multipliait par dix avec l'arrivée des touristes et des vacanciers. Les lacs environnants, les cours d'eau et les quelque 30 000 îles qui parsèment la baie Géorgienne ont toujours exercé une fascination pendant la belle saison.

Malgré l'invasion annuelle des vacanciers, Parry Sound demeurait une communauté tissée serré où tout le monde connaissait les enfants des autres et veillait sur eux. Si quelqu'un se mettait dans une situation délicate, la nouvelle se répandait vite. Tôt ou tard un frère ou une sœur, le père ou la mère connaissait tous les dessous de cette mésaventure. Avec le résultat que la plupart d'entre nous se rendaient compte assez tôt dans la vie qu'il valait mieux fuir les problèmes à moins de vouloir être le point de mire des conversations d'un bout à l'autre de la ville.

Je ne suis pas surpris que mon grand-père, Robert Orr, ait choisi un lieu comme Parry Sound quand il émigra de Ballymena, en Irlande. La communauté où il vint s'établir était aussi modeste que pittoresque, et elle avait plusieurs points en commun avec un petit village irlandais. C'est ici qu'il rencontra et épousa ma grand-mère Elsie. Mon père, Doug, était leur troisième enfant. En 1943, il épousa ma mère, dont le nom de jeune fille était Arva Steele, et ils décidèrent de poursuivre la tradition familiale en fondant leur foyer à Parry Sound. Mes parents auraient cinq enfants : Patricia, Ronnie, moi-même, Penny et Doug Jr.

Je me rappelle vaguement avoir vécu dans une maison de la rue Tower Hill, et mon souvenir le plus net de l'endroit concerne une télévision noir et blanc dans le salon. C'était dans les années 1950, et le choix de chaînes et d'émissions était alors plus que limité. Je nous revois tous assis sur le plancher, regardant avec intérêt la mire, à la fin de la programmation, jusqu'à l'heure d'aller au lit. Vous pourrez en conclure qu'il n'en fallait pas beaucoup pour divertir les enfants Orr !

Mes souvenirs les plus précis de mon enfance commencent avec notre vieille maison du 24, Great North Road. Elle était toujours pleine de parents et d'amis, et des années plus tard, quand j'ai fondé ma propre compagnie, je l'ai appelée Great North Road en hommage à ce lieu où j'avais grandi. Quand vous entrez dans Parry Sound par la grande côte de la rue Bowes, vous trouverez Great North Road à votre gauche, juste avant le pont qui mène au centre-ville. La route y décrit une courbe afin de suivre la rivière Seguin. Notre maison était séparée de l'eau par la rue, à seulement quelques maisons du pont.

Notre foyer ne respirait guère l'aisance ; ce n'était décidément pas un palais. On pouvait s'en rendre facilement compte à certains détails : les planchers, par exemple, n'étaient pas de niveau. En fait, si vous laissiez quoi que ce soit sur le sol, il finissait par glisser ou rouler à l'autre bout de la pièce. Une fois, ma sœur aînée, Pat, avait dû rester à la maison parce qu'elle était malade. Quand j'allais la voir pour m'assurer qu'elle allait bien, elle n'avait qu'un problème. Pour parer à toute éventualité, ma mère avait placé un seau vide à côté du lit de Pat, en cas d'urgence. À cause de l'inclinaison du plancher, le seau s'éloignait lentement du lit en glissant sur le plancher. Et la pauvre Pat devait chaque fois quitter ses couvertures pour ramener le seau à sa place. (Ma contribution à son bien-être consista à caler un gros livre derrière le seau pour empêcher celui-ci de bouger.)

Je me souviens que pendant les longs hivers du nord de l'Ontario, notre maison était terriblement froide. Si nous voulions regarder une émission à la télévision, peu importe sa durée, nous devions nous vêtir comme si nous sortions dehors. (Une fois que nous avons emménagé à Great North Road, le choix d'émissions ne se limitait plus au spectacle d'une tête d'Indien, c'est pourquoi un habillement chaud était devenu une priorité.) Nous disposions dans cette maison d'un grand salon, mais le seul jour de l'année où la famille s'y trouvait réunie était le jour de Noël. Nous n'étions tout bonnement pas assez riches pour le chauffer le reste du temps.

Quand je dis que certaines pièces de notre maison n'étaient pas chauffées, je ne veux pas simplement dire qu'elles étaient froides : on y gelait, littéralement. Les jours les plus glaciaux, du givre se formait sur les commutateurs, et nous devions d'abord en déloger les petits morceaux de glace avant de pouvoir allumer la lumière.

Évidemment, l'hiver finissait un jour par passer le relais au printemps, et ce n'était pas sans provoquer un certain inconfort pour chacun de nous. Notre maison était bâtie contre une crête de granit, et quand, à la venue du printemps, le mercure montait, l'eau produite par la fonte de glace et de la neige dévalait la paroi rocheuse et ruisselait par la porte de la cuisine. Peut-être que mon père avait décidé que le problème ne valait pas la peine d'être réglé. Mais je me souviens que l'eau ruisselait par la porte année après année.

Non, notre vieille maison ne payait guère de mine. Bien plus tard, quand j'ai commencé à devenir assez connu, je me trouvais devant la maison quand un père et son fils se sont arrêtés pour me saluer. Le petit garçon a jeté un œil sur notre demeure et s'est retourné vers son père pour lui murmurer quelque chose à l'oreille. Il a toutefois parlé juste assez fort pour que je l'entende lui demander :

— Est-ce que Bobby Orr habite vraiment *ici* ?

Ce n'était pas un palace, ça crevait les yeux, mais c'était notre foyer, et il nous satisfaisait pleinement.

À vrai dire, cette maison a participé à la manière dont j'ai appris à jouer au hockey. Comme tous les garçons autour de moi, j'étais obsédé par ce sport et j'étais constamment à l'affût de tout ce qui pouvait m'aider à améliorer mon jeu. Lancer des rondelles sur la porte du garage est sans doute quelque chose que les joueurs de hockey en herbe ont toujours fait. Comme nous ne disposions pas d'une allée devant notre garage, j'en ouvrais la porte et lançais mes rondelles à travers le cadre de porte. La paroi de granit (celle-là même qui nous faisait cadeau d'une petite cascade par la porte de notre cuisine) constituait le mur du fond de notre garage. La roche avait été laissée telle quelle, à la vue de tous, puisque personne n'avait senti la nécessité de construire un mur pour la cacher. Les jeunes joueurs de hockey ont la mauvaise habitude de laisser un sillage de destruction derrière eux en raffinant leur art, mais je peux affirmer sans craindre de me tromper que malgré des milliers de rondelles lancées dans le garage, je n'ai jamais causé la moindre éraflure à ce granit !

J'utilisais des rondelles plus lourdes que la normale, que j'avais trafiquées en enlevant leur cœur et en leur ajoutant du plomb fondu. Les rondelles les plus lourdes étaient beaucoup plus difficiles à lancer. Si je réussissais à soulever de lourdes rondelles, je me disais que de plus légères seraient en comparaison une sinécure une fois que je serais sur la patinoire. Étant parvenu à dénicher deux morceaux de contreplaqué, j'en ai appliqué un contre le mur de roc qui me tenait lieu de but, et j'ai étendu l'autre au sol sur le seuil du garage, de manière à disposer d'une surface lisse pour tirer. La sensation s'approchait de celle que je retrouvais sur une surface glacée, et le contreplaqué me permettait de faire vraiment voler mes rondelles plombées. Le garage était éclairé par une ampoule, ainsi je pouvais continuer à m'exercer même quand la nuit commençait à tomber. Croyez-moi, j'ai lancé un bon paquet de rondelles sur ce but imaginaire pendant mes jeunes années !

Notre maison était située près de deux voies ferrées. Celle qui se trouvait de l'autre côté de la rue était si proche que vous pouviez parfois penser que les trains passaient dans notre salon. L'autre voie était située plus haut, juchée sur un tréteau qui longeait la rivière au bas de notre rue. Avec ces deux voies ferrées dans le voisinage, il y avait des passages de convoi presque à toute heure du jour, au point que nous n'entendions même plus le boucan des trains. J'imagine que la situation n'est pas différente pour quelqu'un vivant au coin de deux rues où s'écoule un flot ininterrompu d'autos et de camions. Ces trains faisaient partie de notre quotidien au 24, Great North Road.

Il y a un endroit où j'ai passé beaucoup de temps durant ma jeunesse et dont je conserve de merveilleux souvenirs : le cottage que ma grand-mère Orr partageait avec notre tante Joyce à Five Mile Bay. Pendant l'été, son cottage était le lieu de ralliement de tous ses petits-enfants, moi le premier. Nous pouvions y pêcher et y faire du bateau, en nous amusant comme des fous. Quand vous vivez dans un pays froid et que vous avez à composer avec les rigueurs extrêmes de l'hiver, vous apprenez à apprécier la douceur des étés. Nous profitions donc au maximum de chaque jour que nous pouvions passer au cottage de grand-maman Orr, et j'ai beaucoup aimé partager sa compagnie au fil de toutes ces années. Elle et moi avions en commun quelque chose dont je ne m'étais pas rendu compte à cette époque : elle se plaignait souvent d'intenses douleurs aux genoux. « Regarde un peu mes genoux », me disait-elle alors qu'elle les frottait en espérant chasser le mal. Je saurais bien assez vite à quoi elle faisait allusion...

En grandissant, je m'étais fait un bon groupe d'amis et nous nous déplacions toujours ensemble, comme une meute de loups. C'était comme ça qu'on vivait, dans ce temps-là. Nous faisions tout ensemble : du sport, des tours en ville... tout. Les amis de ma bande s'appelaient, entre autres, Neil Clairmont, Jimmy Whittaker et Roddy Bloomfield. C'est drôle de penser au passé et à ce que sont devenus ces amis. Neil est devenu hockeyeur professionnel et a joué avec les Braves de Boston dans la Ligue américaine de hockey, le club-école des Bruins. Je me souviens encore des repas que nous préparait sa mère et combien j'avais hâte de goûter sa cuisine. Jimmy Whittaker a joué lui aussi au hockey et nos chemins se sont croisés durant ma carrière junior. Roddy Bloomfield est devenu hockeyeur professionnel à Binghamton, dans l'État de New York, et a été la doublure de Paul Newman dans *Slap Shot*, ce qui lui valut d'être l'un des joueurs de hockey les plus regardés de tous les temps !

Nous étions tous réunis d'une façon ou d'une autre par ce sport. Pendant les mois d'hiver, on nous retrouvait généralement en train de jouer au hockey sur la glace de la baie, mais nous jouions aussi partout où l'espace s'y prêtait – peu importe s'il s'agissait de la baie, dans un terrain de stationnement, sur la rivière ou à la patinoire de l'école Victoria. Tant que nous pouvions jouer au hockey, nous étions heureux. Je quittais la maison le matin avec mon bâton à la main et mes patins en bandoulière, et souvent mes parents se contentaient de me dire : « Reviens pour le souper » Et c'est ce que nous faisions. Si nous pouvions, nous jouions toute la journée. Parfois, nous étions si engagés dans le jeu que nous en oubliions de manger. Parfois, nos orteils devenaient si engourdis par le froid que nous ne les sentions plus. Mais nous aimions jouer et alors nous jouions, souvent jusqu'à la noirceur. Je me souviens encore parfaitement à quel point j'étais excité par la simple perspective d'aller disputer une partie de shinny.

Cette version ancestrale du hockey se joue avec des équipes de six. Mais presque chaque jour, au temps de ma jeunesse, vous pouviez avoir vingt gars qui se présentaient sur la glace de la baie. Peu importe combien il en venait, d'une manière ou d'une autre, nous nous accommodions du nombre. Nous désignions deux gars comme capitaines, et c'est à eux que revenait la tâche de composer l'alignement des équipes. Si nous étions vingt, cela donnait deux équipes de dix et tout le monde jouait en même temps.

C'est de cette façon que nous avons appris à jouer au hockey, et vous pouvez développer très vite vos habiletés dans des mêlées de cette ampleur. Après tout, si vous désirez passer un peu de temps avec la rondelle sur votre « palette », vous devez apprendre à manier du bâton au travers de dix adversaires. C'est un environnement idéal pour un jeune qui veut développer ses habiletés tout en ayant beaucoup de plaisir.

Si vous parveniez à tenir votre bout dans ces matchs-là, alors les parties régulières ne vous semblaient pas si difficiles. En situation de vrai match, vous aviez à composer avec seulement cinq adversaires, ce qui était bien peu par rapport au nombre de joueurs d'un match de shinny !

N'ayant pour ainsi dire jamais de filet réglementaire, nous nous servions de tout ce qui nous tombait sous la main pour délimiter les buts : une paire de bottes, deux tas de neige ou n'importe quoi qui pût tenir lieu de poteau. Nous trouvions toujours le moyen de dénicher le matériel dont nous avions besoin pour nous amuser, peu importe où et quand nous décidions de disputer une partie.

Ce principe ne s'appliquait pas qu'au hockey. Quand l'hiver finissait, nous troquions la patinoire pour le parc ou la cour de l'école et nous jouions au baseball – un sport qui me procurait le même genre d'excitation que le hockey. Ce que j'aimais par-dessus tout, c'était de passer du temps avec mes amis en pratiquant toutes sortes de sports. C'est le genre d'expérience que partageaient d'un bout à l'autre du Canada des millions d'enfants dans ce temps-là, parce que c'est ainsi qu'on vivait et que les choses se faisaient.

Cela va de soi que tout le monde aime gagner quand on s'adonne à ces sports d'équipe, et je n'étais pas différent des autres. Cependant, à mes yeux, jouer au hockey et au baseball ne se résumait pas qu'à ça. Ne vous méprenez pas sur le sens de mes propos, je ne dis pas qu'on devrait bannir toute forme de compétition. Même mes critiques les plus féroces n'ont jamais remis en question un instant mon désir de vaincre. Je crois toutefois qu'apprendre à vivre avec la victoire *et* la défaite est la facette la plus importante de la compétition. Se faire à l'idée que le résultat de vos actions ne correspond pas toujours à vos espérances représente une leçon de vie, pas seulement une leçon propre au sport. Parfois nous triomphons, parfois nous perdons. Mais le tout premier but que nous recherchions en faisant du sport était la joie toute simple du jeu, cette chance infinie de se retrouver au grand air avec ses amis et d'avoir tout bonnement du plaisir.

La seule patinoire couverte en ville, le Memorial Arena, était toujours prise et nous devions attendre notre tour. Plus souvent qu'autrement, on se fiait à Dame Nature pour avoir du « temps de glace », et je dois dire qu'il n'y a pas de meilleure expérience que de patiner au grand air pour un joueur de hockey. (De plus, il n'était pas rare que la température fût plus froide à l'intérieur du Memorial qu'au dehors, sur la baie.)

Demandez aux joueurs qui ont la chance de participer aux classiques hivernales annuelles de la Ligue nationale de hockey, dont les premiers matchs remontent à 2008. Ces rencontres sont toujours impatiemment attendues par les joueurs, tandis que les partisans se voient offrir une occasion rêvée de vivre la nostalgie d'un autre temps et d'un autre lieu. Ce genre d'événement ramène tout le monde aux origines de notre sport : la sensation des lames de patin qui glissent sur la glace craquante, le son des copeaux de glace qui dessinent des arcs bien nets dans les airs. Ce sont des visions, des sons et des sensations qui sont imprégnés pour toujours dans mon esprit. La sensation du froid mordant sur votre visage suivie de celle de la chaleur merveilleuse qui vous réconforte une fois de retour à la maison… et cette impression de récupérer peu à peu vos dix doigts de pied. Toutes ces choses font partie de la magie du jeu en plein air et j'avais immensément hâte de pouvoir y retourner encore et encore, et au plus tôt.

Ces souvenirs représentent mieux ma jeunesse que n'importe quelle autre évocation, tant était grand notre bonheur de pouvoir pratiquer ainsi notre sport favori. J'ai eu la chance d'assister à l'une des classiques hivernales disputée au Fenway Park, à Boston. Quel spectacle de voir les joueurs regarder autour d'eux, les yeux ronds, ravis d'être là ! Quand vous pouvez lire sur les traits des joueurs l'émerveillement à la vue du fameux Monstre vert du Fenway Park, vous ne pouvez vous empêcher de sourire éperdument. À ces moments-là, ces athlètes professionnels grassement payés se retrouvent, du moins pour un moment, ramenés quelque part sur un étang gelé en train de savourer ce sport dans ce qu'il offre de meilleur.

Nous avons tous chéri ce rêve, du temps de nos jeunes années, que notre talent nous permettrait de nous rendre jusqu'au sommet du sport professionnel, et il n'y avait rien de mal à entretenir un tel rêve. C'est le carburant qui alimente chaque partie de shinny ou de baseball dans une cour d'école. Bien entendu, au fur et à mesure que vous progressez dans votre parcours de hockeyeur, la réalité commence à rattraper la plupart des gens. Le rêve commence à s'estomper quand vous comprenez que vous ne vous produirez probablement jamais sous les projecteurs des grands amphithéâtres. Mais est-ce bien important ? Tout ça n'a aucun rapport avec la vraie nature des jeux d'enfants. Les leçons de vie que nous retirons de la compétition nous suivent durant toute notre vie adulte. Les types de compétition qu'on rencontre en tant qu'adulte peuvent être différents de ceux de notre jeunesse, mais les règles de celle-ci n'en continuent pas moins de s'appliquer. Ce que vous avez appris sur un étang gelé ou au champ de balle ne perd jamais de sa pertinence, peu importe le domaine où vous aboutissez.

Cette époque-là était moins compliquée et, si on se fie aux manchettes des journaux d'aujourd'hui, elle était aussi plus sûre pour les jeunes. Oui, peut-être bien que la mémoire adoucit les contours de certains souvenirs au fil des années, alors que nous considérons notre jeunesse avec une pointe de nostalgie Mais je ne peux me défaire d'une certitude : ces jours de mon enfance, ces journées entières passées à jouer dehors avec mes amis, demeurent mes plus beaux souvenirs de hockey. À mes yeux, ces moments de ma vie représentent le hockey dans sa forme la plus pure. Nul d'entre nous ne pensait à la gloire ou à l'argent, même si nous rêvions de l'un et de l'autre, et personne ne se souciait du résultat final de la partie. Nous pratiquions le sport pour l'amour du sport, pour nous retrouver entre amis.

Les parents d'aujourd'hui seraient surpris de constater que leurs enfants pourraient faire la même chose s'ils étaient laissés à eux-mêmes. De notre temps, nous avions appris à nous organiser par nous-mêmes. Nous devions faire preuve d'initiative, parce que les chances étaient faibles qu'un parent soit disponible pour pelleter la baie, la patinoire ou un bout de rue. Si nous voulions jouer, nous avions à nous remuer pour y parvenir. Nous avions autant à donner qu'à recevoir, parce que nous étions tous réunis par un même projet, et qu'il était essentiel de collaborer avec chaque élément du groupe même s'il ne s'agissait pas de vos plus proches amis. S'il n'y a personne pour dire de jouer proprement, vous vous rendez compte très rapidement qu'il existe un code et que les enfants le respectent tout naturellement.

De temps en temps, les tempéraments s'échauffaient, mais nous nous arrangions pour régler ces différends – après tout, nous n'avions pas d'arbitre pour gérer ce genre de situation. Si les circonstances le commandaient, vous aviez parfois à vous tenir debout. D'une manière ou d'une autre, chaque enfant qui nouait ses lacets pour une partie de shinny apprenait que battre en retraite n'était presque jamais la solution. Mais tout le monde comprenait vite que si vous jouiez dans l'esprit du règlement, vous n'auriez pas vraiment de problème. En fait, quand je repense à ces jours-là, je n'arrive pas à me souvenir d'un seul grand conflit ou combat qui soit survenu sur la baie. Je suppose que nous étions trop occupés à avoir du plaisir...

Les sports, et tout spécialement le hockey, nous inculquent des leçons qui nous accompagnent une vie durant. Pas d'entraîneur pour vous dire quoi faire. Pas de parents pour vous dire comment vous comporter. Pas d'arbitre pour juger de ce qui est légal ou non. Et pas non plus de juge de ligne pour séparer les belligérants si quelqu'un perd son calme. La liberté, quoi ! Mais avec cette liberté venait aussi une responsabilité, car nous devions tout gérer ou alors nous n'aurions pas pu jouer toute la journée à ce jeu que nous aimions tant.

Malheureusement, sous bien des aspects, ces jours d'antan appartiennent à un monde dont plus rien ne subsiste aujourd'hui. Dans ces rues, ces cours d'école et ces stationnements autrefois grouillants d'enfants qui jouaient, règne aujourd'hui le calme. Trop souvent on voit les gants de baseball et les bâtons de hockey remplacés à grande échelle par des télés câblées et des jeux vidéo. Et si les jeunes n'ont pas assez l'occasion de jouer et s'ils n'en retirent pas de plaisir quand ils le font, faut-il s'étonner de les voir se tourner vers d'autres options ?

Je n'essaie pas de dire qu'il faut bannir la télé, mais si vous avez déjà passé un après-midi d'hiver entier à jouer au shinny avec tout le voisinage, ou un soir d'été à jouer à la balle-molle avec tous ceux qui se sont présentés au parc, vous savez que les jeunes qui n'ont pas la chance de s'organiser par eux-mêmes, de régler leurs propres litiges et de vivre l'euphorie du sport joué sans cérémonie ratent quelque chose d'irremplaçable. Autrefois, nous n'attendions pas qu'un adulte vienne organiser nos loisirs ou fixer la date de nos parties entre amis. Nous le faisions nous-mêmes. Nous étions ceux qui prenaient toutes les décisions : à quoi nous allions jouer, où et quand nous le ferions, comment nous composerions nos équipes.

Si les jeunes ne peuvent pratiquer de sport, ils passent à côté de quelque chose de fondamental. Faire partie d'une équipe, officielle ou non, ne devrait pas être réservé aux joueurs d'élite ; chaque enfant devrait pouvoir goûter à ce genre d'expérience.

Mes premières parties de hockey me semblent si loin maintenant. De nos jours, les sports que pratiquent nos enfants sont organisés et gérés par des adultes, et ce n'est pas ainsi que se passaient les choses quand j'étais jeune. À mon humble avis, ce n'est pas de cette manière que les enfants peuvent expérimenter la joie de participer à un sport d'équipe. De nos jours, il est courant de voir des ligues entières appartenir à une seule personne ou une compagnie, et ce sont souvent les joueurs d'élite qui se voient avantagés au niveau du temps de glace, à l'entraînement ou pendant les matchs. Pourtant, la majorité des jeunes qui veulent jouer n'appartiennent pas à l'élite – par définition, tous ne peuvent faire partie de l'élite. La plupart des jeunes sont dans la moyenne. Et c'est justement ce que veut dire le mot « moyenne »…

Bon nombre de jeunes veulent pratiquer un sport pour le plaisir de participer. Voilà ceux que nous devrions aider autant que nous le pouvons, parce qu'ils constituent la grande majorité des joueurs concernés. Dans mon temps, nous ne nous souciions pas tant de faire partie d'une équipe d'étoiles que de nous retrouver entre amis. Quand nos parties se sont transportées de la baie jusqu'aux ligues mineures de hockey, nous savions tous où devait aller notre loyauté. On attendait de nous que nous participions d'abord à la ligue de notre ville avant de jouer pour une équipe d'étoiles dans un tournoi ou tout autre événement, et je trouvais ça tout à fait normal.

Cela rapprochait les communautés et personne ne se demandait qui étaient les meilleurs joueurs. Ce qui nous importait, c'était d'être ensemble. Pour la plupart des tournois auxquels nous prenions part, nous étions tous hébergés par une famille locale plutôt que logés dans un hôtel, tout bonnement par souci d'économie. Être hébergé signifiait habituellement que nous restions sous le toit d'un membre de l'équipe hôtesse, et cela faisait partie des plaisirs d'un tournoi. En plus d'être une solution plus abordable, l'hébergement nous permettait de mieux connaître les autres joueurs des alentours. Bien que cette pratique persiste encore ici et là de nos jours, elle n'est plus aussi répandue que du temps où j'étais un jeune joueur de Parry Sound.

Pour bien des gens aujourd'hui, avoir un garçon ou une fille qui joue au hockey peut représenter un fardeau financier, et cela est triste. J'ai bien peur que les coûts inhérents à la location des patinoires, aux déplacements, au coaching et à l'équipement empêchent de nombreux jeunes de pouvoir pratiquer ce sport – une situation diamétralement opposée à la culture qui régnait du temps de ma jeunesse. Encore aujourd'hui, j'apprécie le lieu et l'époque où je suis né, ainsi que le cadre dans lequel j'ai été élevé. Parry Sound occupera toujours une place toute spéciale dans mon cœur et les souvenirs de mon enfance ne cesseront jamais de me ramener là-bas.

De cette époque, des noms et des visages continuent à me faire sourire. Il y avait dans notre ville des gens qui ont fait une différence, pas seulement dans ma vie, mais au sein de toute notre communauté. Au niveau du hockey, plusieurs de ces personnes ont eu un immense impact sur moi, bien qu'à l'époque je ne pouvais comprendre toute la portée de leur contribution à mon cheminement.

C'est curieux ce dont on se rappelle de son enfance. Alors que certaines images semblent devenir plus floues avec le temps, d'autres restent parfaitement claires, comme si elles remontaient à la semaine dernière. Je peux me rappeler de la joie immense que j'ai éprouvée en recevant ma toute première paire de nouveaux patins. Jusque-là, je n'avais jamais eu que des patins usagés. Mais quand j'ai eu 11 ou 12 ans, juste avant le début de la nouvelle saison de hockey, mon père a reçu un cadeau très généreux de la part d'un ami de la famille, Gene Fernier. Monsieur Fernier avait décidé que l'heure était venue pour moi d'avoir de nouvelles lames, et il avait tenu à me les acheter. Je ne me rappelle pas le modèle de ces patins ni qui les avait fabriqués, mais je n'ai certainement pas oublié ce moment. Quelle extraordinaire sensation ! Encore aujourd'hui, je me souviens de mon excitation et de la gratitude que j'ai ressentie.

C'est une expérience que j'ai partagée avec de nombreux jeunes garçons et jeunes filles qui ont vécu à leur façon ce genre de sensation, et c'est l'une des choses merveilleuses dont nous sommes redevables aux sports. Peu importe votre degré d'habileté ou la position à laquelle vous êtes choisi au moment de la constitution des équipes, tous les joueurs partagent les mêmes émotions, les mêmes expériences et la même joie de participer. Que ce soit en finale de la Coupe Stanley, de la Coupe Canada ou lors d'une partie d'anciens ou encore dans une ligue récréative de jeunes joueurs, c'est du pareil au même. La vérité, c'est que le hockey lie les gens qui le jouent de telle sorte que les mots peinent à pouvoir décrire ce sentiment. Le hockey fait vivre des expériences dans lesquelles peut se reconnaître chacun de nous, et sous de nombreux rapports.

En repensant à ces patins, je me rappelle que tout jeune, je tentais toujours de garder une bonne partie de l'argent que je gagnais en faisant de petits boulots. Après tout, la famille Orr comptait cinq enfants et nous ne pouvions espérer de nos parents qu'ils nous donnent tout ce que nous voulions, parce que leurs revenus ne le leur permettaient pas. Une des plus grandes sensations que je pouvais vivre consistait à pénétrer dans un magasin d'articles de sports avec mes économies en poche et à demander à voir un Hespeler Green Flash. C'était le seul bâton que je rêvais d'avoir, et aucun autre sur le marché ne pouvait rivaliser avec lui. J'ai dû attendre longtemps avant de pouvoir me l'offrir. Son équivalent moderne doit être le premier bâton en fibre de carbone, que tout joueur de chaque équipe se devait absolument de posséder, peu importe son prix. Mais il y avait une grande différence entre mon Green Flash et les modèles les plus modernes. Bien que je ne puisse me rappeler le prix de ce bâton, je peux vous garantir qu'il ne coûtait pas aussi cher que les modernes... Et il me semble qu'il m'a duré aussi beaucoup plus longtemps... (Et j'ajouterai également qu'un bâton de bois offre une sensation qu'on ne pourra jamais tout à fait reproduire avec un bâton en fibre de carbone.)

Je me rends compte que j'évoque avec nostalgie toutes les choses que nous, enfants, faisions par nous-mêmes, mais je dois insister sur le fait que nous étions entourés de gens qui se souciaient de nous et qui nous soutenaient. Ils s'appelaient « Coach », ou « Monsieur », ou encore « Madame ». À cette époque-là, je ne pouvais pas réaliser à quel point ils seraient importants dans mon développement, sur et hors de la patinoire. Je ne peux tous les nommer, bien entendu – ils sont légion à intervenir, pour un temps ou pendant longtemps, dans la vie d'un enfant, l'aidant tantôt d'une manière bien modeste, tantôt de façon plus conséquente. Et je n'ai peut-être même pas eu conscience de l'apport de plusieurs de ces gens. Voisins, volontaires, membres de la famille, tous ces gens fournissent une contribution que les enfants tiennent pour acquis. Mais le souvenir de certaines de ces personnes est resté gravé dans ma mémoire, et plus particulièrement l'une d'elles, dont une décision aurait une incidence directe sur tout le reste de ma carrière de hockeyeur. Cette personne s'appelle Royce Tennant.

En 1956, j'avais été inscrit dans une ligue locale pour enfants. J'avais alors huit ans, et aussi étrange que ça puisse paraître, je ferais mes débuts dans la LNH seulement dix ans plus tard. Mais tout cela appartenait encore à un lointain avenir et n'était pour l'heure rien de plus qu'un rêve d'enfant de huit ans. Et c'est Royce Tennant qui a donné une forme bien précise à ce rêve.

Cette année-là, Royce s'est retrouvé entraîneur en chef de l'équipe d'étoiles novice, les Shamrocks de Parry Sound. Cette organisation locale de hockey mineur en était à ses balbutiements, et il s'agissait peut-être de la première équipe jamais constituée à ce niveau. Comme la saison battait son plein, on m'offrit la chance, juste après Noël, de passer de ma ligue-maison aux Shamrocks de l'entraîneur Tennant. C'était la toute première fois que je représentais ma ville natale, et dire que j'étais excité serait un euphémisme. Partir en voyage pour aller jouer sur la patinoire d'autres villes, quand bien même elles n'étaient pas si loin de la nôtre, c'était toute une sensation pour un garçon de mon âge.

Cependant, cette invitation à joindre les rangs de l'équipe d'étoiles ne signifiait pas que j'étais le plus grand joueur que Tennant eût jamais vu. Il fallait chercher la raison ailleurs : l'entraîneur n'avait que douze joueurs à sa disposition et il avait besoin d'engraisser son alignement. Peut-être que ma carrière aurait pris une tout autre tangente s'il y avait eu à Parry Sound d'autres jeunes joueurs admissibles dans cette équipe, cet hiver-là. Tennant devait trouver des moyens d'employer certains de ses garçons de manière à combler tous ses trios offensifs et ses duos défensifs. C'est ainsi qu'il en vint à la décision que les garçons avec une coupe en brosse feraient une présence comme avants puis se replieraient à l'arrière, enchaînant immédiatement avec une présence comme défenseurs.

On m'a souvent louangé au fil du temps pour avoir été l'un des tout premiers défenseurs à s'être portés en attaque. À la vérité, je crois que tout le crédit revient à cet homme qui m'a dirigé quand j'étais dans cette équipe de jeunes joueurs, ainsi qu'aux autres entraîneurs qui ont suivi. Des années plus tard, mon vieil entraîneur m'a dit que c'était mon coup de patin qui l'avait convaincu de m'utiliser comme arrière. Cela ne constitue peut-être pas un argument transcendant pour qui n'appartient pas au monde du hockey – après tout, n'importe quel joueur est capable de patiner –, mais même au niveau le plus élevé de compétition, au hockey, on parle de gars qui peuvent *patiner.*

Certains joueurs disposent d'une accélération qui ne leur demande aucun effort, une sorte de fluidité innée qui les aide à se sortir du pétrin ou à retrouver leur position même quand cela semble impossible. Il y a quelques très grands joueurs qui n'ont jamais été reconnus pour leur coup de patin – et je parle ici de certains des plus grands de tous les temps. Et il y a aussi eu de splendides patineurs dont les mains n'ont jamais pu concurrencer leurs pieds… Tout ça pour dire que c'était un énorme compliment qu'on me tienne pour un bon patineur. Cet aspect du hockey n'a pas changé depuis, parce que patiner a de tout temps été et restera toujours le principal atout du succès de n'importe quel joueur.

Royce avait donc décidé que je possédais un coup de patin, une mobilité qui me permettait de me replier en un éclair et de réintégrer la zone défensive pour couvrir nos arrières quand survenaient d'inévitables erreurs. J'étais censé me reposer après une présence à l'aile, mais j'avais au hockey organisé la même conception du jeu que lorsque je m'amusais sur la baie Géorgienne : quand j'avais la rondelle, je voulais aller de l'avant.

Quand vous n'êtes qu'un enfant de huit ans, vous ne perdez pas de temps à analyser différentes facettes du jeu : vous y allez et vous jouez. Aussitôt que j'ai commencé à goûter au jeu en tant que défenseur, j'ai aimé ça. J'étais encore trop jeune pour comprendre cette évidence : de sa position derrière la ligne bleue, un défenseur voit bien mieux qu'un joueur d'avant se développer le jeu. Mais j'allais apprendre bien assez vite que, comme défenseur, les chances de prendre possession du disque et d'utiliser mon coup de patin se présentaient à chaque présence. Même à cet âge précoce, mon entraîneur Tennant me donnait toute latitude pour monter avec la rondelle. Jamais ne m'a-t-il demandé de rester à l'arrière ; il m'a laissé jouer en fonction de mes habiletés.

Regardez n'importe quelle équipe de hockey, surtout à mon époque, et vous constaterez qu'un petit garçon aussi frêle que moi ne répondait pas tout à fait au physique de l'emploi. Habituellement, il est assez facile de distinguer les défenseurs des avants d'une équipe, même pendant l'échauffement. Les défenseurs sont probablement les plus grands et les plus costauds du groupe, et très souvent ceux qui ont le plus beau coup de patin. Selon les standards établis, je n'étais qu'un minus. À l'époque où Royce Tennant était mon entraîneur, je ne devais pas peser beaucoup plus de 60 livres, alors les chances que je nettoie le devant du filet étaient plus ou moins bonnes. Et encore plus faibles les chances que je malmène l'adversaire. Non, on ne peut pas dire que je me posais en candidat naturel pour le titre de défenseur.

Le boulot d'un défenseur est de rester à l'arrière, de s'interposer entre le gardien et tout joueur adverse, et de garder le devant du but bien dégagé de manière à ce que le gardien puisse suivre la rondelle. Et une fois que vous avez récupéré la rondelle, le point fondamental de votre description de tâches consiste à sortir cette rondelle de votre zone par la voie la plus sûre et la plus efficace. Toute initiative plus créative représente un tapis rouge pour les ennuis. Personne ne croyait vraiment qu'un défenseur pouvait avoir la maîtrise du disque et *patiner* avec ; son rôle devait se limiter à dégager sa zone, point. À l'époque, on comptait deux exceptions notables dans la LNH, Eddie Shore et Doug Harvey, et le tour des défenseurs offensifs était bouclé. Avec le temps, plus près de nous, on a vu davantage de défenseurs de gabarit moyen, des athlètes capables de bien patiner et de transporter la rondelle. Des gars comme Paul Coffey, Erik Karlsson, Kris Letang et d'autres encore sont devenus des acteurs importants dans la partie. Mais à l'époque, il n'y avait pas de place pour des défenseurs de ce type.

Il faut rendre hommage à Royce pour sa vision du jeu : il avait compris que si tout se passait comme il l'avait imaginé, ce serait à l'adversaire de s'inquiéter pour ce qui se passait devant *son* filet. Si vous y pensez bien, c'est une sacrée bonne manière de jouer défensivement. Tant et aussi longtemps que vous êtes en possession de la rondelle, votre gardien n'a pas à s'en faire. Royce m'envoyait sur la glace et me laissait jouer ma partie comme elle me plaisait, c'est-à-dire sans avoir peur de commettre des erreurs.

Cette liberté que m'accordait mon entraîneur m'a permis d'acquérir la confiance pour tenter des choses dont je ne me serais jamais imaginé être capable. Tennant me permettait de retourner à cette conception d'un hockey tel que nous le jouions sur l'étang gelé, à un jeu qui nous force à devenir créatif, une qualité qui manque trop souvent à celui qui est pratiqué aujourd'hui, si vous voulez mon avis. Bien des entraîneurs d'aujourd'hui ne laisseront jamais un de leurs défenseurs tenter quelques-unes des choses que je tentais autrefois, et je trouve cela infiniment dommage. Je me demande souvent s'il y aurait un seul entraîneur pour oser me laisser jouer à ma manière si je jouais aujourd'hui…

Mon petit doigt me dit que j'aurais amassé pas mal de mousse et de toiles d'araignées sur le banc si je jouais dans une ligue mineure de nos jours. Plusieurs jeunes entraîneurs de hockey ne veulent pas que leurs joueurs courent le moindre risque par peur des revirements, comme si leur hypothèque en dépendait ! Mon bon vieil entraîneur n'avait pas peur que ses joueurs commettent des erreurs, et croyez-moi, j'en ai commis plus que ma part ! J'en ai fait à ce moment-là, et j'en ai fait encore plein d'autres tout au long de ma carrière professionnelle. Mais fort heureusement, les entraîneurs que j'ai croisés sur ma route m'ont permis de disputer un jeu ouvert, et je leur en suis très reconnaissant.

Un de mes bons souvenirs de cette année-là est une visite que nous avons faite au Maple Leaf Gardens. Tennant avait organisé notre horaire de façon à ce que nous puissions jouer un match hors concours à Toronto puis assister à une confrontation Maple Leafs-Black Hawks[1] le soir même, au Gardens. Quelle sensation pour une bande de jeunes garçons de Parry Sound ! Vous pouvez imaginer un peu notre état d'excitation en marchant dans l'amphithéâtre pour la première fois, les yeux ronds comme des billes à la vue des photos accrochées sur les murs des corridors, montrant toutes des légendes du hockey d'autrefois et de l'époque.

Pour couronner le tout, nous avions eu la chance de rencontrer des joueurs de la LNH, y compris le célèbre capitaine des Leafs, George Armstrong. Il m'avait alors paru bien vieux, mais je me rends compte maintenant qu'il n'avait alors que 26 ans ! Armstrong et tous les autres joueurs que nous avions vus avaient été d'une grande gentillesse avec nous, et leur comportement m'a laissé une impression durable. Vous ne devez jamais sous-estimer l'importance de pareils événements dans la vie d'un enfant. Assumer ses responsabilités à l'égard des partisans est quelque chose que j'ai toujours pris extrêmement au sérieux.

Je crois pouvoir dire que, comme George ce jour-là, j'ai toujours honoré cet idéal, autant durant ma carrière que depuis que je suis à la retraite. Vous ne savez jamais de quelle manière une simple rencontre, si brève soit-elle, peut avoir comme effet sur la destinée d'une personne, et c'est pourquoi vous devez toujours vous efforcer d'être à votre meilleur. Même si ce n'est pas toujours facile, ce but devrait être

1. Nous utiliserons tout au long de ce livre l'ancienne graphie du nom de cette équipe. Les Black Hawks sont en effet devenus les Blackhawks au fil des années 1980.

recherché par toutes les personnalités publiques, et tout spécialement par les athlètes professionnels.

Des années plus tard, quand j'étais adolescent, j'assistais à un camp d'été – le Camp Wee-Gee-Ya – que dirigeait Royce à Parry Sound. Une des personnes qu'il avait invitées à venir rencontrer les jeunes joueurs était nul autre que Gordie Howe, et c'était pour moi la première fois que je voyais l'homme, qui était l'une de mes idoles – ce qu'il est encore aujourd'hui, d'ailleurs. Comme si cela ne suffisait pas, Royce s'était arrangé pour que je puisse accompagner le numéro 9 dans une petite excursion de pêche, une expérience inoubliable. À la fin de la journée, Tennant m'avait demandé :

— Eh bien, Bobby, est-ce que M. Howe t'a donné un conseil concernant ta future carrière de joueur ?

— Oui, coach, lui avais-je répondu. Il m'a dit que lorsque je jouerais dans la LNH, je devrais faire attention à au moins une chose : ses coudes !

Durant mon parcours dans le hockey mineur, à Parry Sound, j'ai joué sous les ordres d'autres entraîneurs influents, tels que Tom Maxwell, Bucko McDonald, Anthony Gilchrist et Roy Bloomfield. Ces hommes ont poursuivi la tradition amorcée par Royce Tennant, et ils m'ont permis de jouer au hockey de la manière qui me plaisait le plus, c'est-à-dire avec la « rondelle sur la palette ». Croyez-moi, nos entraîneurs ne nous infligeaient pas la médecine de la « trappe », dans ce temps-là. Pour nous, une trappe était quelque chose dont se servaient les chasseurs pour attraper des castors et des visons, et elle n'avait pas sa place dans une partie de hockey.

J'ai toujours autant de mal à imaginer l'entraîneur d'un groupe de jeunes joueurs de huit et neuf ans perdant son temps à leur enseigner des systèmes de jeu. Le meilleur système qu'un entraîneur puisse inculquer à un jeune est de lui permettre de créer et de raffiner ses habiletés. Les systèmes de jeu – en admettant qu'ils soient indispensables – devraient intervenir seulement beaucoup plus tard. Nos entraîneurs au niveau mineur n'ont jamais cherché à éliminer la notion de plaisir de notre jeu, mais je me demande combien d'enfants finissent par sortir du hockey mineur parce qu'ils n'en éprouvent aucun. Bien entendu, nous désirions nous améliorer. Et ces hommes nous aidaient à y parvenir. Mais était-ce parce qu'ils prenaient garde de ne pas nous « surdiriger », était-ce parce qu'ils sentaient que nous avions du plaisir, ils n'ont jamais cherché à brimer notre créativité. Je ne me souviens pas d'un seul entraîneur qui m'ait dit de dégager la rondelle au-dessus de la bande quand les choses se corsaient dans notre zone. Nous étions autorisés à tenter des choses, à y aller de mouvements créatifs susceptibles de nous extirper d'une mêlée (ou à nous y entraîner). C'est ce genre de coaching qui m'a amené à jouer comme je l'ai fait plus tard dans les rangs professionnels. Si je n'avais pas été dirigé de cette manière par mes entraîneurs du niveau mineur, je doute que j'aurais pu devenir le joueur que je suis devenu.

Je crois qu'il vaut ici la peine d'en dire un peu plus à propos du légendaire Wilfred Kennedy « Bucko » McDonald, car il s'agit d'un personnage pour le moins intrigant.

Peut-être était-il un grand entraîneur parce qu'il était venu assez tard au coaching. Durant la Grande Dépression, l'homme s'était présenté chez les Leafs à l'invitation de Conn Smythe comme joueur de soutien avant de devenir un joueur étoile et d'inscrire trois fois son nom sur la coupe Stanley. Peut-être son grand talent de communicateur était-il le reflet de son expérience accumulée en 12 ans à la Chambre des communes comme député de Parry Sound-Muskoka. (Je me demande si beaucoup d'enfants peuvent se vanter d'avoir été dirigés par un entraîneur qui a été joueur de la LNH et député fédéral...) Il était resté très impliqué dans le monde du hockey, car il avait dirigé les Americans de Rochester, de la Ligue américaine de hockey. Et à l'époque où j'ai joué pour lui, il était dépisteur pour les Red Wings de Detroit.

Bucko McDonald était un colosse doté d'un très fort tempérament, quelqu'un qui semblait toujours faire les choses à sa façon. Il a été notre entraîneur pendant deux ans quand je jouais au niveau bantam, et il combinait volontiers les rôles d'entraîneur et de chauffeur pour les joueurs si ceux-ci ne pouvaient se rendre à la patinoire pour un entraînement ou une partie. À plusieurs reprises, j'ai été le bénéficiaire de quelques-unes de ces « balades » à bord de l'énorme vieux camion de Bucko, mais il lui arrivait rarement d'aller directement à la patinoire. Souvent, si nous jouions ailleurs qu'à Parry Sound, nous nous arrêtions à sa halte routière préférée. Le restaurant en question se trouvait juste à la sortie de la ville, sur l'autoroute 69, et nous nous y arrêtions avant la partie afin de déguster une petite collation.

Nos papilles gustatives s'attardaient à tous les types de plats servis dans ce genre de cantine : burgers, frites, sundaes et autres incontournables regroupant les quatre groupes alimentaires (enfin, il me semble bien). Bon, selon les barèmes en vigueur aujourd'hui, ce n'était pas ce qu'on pourrait appeler un menu d'avant-match (ou même d'après-match) très digeste, mais Bucko ne s'en souciait guère. Il disait toujours que sur la glace, seul comptait ce que vous aviez dans le cœur, pas dans l'estomac. J'ai toujours été doté d'un solide appétit quand j'étais jeune, et Bucko n'a jamais entendu s'élever de moi la moindre plainte concernant les choix au menu.

Une fois son équipe constituée, il n'avait aucune difficulté à distinguer toutes les pièces du casse-tête que représente une équipe de hockey, et il possédait ce talent qu'ont tous les excellents entraîneurs au moment de mettre tout le monde à la bonne place à l'intérieur du canevas. En ce qui me concerne, Bucko me donna le droit de suivre mon instinct sur la patinoire et de ne jamais me départir de la rondelle quand j'en avais la pleine maîtrise, m'enjoignant plutôt de la conserver et de laisser le jeu s'ouvrir devant moi. Et une fois de plus, à ces moments-là, me revenait le souvenir de ces jours passés sur les patinoires extérieures, sur une rivière ou sur une baie, quand nous patinions à cœur joie en transportant la rondelle pendant des heures et des heures. Grâce à ce style de coaching, on m'a donné la chance de jouer à ma façon, et mes entraîneurs m'ont permis de développer mes aptitudes.

Si vous conservez la rondelle et gardez la tête bien haute, plus souvent qu'autrement, une chance se présentera. À l'époque je n'en avais pas conscience, mais j'ai réalisé plus tard que les premières deux ou trois foulées étaient capitales pour moi. Si je bougeais rapidement mes pieds, je parvenais alors à me démarquer. Quand je me retrouvais démarqué, sans personne autour de moi, je ressentais une impression de calme, et j'avais à ces moments-là l'impression que le jeu se mettait à ralentir.

Il était beaucoup plus facile de fabriquer des jeux quand vous étiez en mouvement, et Bucko contribua à renforcer ce concept chez moi. Après tout, le meilleur jeu de tout le hockey demeure le *give and go*, et il ne peut se faire si au moins un des deux joueurs n'est pas en mouvement. Sans vitesse, vous concédez votre plus grand avantage, et votre adversaire vous contrera rapidement s'il connaît son affaire. Conserver une vitesse constante permet aussi de revenir plus facilement réparer une erreur.

Quand je patinais à pleine vitesse et que je possédais la rondelle, la plupart des choix me revenaient et j'ai toujours adoré me retrouver dans cette position. Je ne sais pas ce qu'il en est pour les autres, mais pour moi les décisions me semblaient plus faciles à prendre quand j'allais le plus vite. C'est bizarre, mais pour beaucoup de joueurs, je crois que la patinoire semble très petite, surtout quand la vitesse du jeu augmente. Pourtant, chaque fois que je mets les pieds sur une patinoire aux dimensions de la LNH, je suis toujours étonné de l'étendue de la glace : elle me paraît immense. Il y a là bien assez d'espace pour manœuvrer, peu importe la taille de l'adversaire. Je pense que Bucko et tous mes autres entraîneurs ont rendu ma carrière possible en me permettant tout simplement de jouer avec mes tripes et de patiner avec la rondelle.

Tous m'ont aidé à devenir un joueur plus confiant, et avec davantage de confiance vient l'envie d'essayer des choses différentes et plus créatives sur la patinoire. Bâtir la confiance d'un joueur est un élément que tous les entraîneurs doivent intégrer dans la pratique de leur métier. Cela marchait à l'époque et cela marche encore pour les joueurs d'aujourd'hui.

J'ajouterais une chose importante à propos de mes entraîneurs du hockey mineur, mais qui ne se rapporte pas à leurs habiletés professionnelles. Dans un sens beaucoup plus large, tous ces gens se comportaient comme des gentlemans quand ils dirigeaient leur équipe, et ils encourageaient leurs joueurs à se conduire de la même manière, sur et hors de la patinoire. Des hommes comme Royce, Tom et Bucko venaient de milieux très différents, mais ils partageaient tous la même idée maîtresse quand il était question de diriger de jeunes joueurs de hockey : le plaisir devait prévaloir. C'était une idée parfaitement révolutionnaire ! Personne ne nous criait après derrière le banc, personne ne fulminait contre les arbitres. Quand le résultat d'un match était décevant, personne n'humiliait les joueurs. Ce n'était qu'une partie de plaisir, et je crois qu'en définitive, mes entraîneurs ont aidé à développer quelques excellents citoyens au fil de ce processus.

Le hockey a cette capacité de rassembler une communauté et d'apprendre aux jeunes non seulement à concourir, mais aussi à jouer selon leurs plus hauts standards. J'en veux pour exemple l'équipe bantam au sein de laquelle j'ai joué en 1962, et dont je garde un souvenir très cher et une grande fierté. Cette équipe a changé ma vie.

Avant toute chose, je mentionnerai que j'étais avec des gars avec qui je jouais depuis plusieurs années. Cela représente beaucoup, de jouer et de gagner avec des coéquipiers qui comptent pour vous. Et pour gagner, nous avons gagné ! L'équipe de Macklaim Construction était restée invaincue en saison régulière. Et quand nous avons entamé les séries éliminatoires, toute la ville était derrière nous. Les parties disputées à domicile, au Memorial Arena, affichaient salle comble. Et pendant que nous progressions dans les séries, nous pouvions compter sur le support de nos partisans, autant à l'extérieur qu'à la maison. En première ronde, nous avons complètement surclassé Midland, puis nous avons disposé de Huntsville pour remporter le championnat du district. Puis ce fut au tour d'Uxbridge et de Napanee. Contre Milton, à la ronde suivante, nous avons commencé par gagner chez eux puis nous les avons accueillis dans un Memorial plein à craquer et très bruyant, alors que nous avions la chance de décrocher le titre provincial.

Même si toute la ville de Parry Sound était emportée dans un tourbillon d'excitation et de fierté, notre équipe avait ses propres attentes. Je ne parle pas ici d'attentes telles que la victoire et les trophées. Il va sans dire que nous livrions une bonne compétition, et même une féroce compétition, parce que nous voulions gagner à tout prix. Mais les principales attentes de notre équipe de 1962 évoluaient autour de bien d'autres concepts : dire « s'il vous plaît » et « merci », réagir avec dignité devant les difficultés, respecter les arbitres, et ainsi de suite. Et ces attentes n'étaient pas que le lot des joueurs, mais de tout le monde qui gravitait autour de nous : entraîneurs, directeurs et parents. Et plus l'équipe allait loin, plus nous tenions aux attentes qui nous avaient permis de nous rendre jusque-là.

À certains moments, ces attentes n'ont pas toujours été dûment respectées, que ce soit par notre jeu ou notre conduite sur la patinoire ou encore par d'occasionnelles défaillances de parents dans les gradins. Nous sommes tous humains et nous n'avons peut-être pas été un groupe parfait, mais notre approche du sport s'attachait à des choses bien plus importantes que simplement gagner ou perdre. Je crois que les succès de notre équipe étaient dus en grande partie, et presque entièrement, aux attentes que nous nous étions fixées. Cela peut avoir l'air de sonner vieux jeu ou mièvre pour certains, mais beaucoup de jeunes membres de cette équipe sont devenus par la suite des gens qui ont réalisé de grandes choses pour notre communauté. Les leçons de 1962 s'attachaient à des attentes qui ne reposaient pas sur une perspective sportive, mais plutôt humaine et relationnelle. Je suis vraiment très fier d'avoir fait partie de ce groupe.

Cet après-midi-là, nous n'avons pas déçu notre ville. Nous avons battu Milton et remporté le titre provincial tout en conservant une fiche parfaite. Il ne nous restait plus qu'à participer au tournoi du district de la « Petite LNH », à Gravenhurst, où nous avons de nouveau croisé et battu Huntsville en finales, pour maintenir notre fiche immaculée. Cela mettait la table pour le moment fort de la fin de la saison, le tournoi provincial de la Petite LNH, un événement s'étalant sur trois jours à Cobourg, où nous étions hébergés par des familles de la ville.

Nous avons battu Winona lors du premier match, disposé de Milton au deuxième et rencontré l'équipe hôtesse en finale, remportant le championnat par une victoire sans appel de 6-0 et conservant notre fiche parfaite.

Le lendemain, quand nous sommes revenus à Parry Sound, nous avons été accueillis en héros. Même les corps de police et de pompiers étaient là pour nous applaudir, toutes sirènes hurlantes, pendant que nous roulions dans la ville. Je pense que je parle au nom de tous mes coéquipiers quand je dis que nous étions aussi fiers de la manière dont nous avions gagné que du fait que nous ayons gagné.

En 2012, le Temple de la renommée Bobby Orr de Parry Sound a honoré les membres de cette équipe en les intronisant au Temple. Ainsi on se souviendra toujours de ce que nos entraîneurs et directeurs cette année-là – Roy Bloomfield, Anthony Gilchrist et Bucko McDonald –, ainsi que mon frère Ron, notre préparateur physique, ont accompli pour raffermir les liens de cette communauté, et pour l'exemple qu'ils ont donné à une bande de jeunes qui voulaient seulement jouer au hockey.

Quand j'ai rencontré plusieurs de mes vieux coéquipiers à l'occasion de cette cérémonie, même si certaines crinières s'étaient amincies et que certains tours de taille s'étaient épanouis, les souvenirs et les histoires des meilleurs moments de notre vie n'avaient quant à eux pas pris une seule ride. Et voilà ce qui me semble, à mon avis, l'essence même du hockey mineur.

Il ne serait pas juste de terminer cette évocation de mes jeunes années à Parry Sound sans prendre un moment pour parler de mes frères et sœurs. J'aimerais qu'ils sachent à quel point je leur suis reconnaissant des sacrifices qu'ils ont tous dus consentir pour que je puisse réaliser mes objectifs en tant que hockeyeur.

Le jour où ma carrière a pris son essor signifiait aussi que plusieurs fins de semaine de mon père se résumeraient à de longs périples en voiture pour me conduire dans diverses villes. Cela signifiait aussi que les quatre autres enfants Orr n'auraient pas leur père à la maison. Il est difficile d'évaluer comment mon développement en tant qu'athlète a pu affecter ma famille en son entier et mes frères et sœurs individuellement.

Je sais que lors de certains matchs auxquels participaient mes frères, il se trouvait des gens dans les gradins pour crier quelque chose du genre : « Tu ne seras jamais aussi bon que ton frère ! » Ce n'était pas très bien de leur part, à plus forte raison qu'ils s'en prenaient à des enfants. Mais cela venait avec le reste, j'imagine, même si ces paroles n'étaient pas appropriées. Plus le temps a passé, moins notre environnement ressemblait à celui d'une famille normale, et je n'ai aucun doute que tous les Orr, grands et petits, ont dû payer un certain prix pour mon succès, d'une façon ou d'une autre.

À quelqu'un qui prendrait aujourd'hui un chemin semblable à celui que j'ai suivi, je donnerais ce conseil : rappelez-vous toujours que les gens qui vous sont les plus proches seront affectés par vos rêves. À un moment ou à un autre, ils devront assurément sacrifier quelque chose afin de vous aider à atteindre vos buts. Vous êtes peut-être *The Next One*, mais en attendant vous avez une famille qui devra payer la note pour vos succès. Vous ne devez jamais oublier cela et toujours remercier votre bonne étoile d'avoir à vos côtés des gens prêts à vous soutenir.

Ma propre expérience m'a permis de me rendre compte qu'il y a très peu de *self-made men* en ce monde. Alors que vous devez travailler dur pour connaître le succès, une vérité demeure : la plupart de ceux qui sont allés loin ont reçu plus que leur part d'encouragements et de soutien d'amis et de parents aux moments-clés.

J'aimerais pouvoir remercier un à un tous ceux et toutes celles qui m'ont aidé à cette époque, mais cela est impossible. Il y a toutefois deux personnes qui m'ont donné tout ce qu'il leur était humainement possible, deux personnes qui m'ont préparé pour affronter une vie que j'ai appris à apprécier sans cesse davantage au fur et à mesure que j'ai vieilli. La personne que je suis aujourd'hui est le résultat direct de l'exemple que m'ont donné mes parents, Arva et Doug Orr.

CHAPITRE 2

Les leçons de mes parents

Bien des années après mon départ de Parry Sound, mes parents reçurent la visite des parents d'un jeune joueur qui s'apprêtait à faire sa grande entrée dans le monde du hockey. Eric Lindros avait alors 14 ans, et son père et sa mère passèrent à la maison en quête de conseils. Il semblait clair dans leur esprit que mes parents avaient eu leur part de mérite dans ma réussite, et les Lindros désiraient savoir comment devait être élevé un fils promis à une carrière dans la LNH. Plus précisément, ils voulaient avoir un aperçu de la manière dont mon père avait encadré mon développement en tant que joueur. Qu'avait-il fait pour me mener au sommet?

La réponse de mon père tint dans un seul mot: rien.

Je relate cette anecdote pour souligner un fait: j'ai vraiment eu les meilleurs parents de tout l'univers.

Les parents d'Eric Lindros avaient assurément raison de se soucier de l'avenir de leur fils, et tout particulièrement de l'impact que sa vie aurait sur les autres membres de leur famille. Quand il fut sélectionné au premier choix du repêchage universel par les Nordiques, son visage était déjà l'un des plus connus au Canada. En fait, il était peut-être le joueur dont on parlait le plus avant même qu'il eût rayé la glace d'une patinoire de la LNH. Il était tout à fait normal que des parents s'inquiètent de quelle manière une famille, et un jeune homme comme Eric, pourrait naviguer dans le tourbillon qui entourerait la future grande attraction de la ligue. En vérité, ce spectacle, et les enjeux qui lui sont rattachés, n'ont jamais cessé de grandir depuis.

Mais il y a des choses qui ne changent jamais. Le jeu lui-même n'a pas vraiment changé, et les partisans non plus. Avec l'envol de ma carrière professionnelle vint aussi une certaine célébrité. Celle-ci entraîna d'énormes répercussions non seulement pour moi, mais aussi pour l'endroit que j'appelais « la maison ». Par ces deux mots, je désigne mon foyer lui-même, et, dans un sens plus large, la ville entière de Parry Sound. Vous vous doutez bien que tout cela a changé la vie de mes parents, de mes frères et de mes sœurs. Pour certaines personnes qui se retrouvent soudainement les parents d'un athlète connu, la reconnaissance qui en découle peut en arriver à prendre des proportions presque intolérables. Mais cela ne fut pas le cas pour mes parents.

Mon père et ma mère ont été de merveilleux modèles qui ne m'ont jamais inculqué la moindre notion en matière de hockey, mais qui ont insisté pour que j'apprenne à devenir une bonne personne. Quand vous êtes un enfant, ce n'est pas facile de voir tout ce que vos parents font pour vous – et il est encore plus dur de vous rendre compte de ce qu'ils ne font pas pour vous. Vous pouvez apprécier la contribution de vos parents en vieillissant, mais vous comprenez beaucoup mieux leurs méthodes et leurs compétences parentales une fois que vous fondez votre propre famille. Mes parents formaient un merveilleux couple uni par un puissant désir d'élever leurs enfants avec des valeurs et des fondements. Mais les qualités individuelles que chacun apporta dans leur couple les aidèrent à consolider le succès de leur mariage pendant 57 ans.

Je crois que leurs valeurs cardinales et leur sens fondamental de la famille et de la communauté les a protégés, eux et leurs enfants, de tout un tas de problèmes potentiels. J'ai entendu raconter une situation récurrente qui est arrivée à ma mère au fil des années, et sa réaction témoigne du genre de personne qu'elle était. Durant tout ce temps, ma mère a occupé plusieurs emplois à temps partiel, et l'un d'eux était dans un café de Parry Sound. Les gens savaient qui elle était, et comme dans n'importe quelle petite ville, ils aiment bien parler hockey. À quiconque lui posait la question : « Comment va votre fils ? », elle répondait du tac au tac : « Lequel ? C'est que j'en ai trois, vous savez. »

Dans tout ce qui touchait à notre vie familiale, je n'étais que l'un de leurs enfants. Je ne pense pas qu'il soit jamais venu à l'esprit de mes parents de me traiter différemment. Mes parents se sont toujours assurés que chacun ait une place spéciale dans la famille, et non pas seulement celui qui était connu hors de la maison à cause de sa carrière de hockeyeur. Bien entendu, comme n'importe quels autres frères et sœurs, nous rivalisions tous pour attirer l'attention de nos parents. Je ne pense pas que cette rivalité frères-sœurs, sous ses multiples formes, était exclusive à la maisonnée Orr. Par exemple, quand nous sommes devenus plus vieux, mes frères aimaient bien taquiner ma mère en lui disant des choses telles que: « Oh, nous attendons sans doute une visite de Bobby... Maman a fait beaucoup de nourriture. » Nous avons tour à tour aiguisé nos flèches et nous avons tous aussi reçu notre part de piques.

Revenons à la question évoquée au début du chapitre: comment mes parents m'ont-ils préparé à devenir un joueur de hockey? La réponse est simple: ni plus ni moins que comme n'importe quel autre enfant. Tous les parents veulent fondamentalement les mêmes choses pour leurs enfants: la santé et le bonheur. Voilà tout ce que des parents doivent souhaiter pour leurs enfants. Le succès va et vient, mais si vos enfants sont heureux et en bonne santé, rien d'autre ne compte vraiment. Pour ce qui est du succès, je suppose que nous le mesurons tous de manière différente, et je n'ai aucun doute que mes parents avaient leur idée bien à eux sur ce qu'était le succès. L'essentiel, au bout du compte, c'est qu'ils ne m'ont jamais imposé leur point de vue.

Jamais n'ont-ils cherché à me dire comment je devais mener ma vie ou comment je devais réussir. Toutes ces choses, ils m'ont laissé les décider moi-même. Je peux seulement imaginer à quel point les parents d'Eric Lindros ont dû être surpris par la courte réponse de mon père, mais la réalité est qu'elle reflétait sincèrement ce que mes parents croyaient avoir été leur rôle dans l'épanouissement d'un jeune joueur de hockey sous leur toit.

Mes parents n'étaient pas versés dans les longs discours ou dans la philosophie. Mais cela ne voulait pas dire pour autant que nous ignorions ce qu'ils pensaient ou ce en quoi ils croyaient. Le leadership dont ils faisaient preuve à mon endroit était renforcé par leur économie de mots, surtout à des moments cruciaux de mon développement. Tous les enfants connaissent les valeurs prônées par leurs parents, car ils les voient vivre.

En ce qui me concerne, ils n'assistaient pas à toutes les parties de hockey que je disputais du temps de ma jeunesse, mais ils n'avaient pas à être dans les gradins pour que je sache qu'ils m'appuyaient. Ils n'exerçaient aucune pression sur moi pour que je gagne ou que je sois le meilleur marqueur ou le meilleur joueur de l'équipe. En fait, c'était plutôt le contraire. Je n'arrive pas à me rappeler une seule occasion où mon père m'ait donné la moindre indication sur la manière de jouer au hockey.

Tout enfant aime gagner – et je ne faisais pas exception à la norme. Et les enfants aiment faire plaisir à leurs parents. Ces deux choses mises ensemble peuvent relever les enjeux pour un enfant et donner au hockey l'allure d'un travail ou d'un devoir. J'étais sans doute un petit garçon très sérieux, mais mon père me disait souvent : « Va jouer, aie du plaisir et tu verras bien ce qui arrivera. » Quand nous nous retrouvions après une partie, il ne me livrait pas son évaluation sur mon jeu ou ne me donnait pas de conseil. Et il me semble qu'il se montrait toujours extrêmement positif. Tout ça pour dire qu'il jouait le rôle d'un père, et non celui d'un entraîneur ou d'un conseiller. Voilà une attitude que j'aimerais voir adopter davantage de certains parents.

Malheureusement, de nos jours, beaucoup de parents d'athlètes prometteurs tentent de réaliser leurs propres rêves à travers les succès de leur enfant, et cela ne marche jamais. C'est l'essence du message que mon père a voulu partager avec les Lindros.

Ma femme dit souvent que ma mère était une merveilleuse personne et l'épine dorsale de la famille Orr. Et Peggy dit absolument vrai. Elle a toujours eu une affection particulière pour ma mère, parce que celle-ci aimait répéter à l'envi que je n'étais pas assez bien pour mériter une fille de la qualité de Peggy, mais ça c'est une autre histoire dont nous reparlerons plus tard.

Ma mère ne se plaçait jamais à l'avant-scène, en quête de la lumière des projecteurs. Elle était d'une nature très humble et elle est demeurée jusqu'au jour de sa mort le ciment qui liait notre famille. En fait, le jour même où elle a rendu l'âme, elle a passé un long moment avec la révérende Marjorie Smith. Aux obsèques privées qui ont été tenues en l'honneur de ma mère, la révérende Smith nous a dit que maman l'avait chargée de communiquer un souhait à l'intention de tous les enfants Orr. Son message tenait en quelques mots très simples: elle nous demandait de bien nous entendre. Elle croyait en l'importance de la famille, et cette préoccupation persistait à l'habiter même à la toute fin de sa vie.

Plusieurs journalistes ont écrit, au fil du temps, que lors d'apparitions publiques et d'interviews, je donnais l'impression d'être une personne timide, réservée. D'autres sont allés plus loin et ont même dit que je paraissais renfermé. Je pense que j'ai certainement hérité de ma mère cette facette de ma personnalité. Encore aujourd'hui, tout comme du temps où j'étais joueur, j'ai du mal à dormir la veille d'un jour où je dois faire une présentation ou une conférence, que ce soit pour dix ou mille personnes. J'ai été au centre de l'attention plus souvent qu'à mon tour depuis que je suis jeune, et je persiste à détester cela. Ma mère n'était pas différente de moi. Elle menait notre famille, mais d'une manière discrète, sans tambour ni trompette. Elle venait assez rarement me voir jouer, parce qu'elle n'aimait pas l'attention qui venait avec tout cela. La foule l'effrayait un peu, à plus forte raison quand se produisaient des débordements. Par conséquent, elle n'a peut-être assisté qu'à cinq ou six parties durant toute ma carrière, bien qu'elle ait toujours été parfaitement au courant de son évolution. Elle avait choisi d'être notre forteresse à distance, là où aucun projecteur n'était braqué sur elle.

Notre mère donnait sans compter et sans savoir le sens du mot recevoir. Toute sa vie était vouée à rendre service à sa famille et à sa communauté, et son exemple a eu un impact aussi immense que durable sur chacun des enfants Orr. Aux yeux de ma mère, les gestes ne parlaient pas plus fort que les paroles; ils s'apparentaient plutôt à des directives. Bill Watters, un ami de la famille, disait souvent d'elle:

« Avec Arva, on aurait pu changer le vieux dicton "Ne fais pas ce que je fais, fais ce que je dis" en "Fais ce que je fais et ce que je dis", parce que c'est exactement ainsi qu'elle vivait. »

Elle a été l'une des personnes les plus attentionnées que j'ai connues et elle plaçait toujours les besoins des autres avant les siens. Dans les années 1960, il y avait une émission de télévision intitulée *Hazel*[1] dont le personnage principal était une bonne qui cherchait toujours à aider la famille qui l'employait par tous les moyens possibles. Mon ami d'enfance Neil Clairmont a été le premier à appeler ma mère « Hazel » parce que c'est exactement le rôle qu'elle avait choisi de remplir. Elle était de ces personnes qui trouvent leur bonheur dans le don de soi et qui pratiquent celui-ci tous les jours de leur vie. Mes copains le savaient et aimaient bien se retrouver chez moi, parce qu'ils savaient que « Hazel » leur concocterait un petit quelque chose et qu'un bon repas les attendrait sur la table.

Il me faut tout de même admettre que maman pouvait aussi se montrer sous un jour plus sévère. Elle ne tolérait pas les mensonges, et les règles qui prévalaient sous notre toit devaient être comprises et suivies. Aucun d'entre nous ne possédait beaucoup de choses, mais ce que nous possédions devait être respecté et bien entretenu. Maman attendait de sa progéniture qu'elle se comporte bien à la maison, à l'école et où que nous soyons dans la communauté. C'était elle qui veillait au respect de ces règles, et Dieu vienne en aide à celui d'entre nous qui s'aventurait à ne pas les observer…

Les conceptions du bien et du mal, tels que ma mère les considérait, ne souffraient aucune discussion. L'anecdote suivante vous en fournira un excellent exemple. Par un après-midi frais et pluvieux, alors que j'avais 10 ans, un ami et moi nous étions retrouvés en possession d'un paquet de cigarettes. Je ne me rappelle pas comment il avait bien pu se frayer un chemin jusque dans nos poches, mais je crois que nous pouvons écarter la thèse d'un chapardage à l'épicerie du coin. Peu importe le risque, nous avions décidé de nous initier au plaisir coupable du tabac alors que nous avions tendu nos lignes sous le pont qui mène au centre-ville de Parry Sound. Pour notre plus grand malheur (en tout cas le mien, assurément), ma mère ne tarda pas à recevoir un coup de téléphone et un rapport détaillé des agissements de son fils et du lieu où se déroulait le forfait. Je suppose que j'étais assez satisfait de mon exploit du moment, mais mon sang se glaça dans mes veines

1. Les plus âgés se souviendront que la version française de cette émission s'intitulait *Adèle* (NdÉ).

quand je vis ma mère apparaître sous le pont, marchant d'un pas résolu vers son renégat de rejeton. La seule idée constructive qui me passa par la tête fut de prendre mes jambes à mon cou, et je laissai tomber ma cigarette en rassemblant le souffle qui me restait. Mais ma mère n'eut qu'à crier mon nom pour que je me fige net.

J'étais pris en flagrant délit, et si les yeux de ma mère avaient été des couteaux, je serais mort ce jour-là. Elle m'empoigna par un bras et me ramena à la maison manu militari. Cet épisode n'a pas été le plus folichon de ma vie, je peux vous le jurer – tout comme je peux vous jurer que cette cigarette a été la dernière... que j'ai fumée sous ce pont.

Ce que je vais vous dire ne se trouve dans aucun livre de psychologie parentale en vente de nos jours, mais l'arme de prédilection (à défaut d'un meilleur terme) de ma mère, quand l'un d'entre nous déviait de la voie à suivre, était un vieux balai qu'elle gardait à portée de main dans la cuisine. Maman croyait en cette vieille maxime : une main de fer dans un gant de velours. Bien que ses cris fussent pires à supporter que la morsure du balai, l'action conjuguée de ces deux arguments massue nous dissuadait de réveiller dans l'avenir le côté justicier qui sommeillait chez ma mère. Nous savions tous comme elle nous aimait et comme elle avait bon cœur, mais en même temps, nous savions qu'elle était le patron.

Notre mère n'a jamais cherché à être la meilleure amie de ses enfants. Elle tenait à ce que nous sachions où la ligne était tracée et quelles étaient les conséquences si quiconque la franchissait. Plus tard, inévitablement, nous avons développé des liens plus intimes et plus amicaux avec elle. Mais je dois avouer que même une fois adulte, assis dans le salon de la maison familiale à discuter avec ma mère, je n'en repensais pas moins souvent à son balai.

Puis il y avait l'homme de la maison, mon père Doug, qui avait un tout autre caractère. Je suis sûr que par moments, ma mère devait croire qu'elle élevait six enfants et non pas cinq, car mon père pouvait être parfois aussi turbulent que n'importe lequel d'entre nous. Si ma mère était calme et effacée, mon père se situait exactement aux antipodes. J'imagine que cette idée reçue voulant que les contraires s'attirent s'appliquait à mes parents. Mais étant donné la trajectoire que ma vie a prise au niveau sportif, il s'est avéré le père parfait pour moi. Au fur et à mesure que mes talents de hockeyeur se sont développés, il est devenu mon premier partisan et supporter. Il ne m'a jamais soumis à la moindre pression, pas plus qu'il n'en a fait subir à aucun de mes frères et sœurs, comme il arrive dans certaines familles. Ils avaient beau avoir deux personnalités complètement différentes, mon père et ma mère partageaient une même qualité essentielle : tous deux se sacrifiaient sans cesse pour le bénéfice de leur famille et de leurs amis.

Enfant, puis adolescent, mon père avait été un bon athlète. Assez, en fait, pour être invité une fois à un camp d'entraînement du club-école des Bruins. Il avait toutefois décliné l'invitation, préférant se joindre à la Marine royale canadienne. Il avait ainsi passé plusieurs années à bord de corvettes, en pleine bataille de l'Atlantique, escortant des vaisseaux marchands dans leur périple vers l'Angleterre.

Papa avait déjà épousé maman quand il quitta la Marine, et dès son retour à Parry Sound il reprit là où il avait laissé, retournant au travail parmi les civils et commençant sa vie de famille. Les cinq petits Orr se pointèrent assez rapidement et mon père occupa différents emplois à cette époque. À vrai dire, pour joindre les deux bouts, il travaillait souvent à deux ou trois endroits à la fois, et je confesse n'avoir jamais noté la chose quand j'étais jeune. C'est ainsi que tour à tour mon père a été représentant pour le compte d'une brasserie ; chauffeur pour une compagnie de taxis locale ; journalier à la Canadian Industries Limited – un lieu rempli à ras bord de dynamite – ; barman dans un ou deux établissements de la ville.

Comme notre mère, il adorait la vie de famille et il offrit à ses cinq enfants un cadre idéal pour leur éducation. Mais ne vous méprenez pas : mon père avait aussi un caractère aventurier. Il aimait avoir du bon temps, et je suis convaincu que ma mère a dû penser plus d'une fois à lui faire tâter de son balai. Papa était un être humain et il avait ses défauts, comme quelques milliards de personnes sur terre, mais j'ai été à même de me rendre compte de toutes ses qualités en vieillissant. Il n'y a pas un seul habitant de Parry Sound qui n'aimait pas sincèrement mon père.

S'il démontrait en tant que parent un grand nombre de qualités, il avait aussi celle de nous laisser découvrir les choses par nous-mêmes. Toujours présent pour nous donner un coup de main ou un conseil, il ne nous imposait toutefois jamais quoi que ce soit. Il demeurait tout de même intraitable sur un point, sans marge de manœuvre pour la moindre discussion : l'importance de travailler fort. J'ai su très tôt qu'il mettait les bouchées doubles et même triples au boulot, et son attitude a déteint sur moi. Peu importe ce que nous faisions, il nous demandait d'y investir toute l'énergie nécessaire. Je crois que les origines de ma passion pour le hockey ont un rapport direct avec l'attitude que mon père avait sur plusieurs choses. Au travers des années, papa s'est toujours attendu à ce que j'offre le meilleur de mes efforts, et ses attentes m'accompagnent encore aujourd'hui. Ces efforts m'ont mené au succès sur la patinoire, et ce succès a nourri à son tour ma passion. Une autre des attentes de mon père à l'égard de ses cinq enfants concernait leur participation aux corvées et à des emplois à temps partiel. Croyez-moi, mon enfance et mon adolescence à Parry Sound ne se sont pas déroulées que sous l'enseigne du hockey !

Pour mes parents, il était primordial que nous apprenions la valeur d'une journée de travail, et un emploi d'été représentait une excellente introduction au sens des responsabilités. Quand je repense à ces emplois, je dois dire que celui de porteur dans un hôtel a été le plus pénible, car j'étais si malingre à l'époque ! Le Belvedere était un superbe vieil hôtel qui accueillait des touristes durant la période estivale. L'endroit était fermé pendant tout l'hiver, et un job d'été y était très convoité. Dans un établissement jouissant d'un tel prestige, on n'attendait rien de moins que le meilleur d'un jeune porteur. Hélas, j'ai éprouvé un peu de difficulté à respecter les standards exigés.

Par exemple, dès que je sortais de l'hôtel pour aider les clients à porter leurs valises, la désolation les gagnait en voyant ce petit garçon se dépêtrer avec des bagages beaucoup trop lourds pour lui. J'étais si chétif que plus souvent qu'autrement, le client finissait par entrer en portant lui-même ses valises. Plus d'une fois, on put me voir dans le vestibule de l'hôtel, les mains remarquablement vides, diriger de nouveaux venus lourdement chargés. Ce genre de scène plaisait assez peu à mon patron, monsieur Peoples, et afin d'éviter qu'elle se reproduise trop souvent, je devais dans le stationnement supplier les clients – et presque me battre avec eux – pour qu'ils me laissent porter quelque chose lors de mon entrée dans l'hôtel. J'étais prêt à porter n'importe quoi, carton à chapeau ou sac à main, en autant que je porte un objet, sous peine de m'exposer aux foudres de mon patron. Mais ces valises étaient si lourdes ! Je suis, encore aujourd'hui, profondément reconnaissant à toutes ces bonnes âmes qui ont essayé de venir en aide à ce pauvre petit porteur de l'hôtel Belvedere, il y a plus d'un demi-siècle.

Avant que je quitte cette vénérable institution, les choses eurent encore le temps d'empirer. Parmi les tâches qui m'incombaient, durant le quart de travail du matin, j'avais à manœuvrer dans le vestibule l'une de ces énormes polisseuses à plancher. Ces machines étaient aussi lourdes qu'énormes – certainement aussi grandes que moi, en fait. J'avais besoin de toutes mes forces pour faire tourner la roue de l'appareil qui polissait le sol, passant souvent à un cheveu que ce soit plutôt la polisseuse qui me fasse tourner comme une toupie. Quiconque m'a vu manipuler ce monstre mécanique a dû penser que je répétais la scène comique d'une pièce de théâtre ou un numéro de cirque…

L'été suivant, c'est peu dire que je n'avais pas envie de retourner travailler au Belvedere, mais je savais que je n'avais pas le choix, car ma mère en avait décidé ainsi. À la lueur de ma performance de l'année précédente, qui sait si M. Peoples avait réellement envie de me donner une autre chance. Mais le destin fit ce qu'il avait à faire, c'est-à-dire qu'il frappa, et l'hôtel brûla pendant l'hiver, et c'est ainsi qu'a pris fin ma fabuleuse association avec le Belvedere. Mon père a tourné plus d'une fois en dérision mon passage là-bas, et a même insinué que mon job me répugnait tant que je m'étais résolu à mettre le feu à l'hôtel.

Je me souviens d'un autre emploi estival qui m'en a fait baver, alors que je tentais d'aider un fermier à faire des balles de foin. Le fermier étant un ami de mon père, il a bien voulu me laisser faire mon apprentissage sous sa houlette. Tout le monde sait que le travail de ferme est rude, mais je me disais que ce genre de travail me garderait en bonne forme et ferait en même temps germer quelques dollars de plus dans mes poches. Tout se faisait à la main, dans ce temps-là, et ça ne pouvait qu'être un bon entraînement pour moi.

Eh bien, ç'a été tout un entraînement, en effet. Je n'ai pas connu depuis une manière plus difficile de gagner quelques sous supplémentaires. Je peux vous dire que j'ai très vite réalisé ce qu'était la vie d'un fermier et la somme de travail qu'exigeait le bon fonctionnement d'une ferme. Si j'avais jamais songé à m'en acheter une, mes rêves sont alors morts dans l'œuf.

En plus de ces deux épisodes, ma grandiose carrière de travailleur d'été a aussi inclus un passage à la boucherie de mon oncle Howard, la chasse nocturne aux vers de terre avec une lampe de poche dans le but de les revendre aux pêcheurs et, enfin, un emploi de commis à la boutique de vêtements Adam's. Plus vieux, j'ai aussi travaillé au camp de hockey Haliburton, qui était dirigé par Wren Blair, Jim Gregory et Bob Davidson. (Eh oui, ma première participation à une école de hockey l'a été à titre d'instructeur, et non comme élève !) J'ai aussi été, à temps partiel, concierge à mon école élémentaire. Pendant les vacances de Noël et de Pâques, je lavais et cirais les planchers. Il y avait aussi là-bas une vieille fournaise qui nécessitait un bon récurage, et puisque j'étais la seule personne assez petite pour m'y coller, c'est à moi que revenait la mission de me glisser dedans et de la faire reluire. Comme on dit : c'était un sale boulot, mais quelqu'un devait le faire…

Aucun de ces emplois que j'ai tour à tour exercés pendant ma jeunesse n'était de près ou de loin glamour, et ils n'étaient pas toujours amusants non plus. Vous ne vous réveillez pas le matin en étant impatient de vous frotter à une polisseuse à plancher ou à une balle de foin, mais vous y allez, parce que c'est ce qu'on attend de vous. Le but premier de tous ces jobs était de former le caractère, et c'est pourquoi mes parents voulaient nous voir travailler.

Je crois que ce genre d'expériences peut s'avérer profitable à toute jeune personne afin d'apprendre la signification de l'expression « travailler dur » et la valeur de l'argent, des leçons indispensables à tout le monde.

◈

Mon père aimait bien les bonnes blagues – spécialement si c'est lui qui les racontait. Un jour, quand elle était petite, ma sœur Penny est revenue à la maison en ayant appris une danse, et elle a décidé que mon père devait s'asseoir pour la regarder. Cela se passait au moment de l'Oktoberfest et je peux seulement imaginer que mon père avait honoré de sa présence un tant soit peu cette fête. Encore aujourd'hui, je peux entendre le rire de mon père quand Penny s'est mise à danser, et plus il riait, et plus elle dansait !

Papa appréciait à fond chaque moment de la vie. Quand nous allions pêcher, les blagues et les histoires émaillaient les heures passées côte à côte, le tout ponctué de rires. J'entends encore *Yakety Sax*, un succès de l'époque qui jouait à tue-tête sur un appareil à cassette que mon père emportait lors de nos excursions de pêche à la rivière Moon. Il était dans un autre bateau avec ses amis, et vous saviez toujours où ils étaient, parce qu'ils ne cessaient de faire jouer cette chanson. Sa mélodie, et les rires qui la rythmaient, continuent encore aujourd'hui à résonner dans mes oreilles.

Mon père me fit rire une dernière fois, quelques jours après sa mort. Je faisais le ménage parmi certains de ses effets personnels quand je découvris un tampon encreur avec ma signature. Et ce petit objet vint élucider un mystère que je n'avais jamais pu résoudre…

Des années auparavant, j'avais dit à mon père qu'il allait devoir ralentir un peu les demandes d'autographe, parce que je ne parvenais pas à tenir la cadence. S'il lui arrivait de procéder à la mise en jeu inaugurale d'un tournoi, tout le monde ne tardait pas à l'identifier comme étant le père de Bobby Orr et je me retrouvais aussitôt aux prises avec une autre liste de demandes d'autographe sur les bras. Je lui ai dit : « Papa, juste sous prétexte que quelqu'un te dit bonjour, ça ne veut pas dire que tu lui doives un autographe. »

Et presque immédiatement, j'avais remarqué qu'il me demandait moins de photographies qu'avant. J'étais soulagé, mais je n'en étais pas moins curieux de savoir ce qui s'était passé. En découvrant le tampon, j'ai résolu l'énigme et je n'ai pu qu'éclater de rire. Sans doute y a-t-il sur quelques murs des photos supposément autographiées par moi qui proviennent en fait du fameux Service d'impression Doug Orr ! Je me demande bien qui mon père a pu convaincre de fabriquer ce tampon. Cette portion du mystère ne sera jamais élucidée. Disons que mon père pouvait être en partie raisonné ou ralenti dans ses actions, mais quand il avait une idée en tête, vous ne pouviez jamais l'empêcher complètement de la réaliser.

Quand je réfléchis à l'impact que mes parents ont eu sur ma vie, je me rends compte aujourd'hui que les règles fondamentales qui m'ont été inculquées gravitent toutes autour d'un thème central : le respect. Des choses aussi simples que tenir une porte ouverte, s'adresser poliment à quelqu'un, ou retirer son chapeau à l'intérieur, surtout autour d'une table. Ces règles de base par lesquelles on manifeste du respect pour autrui sont devenues des habitudes pour nous, et je suis heureux que mes parents aient mis l'emphase sur ce point. Ils ne nous ont jamais dit : « Les enfants, asseyez-vous et écoutez. Nous allons vous apprendre les bonnes manières. » Ils n'avaient pas non plus besoin de nous gronder : nous comprenions tacitement ce qu'ils attendaient de nous quand nous habitions sous leur toit. Ce sont eux qui ont façonné le comportement que nous avons adopté. Certains athlètes se conduisent comme si la terre entière attendait leur bon plaisir, et cela m'insupporte à un point que je ne saurais dire. Nos parents n'auraient jamais admis pareil comportement d'aucun de leurs enfants, et il y aurait eu des conséquences.

Dans leurs dernières années, bien après que je sois devenu célèbre comme hockeyeur professionnel, on pouvait souvent voir papa et maman assis sur le balcon de leur maison de Parry Sound, par beau temps. À cette époque-là, ils habitaient un nouveau logis, rue Gibson (et je peux vous assurer que les planchers de cette résidence étaient parfaitement droits !). Il arrivait à des gens de venir les saluer, se présentant comme des amateurs de hockey, et de leur demander à voir quelques-unes des pièces de collection que mes parents avaient accumulées au fil de ma carrière. Ils étaient sans délai introduits dans la maison pour assouvir leur curiosité. Ce genre de geste vous en dit plus long que tous les beaux discours sur mes parents. Après la création du Temple de la renommée Bobby Orr à Parry Sound en 2003, on pouvait souvent apercevoir papa qui faisait visiter le lieu à des groupes d'écoliers ou qui accueillait un autobus bondé de personnes âgées.

Souvent, quand je l'appelais pour bavarder, il m'interrompait :

— Désolé, je dois y aller, je dois me rendre à l'école Victoria pour parler aux enfants.

Si j'avais le temps de lui demander de quoi il allait leur parler, il me répondait :

— Je ne sais pas encore.

Et il était déjà parti. Ça me plaisait de savoir qu'il allait là-bas, parce que nous avions tous les deux fréquenté cette école du temps de nos enfances respectives. Ce genre d'activité bénévole représentait une grande part de la vie de mes parents.

Est-ce que leur mariage a toujours été parfait ? Nous savons bien que cela n'existe pas. Notre famille a connu sa part de problèmes, comme n'importe quelle autre, mais nous avons réussi à passer au travers, d'abord et avant tout parce nos parents étaient des gens extraordinaires et qu'ils se battaient pour les valeurs auxquelles ils tenaient.

Quand vous êtes un athlète débutant, vous ignorez encore la tournure que prendra votre carrière, et vous pouvez seulement espérer que tout le temps investi en entraînement et en préparation vous profitera. À mon quatorzième anniversaire, quand j'ai commencé pour de bon ma carrière de joueur chez les Generals d'Oshawa, je n'avais qu'une seule certitude : ma mère et mon père m'avaient bien préparé pour ce qui allait suivre.

CHAPITRE 3

Oshawa

Mon parcours de hockeyeur n'est pas si différent de celui de tant de jeunes qui ont rêvé de jouer dans la LNH, mais je suppose qu'il a commencé un peu plus tôt que pour bien d'autres.

Une des étapes les plus difficiles pour devenir un joueur de hockey consiste à quitter le toit familial. Mettez-vous dans la peau d'un jeune adulte de 15 ou 16 ans bouclant sa valise pour aller vivre dans une ville étrangère. Vous vous retrouvez alors en pension dans une famille que vous ne connaissez ni d'Ève ni d'Adam et vous fréquentez une école dont vous n'aviez jamais entendu parler jusque-là. Votre bande d'amis, la meute de loups avec lesquels vous avez grandi, n'est soudainement plus là. Cette sorte de filet de sécurité que constituent les amis est remplacé du jour au lendemain par des visages inconnus que vous croisez dans les corridors de cette nouvelle école secondaire.

Vous jouez dans une nouvelle équipe, sur une patinoire énorme, acclamé ou hué par des gens que vous ne connaissez pas. Vous voyagez de ville en ville. Vous grandissez, des gars plus âgés vous harcèlent soir après soir, cherchent à vous faire jeter les gants, désireux de savoir de quel bois vous êtes fait. Être arraché d'un endroit pour être introduit dans un autre est toujours difficile pour qui que ce soit, et encore plus pour un adolescent.

Si vous avez vous-même des enfants, envisagez la chose avec vos yeux de parents. Pensez à ce qu'il en coûte de se séparer d'un fils à un jeune âge afin de le laisser poursuivre ses objectifs ailleurs. Votre garçon, qui n'est encore à vos yeux qu'un enfant, vous est enlevé et est pris en charge par quelqu'un d'autre. C'est exactement la situation que Doug et Arva ont dû affronter, et avec eux d'innombrables parents à la fin de chaque été. Et je sais précisément combien il peut être déchirant pour des parents de voir partir un enfant, car j'étais dans la même pièce que ma mère quand celle-ci a pris la décision de me laisser aller jouer au niveau junior.

Dans un sens, l'exploit le plus remarquable de ma saison recrue, c'est l'âge auquel je l'ai jouée. J'avais seulement 14 ans et je n'avais même pas terminé mon cycle secondaire, mais cela ne représentait qu'un dérisoire obstacle en comparaison du fait que ma mère était opposée à cette idée. Je ne voulais rien de moins que sa permission, et l'expérience m'avait appris que les cajoleries et les arguments n'étaient d'aucun secours quand ma mère avait déjà pris une décision. Ainsi, pendant qu'elle pesait le pour et le contre, mon avenir de joueur de hockey, en cet automne de 1962, reposait entièrement entre ses mains.

Je n'ai pas osé dire un mot pendant qu'on discutait de mon avenir. C'est mon père, avec son pouvoir de persuasion habituel, qui a fait pencher la balance en faveur de mon départ pour la ville d'Oshawa, en compagnie d'un autre homme qui a joué un rôle essentiel dans ma carrière : Wren Blair.

À l'époque où je jouais mon hockey mineur, le repêchage universel n'existait pas encore. Jusqu'en 1963, les équipes de la LNH géraient les droits des joueurs, et parfois à des âges bien précoces. (En fait, le tout premier repêchage n'a concerné que des joueurs de 16 ans, et deux des six équipes de la ligue, Detroit et Chicago, ne se sont même pas soucié de repêcher un joueur à la quatrième et dernière ronde, puisque les droits de la plupart des joueurs de 16 ans étaient tous pris.) Les équipes voulaient s'approprier les droits de n'importe quel joueur susceptible de s'imposer cinq ou six ans plus tard, et les termes utilisés pour conserver ces droits penchaient résolument en faveur des équipes. Celles-ci pouvaient demander au joueur de signer ce qu'on appelait le formulaire A, qui obligeait le jeune à faire un essai avec le club ; le formulaire B, qui donnait à l'équipe le droit de faire signer un contrat au jeune sans s'engager réellement envers lui ; ou le formulaire C, qui assujettissait complètement les droits du joueur au club.

Une fois que vous aviez signé un de ces trois formulaires, vous perdiez tout pouvoir de négociation avec l'équipe. Mais il faut dire qu'en ces temps-là, de toute façon, les joueurs ne négociaient pas vraiment. Après tout, le bassin de joueurs susceptibles de jouer dans la LNH était vaste et le circuit ne comptait alors que six clubs, alors l'offre excédait la demande. Les jeunes qui rêvaient de la LNH étaient souvent trop heureux de s'engager avec une équipe qui leur démontrait de l'intérêt.

Toutes les équipes disposaient alors d'éclaireurs chargés de surveiller, d'un bout à l'autre du pays, les patinoires où se jouait du hockey mineur. Ces hommes évaluaient le talent disponible et garantissaient aux équipes des arrivages permanents de nouveaux joueurs. Et sans un repêchage qui faisait en sorte que ce talent était également réparti dans toute la ligue, l'avantage était réel d'être les premiers à enrégimenter un jeune joueur. C'était l'une des raisons pour lesquelles les Canadiens comptaient en permanence dans ses rangs les meilleurs joueurs canadiens-français. Ils avaient les meilleurs dépisteurs au Québec, et un flot ininterrompu de jeunes Québécois qui auraient donné n'importe quoi afin de signer un contrat C pour l'équipe qu'ils vénéraient depuis leur plus tendre jeunesse.

Les Maple Leafs de Toronto, pour leur part, avaient la faveur sentimentale de tous les Canadiens anglais. Tout jeune Ontarien grandissait dans le culte des Leafs (je n'avais pas échappé à la règle), ainsi pouvaient-ils compter sur un échantillonnage sans cesse renouvelé de jeunes espoirs aux yeux éblouis, et autant de solutions de rechange gravitant au sein de ligues mineures dans des villes reculées de la province – et Parry Sound était l'une de celles-là.

En 1960, j'avais eu la chance de disputer un match sur la patinoire du Maple Leaf Gardens alors que j'évoluais au niveau pee-wee. Monsieur Anthony Gilchrist était alors notre entraîneur. Le hasard voulait aussi qu'il fût un vieil ami du légendaire George « Punch » Imlach, le directeur général et entraîneur des Maple Leafs. À titre d'ami et de partisan de l'équipe, mon entraîneur avait écrit à Imlach pour lui suggérer que Toronto acquière mes droits et s'assure qu'en temps voulu je porterais un chandail bleu et blanc. Voici le texte intégral de cette lettre :

Le 28 mars 1960,

Monsieur George Imlach,
directeur général
Maple Leafs de Toronto,
Maple Leaf Gardens, Toronto, Ontario

Cher Punch,

Je veux avant toute chose vous remercier, toute ton équipe et toi, pour l'accueil si chaleureux que vous avez réservé à notre équipe pee-*wee de Parry Sound lors de notre visite. Votre hospitalité a été grandement appréciée autant par moi que par les personnes qui accompagnaient nos garçons. Tous mes remerciements à Anderson pour les photos. Monsieur Kerluck s'est chargé d'en procurer une à chacun d'entre eux.*

Je voudrais te transmettre une petite information qui, je crois, pourrait être d'une grande valeur pour votre organisation dans l'avenir. Tu te rappelles sans doute d'un jeune garçon blond à la coupe en brosse qui faisait partie de notre groupe. Tu l'as bien jaugé et tu as noté qu'il était tout un joueur de hockey. Eh bien, je te dirai qu'il présente les atouts combinés de deux grands joueurs, Howe et Harvey. Son nom est Bobby Orr, il a 12 ans et il est défenseur pour l'équipe d'étoiles de notre ville. J'ai observé avec la plus grande attention le jeu de ce garçon quand nous avons affronté plusieurs autres équipes la fin de semaine dernière, lors des éliminatoires du district de Muskoka-Parry Sound de la Petite LNH. Son équipe fait désormais partie des éliminatoires du Hockey mineur et va jouer à Parry Sound le samedi 2 avril. Cela pourrait être profitable pour votre organisation si l'un de vos hommes l'évaluait à Barrie. Inscrivez-le sur votre liste avant que Hap Emms le repère, ou je suis sûr qu'il sera trop tard.

C'était vraiment une bonne partie dimanche soir dernier. J'ai encouragé Kelly d'un bout à l'autre de la partie. J'ai noté que tu as soulevé ton chapeau alors que tu quittais le banc, après la partie. Je te souhaite la meilleure des chances pour celles qui restent à venir.

J'espère que les lignes qui précèdent pourront t'être d'une aide quelconque. Mes amitiés à ta famille et à toi,

Sincèrement,

A. A. Gilchrist

Imlach ne répondit pas, mais mon entraîneur reçut une lettre du chef dépisteur des Leafs, R. E. Davidson, qui invoquait, avec raison, qu'un garçon âgé d'à peine 12 ans était un peu jeune pour être placé sur une liste de joueurs protégés. Il l'assura qu'il garderait mon nom en mémoire en terminant sa lettre en émettant le souhait « que Bobby Orr joue un jour pour les Maple Leafs ».

Pour être tout à fait juste envers les Leafs, leurs éditions des années 1960 étaient, année après année, bâties pour remporter la coupe Stanley – ce qu'elles firent, d'ailleurs. Le besoin n'était pas criant pour eux de consacrer beaucoup de temps au développement de joueurs de 12 ans.

Nous habitions à 225 kilomètres au nord de Toronto et, du plus loin que je peux me souvenir, j'avais toujours été un partisan des Leafs. Mon grand-père Orr était lui aussi un inconditionnel de l'équipe et aurait donné son bras droit pour me voir porter le chandail bleu et blanc qu'il chérissait tant. Je me suis souvent demandé l'allure que j'aurais eue dans ce chandail-là, si les choses s'étaient passées autrement. Mais pour être honnête, à 12 ans, je n'étais pas assis à côté du téléphone à attendre un appel des Maple Leafs ou d'aucune autre équipe. Une pareille idée n'aurait jamais pu germer dans mon esprit. Une seule chose comptait pour moi : jouer.

Au Canada, le printemps est synonyme de séries éliminatoires – autant dire le plus beau moment de l'année. Au tout début du printemps de 1961, j'étais un jeune garçon de 12 ans à quelques jours de fêter son 13e anniversaire, et je commençais à attirer l'attention de quelques dépisteurs, autant aux niveaux junior que professionnel. À ce stade de mon développement, je n'avais pas la moindre idée de qui m'observait ou de ce qu'on pensait de mon jeu. J'entendais ce curieux commentaire à l'effet qu'un dépisteur de telle ou telle équipe venait nous voir jouer, mais je n'accordais aucune importance aux rumeurs.

En repensant à cette époque, je me rends compte à quel point le monde du hockey est petit. En voici un exemple : un des dépisteurs qui m'a vu en action ce printemps-là était un certain Scotty Bowman. Scotty est sans aucun doute le plus grand entraîneur de l'histoire de la LNH et j'ai souvent affronté ses équipes durant ma carrière. Mais à cette époque, une décennie le séparait encore du banc des Canadiens, qu'il mènerait à cinq coupes Stanley, et il n'était encore qu'un dépisteur amateur de l'organisation des Canadiens.

Scotty m'avait vu jouer lors d'un match éliminatoire bantam à Gananoque, un samedi après-midi de ce printemps-là, et il s'agissait de la toute première fois qu'il me voyait. Comme il me l'a raconté bien des années plus tard, il était là, en compagnie d'un ami, dans les gradins de l'amphithéâtre, pour évaluer deux joueurs de l'équipe de Gananoque.

Vers la 15e minute de la première période, son ami s'est penché vers Scotty pour lui dire :

— Dis donc, je ne sais pas à quoi tu penses, mais j'arrive pas à lâcher des yeux le petit numéro 2 de Parry Sound.

Le numéro 2, vous l'avez deviné, était le numéro que je portais à cette époque-là.

Scotty ferait éventuellement une petite visite de courtoisie à mes parents, à Parry Sound, mais les Canadiens ne se sont jamais manifestés par la suite. Ils étaient alors au sommet du hockey et n'avaient pas les mêmes besoins que les Leafs sous le rapport du dépistage. Ce que j'ai compris des paroles de Scotty, c'est qu'il a envoyé un rapport à l'homme qui chapeautait le secteur du dépistage, Ken Reardon, dont la réaction a été quelque chose du genre : « Les Canadiens de Montréal ne font pas signer de contrat à des bébés. » Bon, ce ne furent peut-être pas ses mots exacts, mais le message était celui-là. Et qui aurait pu le blâmer ? J'en déduis donc que mes chances de porter un jour le chandail bleu-blanc-rouge ont avoisiné celles d'être frappé par la foudre en plein Sahara.

À cette époque je l'ignorais, mais il y avait aussi, dans la région, des membres de l'organisation des Bruins de Boston qui regardaient les parties de niveau junior en quête d'éventuels espoirs pour la LNH. En fait, tout le personnel de la direction des Bruins s'était déplacé à Gananoque pour l'occasion. Tout comme ceux des Canadiens, les dépisteurs des Bruins avaient eu le tuyau de porter attention aux deux espoirs de l'équipe locale. Mais manifestement, à l'instar de Scotty, quelques hommes des Bruins ont été davantage impressionnés par mon style de jeu, et Wren Blair était l'un de ceux-là.

Quelques jours après ce match, Wren était assis dans la cuisine de la famille Orr. Il occupait à cette époque deux postes en même temps : dépisteur pour les Bruins et directeur-entraîneur des Frontenacs de Kingston de l'ancienne Ligue de hockey professionnelle de l'Est. Comme plusieurs directeurs généraux et entraîneurs pour qui j'ai joué pendant ma carrière, Wren m'a révélé plus tard que lorsqu'il m'avait repéré durant ce match disputé à Gananoque, c'était mon coup de patin qui avait retenu son attention. Un dépisteur vous dira qu'un joueur ne peut être tenu pour un espoir digne d'intérêt s'il ne montre pas au moins une habileté d'un niveau supérieur. Si vous en possédez au moins une, alors les autres peuvent fort probablement être développées plus tard. Mais le coup de patin est certainement l'atout que souhaite détenir n'importe quel joueur de hockey.

Scotty et Wren avaient remarqué mon coup de patin et tous les deux avaient constaté qu'il me permettait de contrôler le jeu quand j'étais en possession de la rondelle. Cette facette de mon jeu ne changerait pas avec le temps. J'aimerais bien pouvoir vous dévoiler certains exercices secrets ou techniques d'entraînement qui m'ont permis d'être un patineur efficace. La réalité est bien plus banale : il appert que patiner était quelque chose qui m'était venu tout naturellement.

Cela ne veut pas dire que je n'ai pas mis le temps et l'effort pour devenir un bon patineur, parce que c'est effectivement ce que j'ai fait. Mais si je vous disais que je tentais constamment de modifier tel ou tel aspect de ma routine de patineur, je mentirais. Les changements de vitesse, les transitions du patinage arrière au patinage avant, les virages serrés, toutes ces choses je les ai apprises sur la glace de la baie, et ce point vaut, je crois, la peine d'être souligné. Quand vous jouez à dix contre dix, vous apprenez naturellement le geste du pivot et le changement de vitesse afin de vous démarquer.

Mon don pour le patinage, et certainement aussi ma cadence, semblent être apparues à un âge très précoce. J'ai entendu au fil du temps bien des théories sur les raisons expliquant l'aisance de certaines personnes à patiner, et je ne peux absolument pas dire pourquoi les unes semblent meilleures que d'autres. Quelqu'un m'a dit un jour que ça pouvait être dû au fait que mes jambes étant arquées, je tournais mes patins vers l'intérieur, et que cela me conférait un avantage biomécanique. D'autres ont émis l'hypothèse que des jambes arquées rendaient un joueur plus vulnérable aux blessures. À vous de voir laquelle (ou si l'une) de ces deux théories semble valable. Je tiens cependant une chose pour catégorique : quand Wren et Scotty m'ont vu jouer, ce ne sont ni ma taille ni ma force qui ont pu les impressionner !

Peu importe ce que les Bruins ont aimé de moi, Wren a reçu de Weston Adams, le propriétaire de l'équipe, la permission d'aller de l'avant. Tandis que les Leafs et les Canadiens avaient le loisir de se concentrer sur de plus grands enjeux, les Bruins priorisaient le dépistage : ils construisaient pour le futur.

Pendant l'année suivante, Wren se rendit plusieurs fois à Parry Sound afin de rencontrer mes parents. La signature de documents officiels n'était pas le but de ses visites ; il devait d'abord connaître mieux mes parents. Gagner la confiance de ma mère ne dut pas être une mince tâche, mais il finit par la convaincre qu'il en était digne.

Afin de montrer leur bonne volonté, Wren et les Bruins décidèrent de parrainer le hockey mineur de Parry Sound pour une période de trois ans, de 1961 à 1964, en lui octroyant une somme de 1 000 dollars par an. Vous pouvez croire que 3 000 dollars ne représentent pas un pactole, mais à l'époque, pour un groupe de hockey mineur, cette somme était providentielle. Un pareil montant représentait pour notre association locale de hockey mineur les revenus d'un sacré paquet de ventes de gâteaux...

Parce que son métier d'entraîneur l'obligeait à beaucoup voyager, Wren venait régulièrement à la maison. Une fois, alors que son équipe était en route pour disputer une partie à Sudbury, il demanda au chauffeur de l'autobus de faire un détour par Parry Sound juste pour venir nous saluer. Wren me retrouva finalement à l'école en train de laver les planchers. La situation était plutôt pittoresque : j'étais courtisé par les Bruins de Boston en même temps que j'occupais un emploi à temps partiel de concierge...

Je me suis souvent demandé ce qu'avaient pensé les gars de cette équipe de Kingston en voyant leur autobus faire halte à Parry Sound. N'est-ce pas un peu drôle de penser que cet entraîneur a fait poireauter des joueurs professionnels en route pour un match afin de saluer un jeune gars de 13 ans ? C'est pourtant l'exacte vérité. Ce genre de geste était du Wren tout craché ; c'était un dépisteur dans l'âme. Cet arrêt surprise dans ma petite ville témoigne de la foi qu'il me vouait et illustre bien les efforts qu'il déployait pour que je signe un jour une entente avec les Bruins.

Il était comme un chien qui avait la patte sur un os, et personne n'allait le lui chiper. Pendant un an et demi, il multiplia les visites et nous avons appris à bien le connaître, et nous lui avons accordé notre confiance. Et plus nous pensions aux Bruins, plus l'idée de nous engager envers eux nous plaisait. Si j'avais signé avec une équipe abonnée aux championnats, j'aurais dû prendre mon trou, comme on dit, tout au bas d'un alignement fort bien garni, et cela m'aurait pris des années à gagner un poste régulier à la ligne bleue. La chance de pouvoir disposer d'un bon temps de jeu n'était pas une question qui se posait pour une recrue. Mais les Bruins n'étaient ni les Leafs ni les Canadiens en ces années-là. Ils terminaient plus souvent qu'à leur tour au dernier rang de la ligue et avaient besoin de renfort pour améliorer leur sort. Nous sentions tous que c'est vers Boston qu'il fallait se tourner, et avec le recul, cette décision me semble avoir été la bonne. Et n'oubliez pas ce détail : Wren Blair était quelqu'un de très résolu...

Plus tard, en mars 1962, j'ai atteint l'âge magique de 14 ans – un cap important pour les joueurs prometteurs en ces temps-là. Un joueur devait avoir 18 ans pour signer un formulaire C, mais les parents pouvaient signer en son nom dès qu'il avait 14 ans. Parapher cette entente signifiait que j'étais engagé envers les Bruins pour toute la durée de ma carrière – à la discrétion de l'équipe, bien entendu. Cela peut sembler injuste, particulièrement en regard des règles ayant cours aujourd'hui, alors que les premiers choix repêchés paraissent capables de dicter leurs quatre volontés aux équipes. Mais à l'époque, c'était tout bonnement ainsi que les choses se passaient. Les équipes de niveau junior étaient affiliées avec les concessions de la LNH, et les bourses des universités américaines ne rivalisaient pas avec les équipes junior, comme c'est le cas aujourd'hui. Vous ne pouviez pas faire autrement que de signer le formulaire C, et vous étiez même heureux de le signer. Après tout, cela voulait dire que vous aviez franchi un pas supplémentaire vers la LNH.

Cet été-là, Wren est revenu me voir, mais cette fois avec une offre. Il voulait que je participe à un camp junior à Niagara Falls, en Ontario, pendant un week-end, à la fin d'août, ce qui faisait l'affaire de mes parents ainsi que la mienne. Les deux équipes conviées au camp, les Generals d'Oshawa et les Flyers de Niagara Falls, de l'Association de hockey de l'Ontario, étaient la propriété des Bruins de Boston, ce qui permettait au « grand club » de pouvoir observer leurs espoirs en un seul endroit pendant toute la fin de semaine. Il s'agissait de la première étape pour m'amener à signer un contrat avec les Bruins.

Le camp regorgeait de grands joueurs que je reverrais par la suite au cours de ma carrière, certains en tant que coéquipiers, d'autres comme adversaires : Derek Sanderson, Wayne Cashman, Doug Favell, Gilles Marotte et Bernard Parent. En lisant tous ces noms à la file, vous ne pouvez vous empêcher de penser qu'à eux tous ils auraient formé une équipe plutôt coriace. Se retrouver en pareille compagnie vous changeait singulièrement du bantam...

Je me souviens parfaitement m'être présenté à ce camp avec un poids de 125 livres tout mouillé, et qu'à un certain moment on m'a demandé de monter sur une balance pour déterminer mon poids. Quand le nombre a été annoncé à la cantonade, j'ai pu entendre quelques rires fuser çà et là autour de moi. Mais j'étais dans mon élément, et je ne me préoccupais pas de ma corpulence – ou plutôt de mon absence de corpulence. Ce premier camp me rendait-il nerveux ? Oui. Est-ce que je savais comment j'allais tenir tête à la compétition ? Non. Mais j'étais là où je voulais être : sur une patinoire à jouer au hockey.

◈

J'ai réussi à survivre à ce premier test au niveau junior et, après le camp – c'était la fin de semaine de la fête du Travail –, Wren revint me voir à Parry Sound. Cette fois, il entendait repartir avec une entente signée, c'est-à-dire mon paraphe au bas d'un formulaire C, ce qui me permettrait de jouer pour la nouvelle concession d'Oshawa, laquelle faisait son entrée dans la Ligue Metro junior A. En signant ce document, je m'engagerais à long terme avec l'organisation des Bruins de Boston, et cela représentait pour moi une très grande décision.

Wren n'avait pas besoin de convaincre mon père – ni moi non plus ! – sur les mérites de m'engager vis-à-vis des Bruins et de jouer au niveau junior cette année-là. Mais ma mère représentait un obstacle dont il avait sous-estimé la fermeté et la détermination. Maman n'était pas disposée à me laisser quitter la maison avant la fin de ma huitième année, et peu importe ce que Wren dirait, elle n'entendait pas broncher. Pendant que j'écoutais la négociation s'éterniser autour de la table de la cuisine, mon cœur se mit à saigner. Je commençais à me rendre compte que le plan de Wren ne marcherait pas, et c'était dur à avaler. Bien sûr, les arguments de ma mère étaient complètement fondés et bientôt, les personnes concernées par la question de ma carrière se sont ralliées à la sagesse d'une mère aimante.

Après une longue discussion ponctuée d'avancées et de reculs, mon père, ce grand négociateur, a trouvé la solution du casse-tête. Wren voulait que je joue à Oshawa, mais se souciait peu de savoir où je logerais. Ma mère voulait que je vive sous notre toit, mais elle se moquait de savoir où je jouerais. Alors papa a suggéré que je pourrais passer les jours de semaine à Parry Sound, puis le vendredi, une fois la semaine scolaire terminée, nous irions rejoindre l'équipe là où elle jouerait. La plupart des parties de la Ligue Metro étaient jouées les soirs de vendredi, samedi et dimanche ; ainsi ma mère savait que mes devoirs seraient faits et que je dormirais dans mon lit la plupart du temps. Alors elle a donné son accord.

Wren a écrit tout cela sur du papier à lettre à l'en-tête de l'hôtel Brunswick, où il logeait. Il a ajouté aussi trois autres mentions, à savoir : « la maison Orr » serait enduite de stucco, mon père serait pourvu d'un modèle d'automobile « aussi récent que l'année 1956, choisi à sa discrétion », et nous toucherions « une somme de 1 000 dollars en argent comptant», ce qui représentait une somme considérable en 1962.

Wren a accepté aussi de me verser un petit boni de signature qui m'était exclusif: les Bruins devraient me fournir un nouveau complet. Vous devez comprendre que je n'avais jamais possédé un complet auparavant, alors c'était toute une histoire pour moi. Je me souviens que chaque jour, en revenant de l'école, j'espérais trouver mon complet étalé sur mon lit. Quand il m'a enfin été livré, j'ai pu découvrir sa couleur – il était gris anthracite – et je me suis senti propulsé au rang de gars le plus cool en ville.

Mais ce complet présentait un nouveau problème, et un certain temps m'a été nécessaire pour m'en rendre compte: il ne m'allait pas très bien. Quand je suis arrivé à Oshawa, certains de mes nouveaux coéquipiers des Generals m'ont dit, en me voyant:

— Ca ne va pas du tout… Tu dois faire faire des retouches à ton complet.

Comment étais-je censé savoir qu'un nouveau complet devait m'aller comme un gant? Quoi qu'il en soit, je me suis empressé d'aller faire retoucher mon superbe complet gris anthracite.

Il est amusant de songer aux genres de boni que les équipes consentaient alors aux joueurs afin d'avoir leur signature au bas d'un bout de papier. Bien des gars demandaient autre chose que de l'argent, ce qui était au fond une bonne chose, parce que les équipes ne jetaient pas leur argent par les fenêtres. Imaginez un peu un joueur d'aujourd'hui qui négocierait pour son contrat, entre autres choses, un complet en guise de boni de signature!

Mis à part mon complet et le boni en argent comptant, on m'a garanti seulement une chose: j'aurais droit à ma chance. Je n'avais aucune certitude d'avoir un poste, juste la chance de le gagner, et cela me suffisait. La signature du contrat ne s'est pas faite devant une panoplie de caméras de télévision et il n'y avait pas de fanfare pour m'accueillir quand je suis arrivé à Oshawa. Tout était très tranquille et c'était sans doute comme cela que ce devait être. De nos jours, les joueurs font l'objet d'une consécration avant même d'avoir disputé un match professionnel, mais les choses ne se passaient pas ainsi dans mon temps. Les joueurs savaient qu'ils devraient faire leurs preuves sur la patinoire, et vous ne pouviez compter sur aucune couverture médiatique pour vous aider à décrocher un poste.

Il y a une histoire que j'ai toujours aimé partager à propos d'un incident survenu lors de mon premier camp d'entraînement comme joueur junior. J'étais sur la patinoire du vieux Children's Arena, à Oshawa, pour ma toute première séance avec les Generals, quand mon bâton s'est brisé. Je me suis dirigé vers le banc pour en avoir un nouveau, et une fois au banc notre soigneur, Stan Waylett, a jeté un coup d'œil sur ce qu'il restait de mon bâton. Puis il m'a regardé et m'a demandé : « *What lie ?* » J'ai bien dû rester là une bonne minute, réfléchissant à sa question. Je n'avais pas la moindre idée de ce dont il pouvait bien parler. Insinuait-il que je tentais de lui mentir sur la manière dont j'avais cassé mon bâton ?

Mais mon bâton était clairement hors d'usage, et Stan attendait toujours une réponse à sa question. Rassemblant tout mon courage pour en trouver une, je bredouillai : « Brisé… » À ce moment-là, le pauvre Stan dut se demander si les Generals m'avaient trouvé dans un nid de coucous ! Il en fut quitte pour rigoler un bon coup, néanmoins. Je crois qu'il m'avait fallu très peu de temps pour montrer que j'en avais beaucoup à apprendre[1].

Plus tard, cette même saison, Stan me servit une réplique que je n'ai jamais oubliée, et qui avait aussi rapport avec un bâton de hockey. J'étais allé le voir pour me plaindre de certains bâtons qu'avait achetés l'équipe. Une fois que j'ai eu fini ma jérémiade, Stan m'a regardé droit dans les yeux et m'a dit :

— Hé, petit, ne blâme pas le canon, prends-toi-z'en au tireur !

1. Jeu de mot involontaire et intraduisible. En réalité, le soigneur demande à Orr non pas « Quel mensonge ? », mais plutôt « Quel angle ? ». En anglais, *lie* signifie aussi l'angle que décrivent la lame et le montant d'un bâton de hockey, et le jeune Orr ignorait totalement ce sens du mot… (NdÉ)

C'était sa manière, tout en nuance, de me dire qu'aucune excuse ne serait acceptée et que je devais plutôt me mettre au boulot. J'ai épousé son point de vue sans rien trouver à redire.

Les Generals en étaient à leur première année dans la ligue, et nous disputions nos parties à domicile au Maple Leaf Gardens. Comme vous pouvez l'imaginer, le calendrier de l'équipe n'avait rien de commode pour mes parents et ils devaient faire appel à des gens autour d'eux pour me véhiculer les soirs de week-end. Quand ça lui était possible, mon père le faisait, mais à l'occasion des amis tels que Bob Holmes ou Doug Gignac prenaient la relève. Mon père était empêché tantôt par le travail, tantôt par un autre engagement, et ces gentilshommes me conduisaient jusqu'à la patinoire où je devais jouer, peu importe la distance.

Quand je repense à certains de ces voyages en auto, je revois très clairement les autoroutes à deux voies et je me souviens aussi des tempêtes de neige que nous devions braver pour nous rendre à certaines parties et pour en revenir. Nous partions le vendredi à ma sortie de l'école pour arriver à temps à la partie du soir même, et je devais toujours être revenu à Parry Sound le dimanche soir, parce que l'école m'attendait le lundi matin. Certains lundis matins, il m'arrivait d'avoir un bel œil au beurre noir ou de sentir encore les coups que j'avais encaissés pendant la fin de semaine. Et, bien entendu, j'avais encore, bien frais à la mémoire, certains commentaires de mes adversaires dont ils me gratifiaient dans le feu de l'action. Les joueurs de hockey savent où et comment piquer la fierté de leurs opposants, et je constituais pour eux une cible de prédilection. Ils aimaient me rappeler de bien retourner à la maison pour ne pas rater mes cours de huitième année.

Mais aucune moquerie ou aucune injure ne pouvaient m'affecter. Je vivais à ce moment-là les moments les plus excitants de ma vie parce que je savais dorénavant que j'allais avoir la chance de jouer au hockey au plus haut niveau. Je ne possédais aucune certitude et je ne savais pas si je finirais par accéder à la grande ligue, mais j'allais avoir une chance et c'était tout ce qui comptait pour moi. Je ne voulais surtout pas rater cette chance, parce que j'avais pour mon sport un feu sacré qui me consumait depuis les tout premiers moments où j'avais commencé à jouer.

Passion est le mot clé pour n'importe quel athlète, peu importe le sport. On peut en dire autant pour quiconque dans son métier. Je me sentais privilégié de ressentir cette profonde passion pour ce jeu, et je le suis encore davantage de ne l'avoir jamais perdue. Mais mon parcours n'avait rien d'une sinécure. Les gens qui, en observant un athlète, disent des choses telles que « Ce n'est pas dur pour lui, c'est un naturel » sont complètement à côté de la plaque. Bien que tous les athlètes accomplis possèdent certainement une dose de talent naturel, ils doivent consacrer à leur sport des heures et des heures de dur labeur afin de développer leur don.

Le qualificatif de naturel est habituellement utilisé comme un compliment, mais il est en fait irrespectueux pour ces gens qui ont travaillé dur pour maîtriser leur discipline, qu'il s'agisse de musique, de littérature, de médecine ou de sport. Personne ne peut décider de ce qu'il porte en lui à sa venue au monde, mais il lui revient de déterminer l'intensité de son engagement dans l'effort. Une infinité d'athlètes doués n'ont pas réussi. D'autres se sont frayés un chemin jusqu'au sommet avec des dons très limités. Que vous soyez doué ou non, le travail est la seule chose qui va vous mener au but que vous désirez atteindre.

Il va de soi que la pièce finale du casse-tête est la passion. Sans elle, l'effort le plus soutenu qui soit ne suffit pas. Presque tous les gens que j'ai rencontrés qui ont réussi dans leur domaine semblaient habités par la passion. Peu importe l'objectif que vous recherchez, si vous n'aimez pas le domaine dans lequel vous évoluez, je vous conseillerais d'essayer autre chose, car un jour ou l'autre vous vous exposerez à une grande déception. Tout talent ou ensemble de talents est le résultat de la combinaison de deux éléments. Premièrement, vous devez avoir une habileté à faire quelque chose ; deuxièmement, vous devez posséder la volonté de souffrir pour parfaire cette habileté. Et c'est là qu'entre en ligne de compte la passion. À la fin d'une journée, il est difficile pour quiconque de déterminer le nombre d'heures qui doit être dévolu à l'entraînement pour réussir dans un sport si vous ne ressentez pas pour lui un engagement puissant.

Je crois que si vous voulez vous distinguer dans un domaine, peu importe celui-ci, il y a un certain degré d'égoïsme qui devient incontournable dans la recherche de ce but. Ultimement, vous consacrez sans cesse votre temps à cette quête. Si vous voulez réussir, vous devez aussi être prêt à sacrifier des choses. Parfois vous oubliez que tous les sacrifices ne viennent pas de vous. Plus tard dans votre vie, vous découvrez à travers quelles épreuves sont passés vos proches pendant que vous suiviez votre destinée.

Je vous donnerai un exemple pour appuyer mes propos. Après ma première année avec les Generals, une fois que j'avais déménagé à Oshawa en permanence, je me rendais à Parry Sound pour voir ma famille dès que l'équipe avait un ou deux jours de relâche. Cela donnait toujours lieu à de joyeuses réunions, et bien sûr on me posait des questions sur le rendement de l'équipe, comment je me débrouillais, et ainsi de suite. Mais inévitablement, je finissais toutefois par devoir sauter dans une voiture ou un autobus et retourner à Oshawa.

Ca ne constituait pas un problème pour moi, parce que je poursuivais un but, et quitter Parry Sound faisait partie de cette quête. Mais je ne me rendais pas compte, et je ne l'ai découvert que bien plus tard, que l'heure de mon départ n'était pas facile pour les autres. Alors qu'une voiture m'entraînait au loin, ma mère et ma sœur Pat restaient debout devant la maison et pleuraient. À l'époque, je ne l'ai jamais su. Évidemment, le contraire est aussi vrai : les miens n'ont jamais su que certains soirs, à Oshawa, je pleurais aussi toutes les larmes de mon corps avant de m'endormir. Vous ne parliez pas de ces choses-là, parce qu'aucun joueur ne parle de ces choses-là. Vous deviez apprendre à supporter la solitude – je savais très bien à quoi m'attendre, parce que c'était le prix à payer afin de poursuivre mon rêve. Tout le monde doit payer un prix d'une façon ou d'une autre, mais tout au moins je le payais pour mon propre bénéfice. Aujourd'hui, je comprends que ma famille le payait elle aussi.

Si je vous disais que tout s'est déroulé sans la moindre anicroche lors de ma première année junior, je mentirais. Aucun adolescent de 14 ans ne peut l'avoir facile en affrontant des adultes. Quand j'ai joué pour la première fois dans l'uniforme des Generals, je me suis retrouvé face à des gars qui étaient plus grands, plus rapides et plus expérimentés que moi. Croyez-moi, quand vous vous faites frapper par quelqu'un à qui cous concédez plus de 60 livres, vous souffrez.

Cependant, jouer contre des adversaires plus vieux et plus matures que vous présente aussi des avantages, dont celui d'élever votre niveau de jeu. Vous devez apprendre à vous prémunir contre les mises en échec et à changer de direction pour éviter de violentes collisions. Vous comprenez très rapidement les vertus de garder la tête haute et de ne jamais vous trouver dans une situation où vous êtes vulnérable.

Vous devez apprendre toutes ces choses parce que vous n'avez pas le choix, parce qu'il en va de votre survie. Et pendant que vous faites tout cela, quelque chose d'étrange se produit. Ce que je vais vous dire vous apparaîtra peut-être plus ou moins sensé si vous n'avez jamais joué à un niveau élevé dans aucun sport. Pour l'athlète doté d'habiletés supérieures à la moyenne, le stade devient un endroit confortable. Qu'il s'agisse d'un amphithéâtre de hockey, d'un stade de football ou d'un court de basketball, beaucoup d'athlètes en arrivent à se sentir le plus à l'aise là où ils font ce qu'ils font le mieux.

Il serait normal de penser qu'un jeune athlète qui fait son apprentissage à un niveau de jeu élevé peut devenir si nerveux qu'il lui est impossible de jouer à son plein potentiel. Mais la réalité est très différente. Du moins, ce fut mon cas. Avoir des papillons dans l'estomac avant une partie est une chose naturelle, et peut-être même une bonne chose, parce que cela signifie que vous êtes prêt à jouer. Une fois que je sautais sur la patinoire et que la rondelle était mise en jeu, je recouvrais mon calme et la situation m'apparaissait claire et nette. J'irais jusqu'à dire qu'une sorte de paix m'envahissait. J'étais dans mon élément. Vous vous retrouvez dans un endroit que les psychologues sportifs ont appelé la «zone de confort». Parvenir à ce point vous permet de vous adonner à votre sport à un niveau supérieur.

Tout l'entraînement et le temps de jeu auxquels se consacrent les athlètes au travers des années les aident à combattre la pression ou la peur. Des amis et des membres de ma famille m'ont dit qu'à certains moments d'un match crucial, plusieurs d'entre eux doivent détourner leur regard de la télévision. Ils trouvent difficile de composer avec la pression. Mais pour un athlète, ces moments sont justement ceux pour lesquels ils vivent. Tout cela n'est pas si dur à comprendre. Bien que les enjeux soient parfois très hauts lorsque vous êtes en plein cœur d'un match, vous maîtrisez parfaitement la situation. Vous faites la chose que vous faites le mieux dans la vie, celle pour laquelle vous avez été entraîné et dont vous êtes passionné. Elle peut sembler terriblement énervante pour quelqu'un de l'extérieur, mais c'est parce que cette personne ne s'est pas entraînée pendant des années, jour après jour, à effectuer les gestes qu'on attend d'un joueur pendant le cours d'un match.

Cette époque était celle où je désirais le plus intensément me trouver sur la patinoire et posséder la rondelle au bout de mon bâton. Je ne peux parler au nom de tous les joueurs, mais c'est ainsi que moi je me sentais. Même durant ma première saison avec les Generals, quand j'étais surclassé au point de vue physique, je me sentais tout de même à l'aise sur la glace. Je pouvais ne pas maîtriser tous les autres aspects de ma vie hors de la patinoire, car je n'étais, après tout, qu'un jeune homme malingre et timide loin de son coin de pays natal. Mais une fois sur la glace, je me retrouvais en terrain connu, là où je pouvais exercer un pouvoir sur le cours des événements. Par conséquent, cette première année entière à Oshawa s'est avérée tout un apprentissage pour moi. Elle contribua pour beaucoup à me persuader que je pouvais tenir tête à des joueurs de ce niveau, et même exceller.

Après ma première saison junior, on a décidé que j'étais de taille à tenir mon bout dans le hockey junior A. Ma mère m'a donné sa bénédiction et j'ai déménagé mes pénates à Oshawa à l'automne 1963. J'ai commencé l'école secondaire au O'Neill Collegiate and Vocational Institute, mais peu après le début des classes, je suis passé dans un autre établissement, le R. S. McLaughlin Collegiate, parce que le programme offert au O'Neill me convenait assez peu. En ces temps-là, c'était une école au niveau relevé qui offrait des cours pour des élèves doués dans le domaine des arts – des cours que j'avais peine à suivre, car ce n'était pas dans une salle de classe que je pouvais donner le meilleur de moi-même.

La vérité, c'est que je n'ai jamais éprouvé une grande attirance pour l'école – primaire ou secondaire –, bien que je saisisse parfaitement l'importance de l'éducation. Dans ma conception des choses, c'était la patinoire qui représentait pour moi le lieu tout désigné de l'apprentissage, et non la salle de classe. Il n'en restait pas moins que je devais fréquenter l'école, et que je m'y rendais régulièrement en faisant de mon mieux. On en attendait autant de tous mes coéquipiers des Generals – et c'est aussi ce que ma mère attendait de moi. Mes résultats n'ont jamais fait de moi un premier de classe, mais j'ai persévéré, j'ai fait mon devoir et je m'en suis bien sorti. Je n'ai toutefois jamais terminé mon cours secondaire, parce que le destin en a décidé autrement.

En quittant Parry Sound pour m'établir à Oshawa, ma toute première priorité s'est portée sur le lieu où je logerais. Je suis donc devenu locataire dans une famille, comme c'était alors – et comme c'est toujours – la coutume pour bien des joueurs junior. Dans mon cas, cela se traduisait par une chambre dans la grande maison de Bob et Bernice «Bernie» Ellesmere, rue Nassau, à Oshawa. Bob et Bernie hébergeaient aussi un autre joueur des Generals, Mike Dubeau, et nous avons passé ensemble beaucoup de bon temps, autant comme coéquipiers que comme colocataires, pendant cette première année à Oshawa.

De deux ans mon aîné, Mike venait de Penetanguishene, en Ontario, qui n'était pas très loin de Parry Sound. Le souvenir de Mike fait surgir de ma mémoire un épisode que nous avons vécu lors de notre séjour chez les Ellesmere. Du haut de ses 17 ans, Mike nourrissait une grande passion pour une fille de son patelin natal, ce qui signifiait que sa cour éperdue s'accomplissait pour l'essentiel à distance. Pendant la saison, Mike était toujours impatient de retourner au bercail pour revoir sa douce Carol, et parfois ce désir lancinant nous a attiré des problèmes.

De temps en temps, quand nous disposions de quelques jours pendant lesquels les Generals ne s'entraînaient ni ne jouaient, nous faisions de l'autostop jusqu'à nos bleds respectifs. Nous nous tenions tous les deux sur le bord de la route, le pouce ostensiblement dressé vers les cieux, et tôt ou tard une âme compatissante s'arrêtait et nous offrait un bout de conduite sur l'autoroute 401. Nous rejoignions éventuellement la 400 pour nous diriger ensuite, toujours ensemble, vers le nord pour une heure ou deux, jusqu'à ce que Mike doive trouver un nouveau bon Samaritain qui l'emmènerait cette fois vers l'ouest, à Penetanguishene, tandis que je gardais le cap vers le nord, sur la 69, jusqu'à Parry Sound. Dans ce temps-là, l'autostop était une manière fort répandue de voyager, et nul ne trouvait à redire sur cette pratique.

L'une de ces escapades en autostop est restée gravée dans ma mémoire, car elle n'a pas connu le même dénouement que les autres. C'était un vendredi soir, peu après un match disputé à Niagara Falls où la rondelle avait plus ou moins roulé pour nous autres, comme le veut l'expression consacrée. En fait, l'équipe était sur une mauvaise séquence et notre jeu erratique avait apparemment irrité notre directeur général Wren Blair (qui avait quitté les Frontenacs de Kingston pour se joindre aux Generals), au point où personne n'avait eu la permission de retourner à la maison. Pour une bande d'adolescents souffrant du mal du pays, la punition était dure à avaler, car rien ne figurait à l'agenda de l'équipe cette fin de semaine-là, ni partie ni entraînement. Nous allions donc disposer de beaucoup de temps pendant deux jours, mais sans autre choix que de le tuer sur place.

Il était probablement une heure du matin quand notre autobus a rallié Oshawa cette nuit-là, et une demi-heure plus tard nous étions de retour chez les Ellesmere, dans le confort de nos lits. Mike et moi partagions des lits superposés, et son droit d'aînesse l'avait autorisé à réclamer et obtenir la couchette du bas. Pour bien des joueurs, après un match, le sommeil est parfois dur à trouver, car ils ne peuvent s'empêcher de repasser la partie dans leur tête. Quand vous avez un cochambreur, il vous arrive aussi de parler, autant du match que de sujets non moins importants.

Cette nuit-là, le hockey n'était pas la seule chose à hanter mon esprit, car j'avais le mal du pays, et je savais que Mike partageait la même mélancolie. La punition de Wren pesait au-dessus de nous comme un nuage noir, mais, au bout d'un moment, Mike a vu apparaître ma tête de la couchette supérieure :

— Hé, Mike... On rentre à la maison ?

Avant même que j'aie fini de parler, il s'était détendu comme un ressort et avait bondi hors de son lit en disant :

— Allons-y !

Sans plus attendre, nous avons tiré de son lit Bob Ellesmere et l'avons persuadé de nous conduire jusqu'à l'autoroute, là où notre trajet pour la maison commençait pour de vrai. Je me demande si Bob a eu maille à partir avec Bernice pour cette virée nocturne. A-t-elle seulement eu connaissance qu'il s'était levé à deux heures du matin? Peu importe, nous nous sommes retrouvés sur le bord de la route, avec un sac pour tout bagage et le pouce en l'air. Le département des miracles était ouvert cette nuit-là, car le premier chauffeur venu s'est rangé et nous a pris à son bord.

Notre bon Samaritain était en route pour Barrie, ce qui était tout à notre avantage. Je ne sais pas à quelle heure Mike est arrivé à Penetanguishene, mais pour ma part, il était 9 ou 10 heures du matin quand j'ai abouti au 24, Great North Road, accueilli par ma mère en état de choc. Quand elle a appris ce que nous avions fait, elle était hors d'elle et m'a fait promettre de prendre l'autobus lors du voyage de retour. Mais j'avais bien d'autres choses à penser, j'étais déjà rendu dehors pour retrouver mes amis et rattraper le cours de l'actualité locale. Sans compter que mon frère aîné Ron jouait au niveau junior C à Parry Sound et que son équipe devait jouer un match à domicile cette fin de semaine-là. Alors j'en vins tout naturellement à me diriger vers la patinoire pour y voir mon frère en action.

C'est là que les choses se sont corsées et que mon escapade est revenue me hanter. Au moment où je me suis assis pour regarder jouer mon frère, qui pensez-vous que j'ai aperçu, assis dans les gradins, en pleine activité de dépistage pour les Generals? Notre directeur général Wren Blair, celui-là même qui nous avait, quelques heures plus tôt, formellement défendu de quitter Oshawa. À cette punition initiale s'ajoutait maintenant celle d'être pris en flagrant délit de piètre jugement! Je n'ai jamais mouchardé mon cochambreur, même si je me doute que Wren avait tout compris. C'est un souvenir que Mike et moi avons souvent évoqué, et qui nous fait rire encore aujourd'hui. Il vaut la peine de noter que tous ces allers et retours entre Oshawa et son village natal lui ont certainement profité, et d'une manière décisive. Quelque huit ans plus tard, j'ai été son garçon d'honneur lorsqu'il a épousé Carol, et tous deux vivent heureux depuis ce temps.

◈

Si l'équipe m'avait trouvé un toit chez les Ellesmere, c'est parce qu'ils habitaient à proximité de l'école secondaire O'Neill, où j'avais commencé ma neuvième année. Quand j'ai changé d'école quelques mois plus tard, un problème de transport s'est posé. Je ne pouvais me rendre à ma nouvelle école, R. S. McLaughlin, sans être véhiculé, car l'institution se trouvait à bonne distance du foyer des Ellesmere.

La solution la plus simple consistait pour moi à prendre le bus pour faire la navette, chaque jour. Mais si les gens croient que je suis un adulte timide et réservé, qu'auraient-ils pensé de moi à 15 ans, alors que j'étais gêné par mon propre reflet dans le miroir ? Parler à des inconnus était pour moi une tâche ardue, et voyager à bord d'un autobus m'était un vrai supplice. Parfois, les Ellesmere ou des coéquipiers me faisaient un bout de conduite, mais je me retrouvais plus souvent qu'autrement réduit, par ma propre timidité, à marcher les deux milles dans chaque sens.

Alors que j'entamais ma troisième année chez les Generals, et ma deuxième comme pensionnaire à Oshawa, nous avons tous décidé qu'il serait mieux pour moi de déménager afin d'être plus près de mon école secondaire. C'est ainsi que Jack et Cora Wilde sont devenus mes nouveaux « parents adoptifs » et que je me suis fait un nouveau cochambreur. Une fois encore, j'ai pu constater que la planète hockey était un tout petit monde. Par un hasard incroyable, l'un de mes tout premiers compagnons de jeu, à l'époque de mon hockey mineur, Jim Whittaker, était devenu un de mes coéquipiers à Oshawa. Et comme si ça ne suffisait pas, il allait devenir mon nouveau cochambreur.

Je vous laisse deviner ce que cet heureux hasard pouvait signifier pour deux jeunes hommes s'ennuyant à mourir de leur même ville natale. Les joueurs de hockey sont censés être des durs qui se précipitent dans les coins de patinoire contre des adversaires plus gros qu'eux, des gars qui jouent blessés et qui ne connaissent pas la peur. Il est facile, en regardant un jeune garçon plus grand et physiquement plus développé que les autres de son âge, de s'imaginer qu'il est aussi plus mature. Son apparence peut être celle d'un homme, mais au-dedans de lui, il n'est qu'un adolescent de 16 ans. Les entraîneurs et les partisans seraient parfois bien avisés de se rappeler de ça.

Cela vous surprendra peut-être, mais ce n'est pas le manque de talent ou de caractère qui empêche certains joueurs de s'élever dans la sphère du hockey, mais plutôt ce fameux mal du pays. J'aime à penser que les organisations junior qui connaissent le plus de succès aujourd'hui sont davantage conscientes de ce facteur et qu'elles épaulent mieux les joueurs sous ce rapport. Les dirigeants d'équipe doivent développer des stratégies pour ce genre de problème, car personne ne veut perdre un joueur parce qu'il se languit de son coin de pays. Dans le cas d'un joueur junior, faire ses valises et partir pour un nouveau foyer, c'est beaucoup demander d'un jeune de 16 ans, ainsi que de ses parents et de toutes les autres personnes concernées par ce processus. Mais c'est néanmoins la route que doivent emprunter la plupart des joueurs qui ambitionnent sérieusement de jouer dans la LNH. Cette réalité n'a pas changé depuis l'époque de ma jeunesse et je vois mal comment elle pourrait changer dans un proche avenir.

Il y a néanmoins quelque chose qui rachète tout pour le joueur dans cette aventure parfois déstabilisante. Quand vous vous joignez à une équipe loin de chez vous, il y a un lien presque immédiat qui se crée avec vos nouveaux coéquipiers. Ils deviennent, par nécessité, votre nouvelle « meute de loups ». Ces nouveaux amis vous aident à passer à travers les premiers moments difficiles de votre acclimatation. Le fait que Jim et moi ayons appartenu à la même bande autrefois et que nous nous retrouvions de nouveau réunis chez les Generals nous a mutuellement facilité la vie.

À l'époque, Jim et moi estimions que les gens qui nous hébergeaient se montraient beaucoup trop sévères à notre égard. Dès que l'un de nous deux ratait un couvre-feu, Jack ou Cora en informait immédiatement notre entraîneur. Nous trouvions ce traitement un peu rude, mais l'eau coulée sous les ponts m'a fait réaliser que c'est ce qu'ils pouvaient faire de mieux pour nous. Ils prenaient leurs responsabilités très au sérieux, et c'était de cette manière que les choses doivent et devraient toujours se passer.

◈

À ma première saison comme résidant à temps complet d'Oshawa, les Generals ont d'abord joué sur une petite patinoire à Bowmanville en attendant que la construction du nouveau Oshawa Civic Auditorium soit achevée, ce qui advint en décembre 1964. J'ai disputé sous ce toit le reste de ma carrière junior avec les Generals au sein d'éditions très productives. Pendant mon séjour à Oshawa, j'étais assez peu conscient de tout le bruit qui avait commencé à se répandre autour de mon nom.

Tout ce qui m'importait demeurait le but que je m'étais fixé : jouer au hockey au plus haut niveau. Toute mon attention était concentrée sur cet objectif. Je voulais seulement jouer du bon hockey. Si j'avais besoin de m'isoler pour avoir un peu de calme, il y avait toujours des endroits où je pouvais me réfugier, mais à ce moment de ma carrière, l'intérêt qu'on me portait ne constituait pas un problème – c'était en fait plutôt agréable. Bien entendu, avec le temps et ma célébrité grandissante, j'en suis venu à apprécier l'intimité que j'avais connue avant. Mais en tant que membre des Generals d'Oshawa et tout au long de ma carrière junior, je n'ai jamais accordé beaucoup d'intérêt au concept de célébrité. Si je devais devenir célèbre, je composerais avec cette réalité ; si je ne le devenais pas, eh bien, pas de problème !

Notre équipe comptait quelques fabuleux personnages, et certains de mes coéquipiers sont devenus des amis pour toujours. Parce que les droits de chacun d'entre nous appartenaient aux Bruins, certains de mes coéquipiers des Generals m'ont suivi par après chez les Bruins, parmi lesquels Wayne Cashman, Nick Beverley et Barry Wilkins. Certains autres coéquipiers, comme Jimmy Peters, ne nous suivraient pas jusqu'au grand club, mais Jimmy connaîtrait toutefois une carrière florissante à Oshawa à l'emploi de la General Motors. Nous n'avons joué qu'une année ensemble, en 1962, et pourtant nous sommes restés amis depuis tout ce temps. C'est l'une des plus belles choses que vous procurent le sport, et tout particulièrement les sports d'équipe. Les amitiés que vous nouez pendant votre parcours deviennent souvent des relations à long terme ainsi qu'un lien avec le passé. Jimmy a toujours été et restera à jamais un grand ami, et tout cela a commencé en portant les couleurs des Generals d'Oshawa.

J'ai été extrêmement chanceux de me retrouver au sein d'un groupe de si bonnes personnes avec cette équipe. À chaque étape de mon apprentissage, ils veillaient jalousement sur moi, surtout les joueurs plus âgés, même si les Generals ne comptaient pas tant de vétérans dans leurs rangs lors de la première année de l'existence du club. Parce que nous formions une nouvelle équipe dans la ligue, nous comptions parmi nous une grande proportion de jeunes joueurs. Nous ressemblions à n'importe quel autre groupe de jeunes hommes de notre âge, à peut-être une (grosse) exception près : chaque joueur de cette équipe croyait fermement en ses chances de passer au prochain niveau. Au contraire d'autres jeunes de notre âge, la plupart d'entre nous étions hautement préoccupés par la trajectoire qu'allait prendre notre vie. Avouons que ce souci est le lot de bien des jeunes hommes. Il y a un moment où plusieurs jeunes, au cœur de leur adolescence, semblent se retrouver dans un cul-de-sac et ignorent totalement ce qu'ils vont faire de leur vie. Ce sont des moments où le doute règne en maître dans l'esprit d'un adolescent…

Pour ma part, je n'ai jamais vraiment traversé une pareille phase, parce que j'ai toujours su où j'allais aboutir, ou à tout le moins, j'ai toujours su où je voulais aboutir. J'avais un objectif bien défini et je me consacrais entièrement à l'atteindre. En ce qui me concerne, je n'ai pas vécu des moments d'incertitude en tant qu'adolescent, mais plutôt à l'orée de la trentaine, quand les buts que je m'étais fixés m'ont filé entre les doigts. Je crois que tôt ou tard, à un moment ou à un autre, chacun d'entre nous se trouve confronté à ces moments tant redoutés où les certitudes s'estompent pour laisser la place aux doutes.

Certains joueurs ne peuvent différer très longtemps cette étape. La réalité du hockey junior veut, au fur et à mesure que passent les saisons, que certains doivent se résigner au fait qu'ils ne feront pas la grande ligue. Leur rêve de jouer dans la LNH en prend pour son rhume et commence à perdre de son pouvoir d'attraction. Si vous n'y prenez pas garde, il est possible que, ces joueurs perdant leur motivation, vous perdiez vous aussi la vôtre. Ils n'ont plus rien à perdre et peuvent s'embourber dans toutes sortes d'errements. Si vous ne faites pas attention, vous pouvez aussi être aspiré dans ce genre de courant. Maintenir son engagement au même seuil d'intensité est extrêmement important à ces moments-là pour les joueurs qui possèdent les habiletés pour se hisser au niveau supérieur. Toujours garder en tête son but ultime est primordial – et pas toujours facile pour un adolescent. Alors je me considère très privilégié d'avoir pu compter sur mes coéquipiers des Generals.

Vraiment, j'étais entouré par des gens extraordinaires à Oshawa. Nous sommes reconnaissants envers nos entraîneurs pour leur aide, et ils méritent certainement toute notre gratitude. Mais ils ne sont pas les seuls à intervenir quand il est question de développer un jeune athlète qui tente de faire son chemin dans le monde du sport. Il y a tant d'autres gens qui jouent un rôle crucial dans ce processus, tels que nos soigneurs, les conseillers pédagogiques à l'école, ou encore les professeurs qui ne reculent pas devant les heures supplémentaires pour nous aider à rattraper les cours manqués. Je pense à quelqu'un comme Bill Corella, qui dirigeait l'amphithéâtre d'Oshawa. Chaque jour, après l'école, j'étais impatient de me retrouver sur la patinoire pour l'entraînement, et j'avais l'habitude de m'y rendre le plus vite que je pouvais. Bill me laissait accéder aux installations, allumait les lumières, et ainsi tous les joueurs qui se présentaient tôt pouvaient bénéficier de temps de glace supplémentaire. Nous aimions tant le hockey que nous nous précipitions littéralement à l'amphithéâtre juste pour nous amuser. Certains après-midi, j'enfilais des jambières et je gardais les buts – ce qui m'a permis de réaliser que je n'avais aucun avenir à cette position. Non, vraiment, ce n'était pas une mauvaise idée d'être dans les bonnes grâces de la personne qui dirigeait l'amphithéâtre...

Parmi les gens qui ont eu leur rôle à jouer, je ne peux oublier Joe Bolahood, qui était propriétaire d'un magasin d'articles de sport en ville. Souvent, le samedi après-midi, plusieurs joueurs des Generals se rendaient à son magasin et, avec la bénédiction de Joe, essayaient les nouvelles pièces d'équipement de hockey. C'était toute une sensation pour nous de voir puis de pouvoir enfiler les plus récents modèles d'équipement disponibles sur le marché. Vous pouviez prendre un bâton en main, vous appuyer dessus et juger du genre de flexion que vous pouviez obtenir de ces nouveaux modèles. Cet arrêt au magasin de Joe constituait une pause pour nous, en même temps qu'un moment propice à la formation de notre esprit d'équipe. Des gens comme Joe nous facilitaient la tâche. À deux pas de sa boutique se trouvait un petit restaurant où nous allions parfois manger un hamburger et des frites, quand nos finances nous le permettaient.

Mais il n'y a pas eu que Bill et Joe, et pas juste les Ellesmere et les Wilde, et pas seulement des gens de hockey comme Stan Waylett et Wren Blair. Quand vous faites partie d'une équipe et d'une communauté, vous êtes entouré par toutes sortes de gens qui vous aident d'une infinité de façons et vous rendent la vie un peu plus facile, des gens qui vous apportent des encouragements sans peut-être même en avoir conscience. Vous ne pouvez jamais remercier tout le monde, mais je sais toutefois à quel point les gens autour de moi ont contribué à mon bien-être et à mon succès, à différents moments et par toutes sortes de moyens.

Juste avant que je commence ma quatrième et dernière année avec les Generals, mon père décida que mes dépenses n'étaient pas suffisamment compensées par l'équipe. Dans son esprit, il était temps que les Generals apportent leur juste contribution pour l'essence et autres choses. Si mon souvenir est bon, je crois que notre allocation hebdomadaire est passée de 10 à 12 dollars. Et papa a sans doute remué ciel et terre pour obtenir du pauvre Wren deux autres malheureux dollars…

C'était un samedi soir, et nous devions inaugurer notre saison ce jour-là, mais je n'avais pas encore signé ma carte de joueur. La règle n'était pas compliquée : si vous n'aviez pas signé votre carte au moment où commençait la saison, vous ne pouviez tout simplement pas jouer. J'étais extrêmement nerveux en me rendant à la patinoire, parce que je voulais entamer cette saison en même temps que mes coéquipiers et la situation n'avait pas l'air trop encourageante. En arrivant à l'amphithéâtre, je suis allé au vestiaire et je me suis assis devant mon casier. Celui-ci était placé très près du bureau du directeur général et, au fur et à mesure que se rapprochait le début de la partie, mon anxiété ne cessait de croître.

Soudainement, la porte du bureau s'est ouverte et Wren en a surgi en criant :

— Viens ici !

Sitôt dans son bureau, Wren m'a mis une carte sous le nez en me disant :

— Signe ça !

Wren savait être charmeur quand les circonstances le commandaient, mais il savait aussi faire preuve de fermeté en d'autres moments. Ma première – et dernière – « grève » venait de prendre fin. J'ai fait ce qu'on m'a dit et ma dernière saison junior a démarré dans les temps. Je présume que mon père n'a jamais obtenu les quelques dollars supplémentaires qu'il escomptait arracher à Wren. Quant à moi, j'étais trop content de pouvoir sauter de nouveau sur la patinoire et de jouer. Ce serait ma dernière saison avec les Generals, et elle s'avérerait mémorable.

Comme c'est le propre de n'importe quelle saison dans le sport, celle-ci a connu des hauts et des bas. Les hauts se sont traduits par notre fiche en saison régulière et le fait que notre groupe était du calibre d'une équipe championne. Le bas, lui, a été la manière dont notre saison s'est terminée, et j'ai eu de la difficulté à l'accepter, à la fois comme membre d'une équipe et comme individu. Nous avions réuni une belle combinaison de recrues et de vétérans et, alors que les éliminatoires approchaient, j'avais la sensation que nous avions tout ce qu'il fallait pour nous rendre loin malgré notre quatrième position au classement. Nous avons remporté le championnat de l'Association de hockey de l'Ontario (aujourd'hui la Ligue de hockey de l'Ontario) en battant quelques bonnes équipes, dont le Canadien junior de Montréal, parmi les rangs duquel on retrouvait Jacques Lemaire, Serge Savard et Carol Vadnais – un sacré bon bassin de talents pour une équipe junior ! –, menés par nul autre qu'un certain Scotty Bowman… J'imagine qu'il était écrit dans le ciel que nos chemins se croiseraient de nouveau. Et ce ne serait d'ailleurs pas la dernière fois que nous nous retrouverions face à face sur une patinoire.

Après avoir battu Montréal, nous avons affronté North Bay, les représentants de la Ligue de hockey junior du Nord de l'Ontario, et les avons également vaincus, ce qui nous a menés au Championnat de l'Est du Canada, contre les Bruins de Shawinigan, un autre adversaire coriace, que nous avons aussi défait. Toutes ces rondes éliminatoires nous ont conduits à la destination dont nous avions tant rêvé, la coupe Memorial, qui couronne les champions du hockey junior canadien. À l'époque, sa formule était différente : il ne s'agissait pas d'un tournoi à la ronde, mais d'une série 4 de 7 entre les représentants de l'Est et de l'Ouest du pays. Cette année-là, nous représentions donc l'Est, tandis que les Oil Kings d'Edmonton en faisaient autant pour l'Ouest.

Les Kings formaient une superbe équipe – ils semblaient être les champions de l'Ouest bon an mal an – et avaient été encore améliorés par l'addition, juste avant le début des séries, de quelques joueurs-clés tels que Ross Lonsberry et Ted Hodgson. L'un de mes futurs coéquipiers des Bruins de Boston, Garnet « Ace » Bailey, faisait aussi partie de cette équipe.

La série devait être disputée au Maple Leaf Gardens et la table était mise pour une confrontation féroce. Une seule chose clochait : à un certain moment, pendant l'une des dernières parties de la série contre Shawinigan ou peut-être pendant un entraînement en vue de la Coupe Memorial, je me suis étiré un muscle de l'aine. La blessure en question était grave et affectait sérieusement mon coup de patin. Si vous avez déjà souffert d'une élongation à ce muscle, vous savez à quel point ce peut être douloureux. La seule vraie manière de traiter ce genre de blessure passe par un repos prolongé – une option qui ne figurait pas au nombre des solutions envisagées. Cette blessure n'allait pas me handicaper à long terme, c'est juste qu'elle me faisait beaucoup souffrir dans l'immédiat. En définitive, la Coupe Memorial a fini par devenir pour moi une série très pénible. J'ai connu ma part de blessures durant ma carrière, mais le caractère inopportun de celle-ci m'a toujours mortifié.

Les blessures à l'aine surviennent habituellement tôt dans une saison de hockey, parfois même pendant le camp d'entraînement, alors que les muscles s'accoutument à la charge de travail d'une nouvelle campagne. Jamais n'avais-je souffert de ce genre de malaise aussi tard dans une saison. C'était vraiment un coup de malchance, chose qui peut arriver à n'importe quel athlète et à n'importe quel moment, spécialement quand le sport que vous pratiquez comporte sa part d'étirements, d'extensions et de contacts. Je ne pouvais rien y faire, à part tenter de me faire croire que je n'avais pas mal…

Lorsque Hap Emms, le directeur général des Bruins, a eu vent du problème, il a dit à mon père qu'il ne m'autoriserait pas à jouer de toute la série. Selon lui, il y avait à Boston des enjeux plus importants que la coupe Memorial. Désireux de protéger son investissement, monsieur Emms ne voulait voir aucun joueur blessé se présenter au camp d'entraînement des Bruins. Mais mon père ne partageait pas son avis. Après que mon futur patron l'a informé de son interdiction, mon père l'a dévisagé et lui a dit :

— Je n'en suis pas si sûr, monsieur Emms...

Mon père voyait juste. Rien au monde ne pourrait m'empêcher de revêtir mon uniforme pour cette série.

J'avais vécu les quatre ans de ma carrière junior dans l'attente de ce moment. J'étais le capitaine de l'équipe, et même je devais « manger les bandes » avec une seule jambe valide, rien ne me ferait reculer. Notre entraîneur, Bep Guidolin, était pris entre deux feux. D'un côté, en tant qu'employé des Bruins, si on lui disait de ne pas faire jouer un élément de son équipe, il avait de bonnes raisons d'obéir. D'un autre côté, il dirigeait une équipe engagée dans le tournoi de la coupe Memorial. S'il croyait que je pouvais aider l'équipe à gagner, il était de son devoir de m'envoyer sur la glace. Mais ni Bep ni Emms n'allait me retirer de l'alignement, alors mon entraîneur n'a eu d'autre choix que de m'envoyer dans la mêlée.

Le fait que Bep me permette de jouer lui a sans doute, plus tard, coûté son emploi. Ma blessure affecta ma mobilité à un point tel que je n'ai pu apporter à mon équipe la contribution que j'aurais souhaitée. Nous avons finalement baissé pavillon en six matchs. Évidemment, nous étions tous désolés de ne pouvoir ramener le trophée à Oshawa, mais nous avions tout de même appris une grande leçon de hockey disputé à un niveau très élevé. L'expérience puisée dans cette série me profiterait plus tard pendant ma carrière dans la LNH.

Au moment où s'était achevée ma carrière junior, au printemps 1966, j'avais entre-temps atteint ma majorité. C'était la coutume à l'époque que les équipes professionnelles convient les joueurs de 18 ans à leur premier camp, et c'est ce qu'ont fait les Bruins. Durant mes quatre ans comme membre des Generals d'Oshawa, j'avais gagné quelques pouces et ajouté à ma frêle charpente quelques livres bienvenues. Mais chose plus importante encore, et autre précieux bénéfice de mon séjour à Oshawa, j'avais acquis la conviction que je serais capable de jouer dans la grande ligue.

Certains joueurs – et leurs parents tout autant – semblent pressés d'accéder à la LNH, même si un séjour prolongé dans le junior ou les mineures sert mieux leurs intérêts à long terme. Quelques-uns sortent du junior pour aussitôt faire fureur dans la LNH à leur saison recrue, même s'ils ne sont pas légion. D'autres, qui sont parfois des choix élevés au repêchage, ont besoin de plusieurs années pour se développer. D'autres encore, eux aussi d'excellents choix au repêchage, faillissent complètement à la tâche. Si vous êtes un joueur qui avez dominé vos pairs depuis le niveau atome, vous pouvez ressentir tout un choc en vous retrouvant confronté à des gars plus gros, plus résistants et plus aguerris que vous. Il est possible que vous disposiez de peu de temps de glace en avantage et désavantage numérique, et que vous réchauffiez le banc comme cela ne vous était jamais arrivé jusque-là, toutes choses qui ne seront pas à votre goût. Parfois, il est préférable d'étendre le processus sur une plus longue période afin qu'un joueur se développe de manière appropriée. La hâte est mauvaise conseillère.

J'appartenais à ce groupe de joueurs prêts à faire le saut dans le hockey professionnel dès 18 ans, mais beaucoup ne le sont pas. Accumuler le plus d'expérience possible aux niveaux inférieurs reste la manière la plus intelligente de préparer un athlète aux échelons les plus élevés. Après tout, une carrière professionnelle est un marathon, pas une épreuve de sprint.

Néanmoins, si j'étais prêt à jouer dans la LNH au strict niveau de mes habiletés, je me suis toujours demandé s'il ne fallait pas chercher la raison de mes nombreuses blessures aux genoux dans le fait que j'avais commencé très jeune à jouer contre des hommes. Tous ces contacts encaissés en jouant contre des adversaires sensiblement plus gros et puissants m'ont peut-être causé des dommages insoupçonnés. Ajoutez à cela le quasi-traumatisme que mon corps a absorbé quand j'ai commencé ma carrière junior à 14 ans, et cela amène à se demander si je n'aurais pu éviter certaines de mes blessures en passant à ce niveau un ou deux ans plus tard.

Cependant, un athlète doit parfois passer d'un niveau à un autre afin qu'on éprouve ses capacités. Personne ne veut rester au bantam s'il peut jouer au junior, et personne ne veut piétiner à ce niveau si une place l'attend dans la LNH. Je ne suis pas le seul garçon qui se montrait impatient de réaliser son rêve. Dans certains cas plutôt rares, l'âge ne constitue pas un prétexte suffisant pour garder un joueur dans un niveau inférieur à ses capacités. Mais cette décision ne revient pas au père ou à la mère ou au joueur ; elle sera inévitablement prise par l'équipe qui détient les droits du joueur.

Que je sois prêt ou pas, ma carrière junior avec les Generals était dorénavant terminée. Mon apprentissage à Oshawa m'avait préparé pour la prochaine étape. Ces quatre ans avaient passé en coup de vent. Ce serait maintenant à Boston que j'essayerais de mériter un poste dans la LNH, et mon rêve était que cette ville devienne mon nouveau chez-moi pour toute la durée d'une carrière que j'espérais la plus longue possible.

CHAPITRE 4

Une recrue à Boston : la saison 1966-1967

Je n'ai jamais eu la certitude que je deviendrais un hockeyeur au niveau professionnel. Aucune conviction de cette sorte n'a jamais germé dans mon esprit. Des joueurs junior hautement estimés qui n'ont jamais rien cassé dans la LNH, il en existe une longue liste – de la même façon qu'il en existe une aussi longue faite d'autres très bons joueurs, repêchés beaucoup plus tard, et même dans certains cas jamais repêchés. Tant les échecs que les succès inespérés nous indiquent que les évaluations des dépisteurs dépendent d'une somme considérable de facteurs. J'étais bien conscient, à l'époque, que les gens qui fondaient en moi de si grandes attentes pouvaient avoir erré. C'était à moi de leur prouver qu'ils avaient raison. Je croyais avoir fini mon apprentissage au junior et je pensais que le temps était venu pour moi d'accéder à la LNH. Tout ce que cela signifiait, c'était que j'allais avoir la chance de gagner un poste, car aucun ne m'était réservé d'emblée.

J'ai signé mon premier contrat professionnel en 1966. Je me trouvais dans la cabine d'un voilier qui appartenait au directeur général des Bruins Hap Emms, sur le lac Simcoe, près de Barrie, en Ontario. Mes parents avaient embauché un agent pour gérer mes finances et négocier cette entente, et il était sur place afin d'assister à la signature du coup d'envoi officiel de ma carrière professionnelle. Je savais depuis longtemps que ce jour viendrait, puisque j'avais signé le formulaire C plusieurs années auparavant et que les Bruins étaient la seule formation pour laquelle je pouvais jouer. Mais ni cela ni rien au monde ne pouvait amenuiser la formidable sensation d'apposer ma signature au bas d'un contrat, et je ne peux pas dire que j'étais désappointé par le salaire que je toucherais si je réussissais à faire l'équipe: 25 000 $ comme salaire de base pour les deux premières années, plus un boni pour le nombre de matchs joués (eh non, pas de complet, cette fois !). C'était plus d'argent que je n'en avais jamais vu de toute ma vie.

Cet automne-là, je participai donc à mon premier camp d'entraînement de la LNH avec les Bruins. À cette époque, plusieurs des équipes de la ligue tenaient leur camp loin de leur ville. En 1966, celui des Bruins se déroulait à London, en Ontario, sur la glace du vieux Treasure Island, qui était alors le domicile des Nationals de London de l'Association de hockey de l'Ontario (maintenant les Knights de London de la Ligue de hockey de l'Ontario).

Je me souviens parfaitement de toute l'excitation qui m'habitait tandis que je roulais sur l'autoroute 401 en direction du camp d'entraînement. Dans n'importe quel sport, un athlète va ressentir toute une gamme de sensations alors qu'il est sur le point d'être mis à l'épreuve. Je m'apprêtais à me retrouver parmi les meilleurs de ma profession, à pénétrer dans un univers que je ne connaissais que par l'entremise des journaux et de la télévision. Dans bien des cas, je considérais les athlètes de ce monde comme des héros.

Je n'avais aucune idée de ce qui allait se produire. J'avais déjà participé à des camps d'entraînement, mais jamais à un camp professionnel. J'avais joué à un haut niveau, mais jamais au plus haut. Physiquement, je n'étais pas encore de taille à me mesurer à bien des joueurs dans la ligue: à 18 ans, je ne mesurais encore que 5 pieds 11 pouces et je ne pesais que 165 livres. Mais les camps d'entraînement junior m'avaient à tout le moins donné une bonne idée de ce qui m'attendait, et j'avais cet avantage dans ma manche. J'étais fin prêt pour la situation. Je savais que j'allais subir le même test que toutes les autres recrues, tout comme lors de mon premier camp, à 14 ans, avec les Generals. Bien entendu, le seuil de talent serait tout autre, mais le processus ne pourrait pas être si différent. Et c'est ce que je ne cessais de me répéter.

J'étais loin d'être certain de pouvoir faire l'équipe, et j'ignorais complètement quel serait mon sort si je ne parvenais pas à percer la

En haut : mon père, Doug Orr, en permission lors de ses années dans la Marine canadienne, pendant la Deuxième Guerre mondiale.

En bas : mon père et ma mère, Arva. Je n'aurais pu avoir de meilleurs parents.

Ci-contre, à droite : mon père arborait toujours un large sourire.

Cette page est tirée de notre album de photos de famille.

En haut, à gauche : moi, bébé.

En haut, à droite : de gauche à droite, moi, mon frère Ron et ma sœur Pat.

En bas, à gauche : à 18 ans, dans la maison familiale de Great North Road, après ma première saison recrue avec les Bruins.

En bas, à droite : mon frère Ron et moi.

Ci-dessus : moi, mon frère Ron et deux amis de River Street, à Parry Sound.

Ci-contre : photo d'élève prise à mes 10 ans, alors que je fréquentais l'école élémentaire Victoria.

Ci-dessous : une photo récente de notre maison de Great North Road. On peut voir à droite le garage où j'exerçais mon tir.

Syl Apps Jr et moi. Scarborough, l'équipe de Syl, vient de nous battre dans un tournoi. Ai-je vraiment l'air de quelqu'un qui vient de perdre un match décisif ? Nous avions tant de plaisir à voyager et à jouer au hockey que même la défaite ne pouvait entamer notre joie.

Ci-dessus : à mon tour de faire cuire nos prises après une bonne partie de pêche.

Ci-contre : posant fièrement avec deux magnifiques truites mouchetées, après ma première saison à Boston.

Ci-dessous : j'apprécie les plaisirs de l'été à Muskoka.

En haut : je suis au centre de la première rangée, le trophée sur les genoux, avec l'équipe midget du département des incendies, en 1962. Cette photo montre assez bien à quel point je jouais dans une catégorie où évoluaient des joueurs plus âgés que moi… Le gars tout au fond, à droite, est Jimmy Whittaker, mon futur cochambreur à Oshawa ; à ses côtés se trouve Roddy Bloomfield, qui sera plus tard la doublure de Paul Newman dans *Slapshot*.

En bas : en compagnie d'Anthony Gilchrist, Bucko MacDonald et Ivan Nicksy, le directeur de l'Association de hockey mineur de Parry Sound. J'ai beaucoup appris de mes entraîneurs de Parry Sound, mais j'estime que leur plus importante contribution a été de nous laisser avoir du plaisir en jouant au hockey.

R. S. McLAUGHLIN COLLEGIATE AND
VOCATIONAL INSTITUTE
IDENTITY CARD
1965 - 1966

This card is valid while the student is in
regular attendance
It is not transferable.

Bob Orr.
SIGNATURE

FORM

Ci-dessus : ma carte d'élève de 11e année à Oshawa.

Ci-contre : je pose avec ma veste toute neuve des Generals d'Oshawa.

Ci-dessus : avec le gardien Ian Young dans l'uniforme des Generals. Ian était un excellent gardien, promis à un bel avenir dans la LNH, mais une blessure à un œil subie au niveau junior a prématurément mis fin à sa carrière.

Ci-contre : à ma dernière année à Oshawa.

LNH. La situation d'un hockeyeur n'avait alors rien, de près ou de loin, à voir avec celle des jeunes d'aujourd'hui, qui possèdent une maîtrise parfaite de leur carrière. Nous ne comprenions pas la manière dont cet univers fonctionnait, tout bonnement parce que nous ne nous interrogions pas à ce propos. Je ne savais pas si je serais renvoyé à l'un des clubs-écoles des Bruins en qualité de joueur de 18 ans – en fait, j'ignorais même où se trouvaient ces clubs. Je savais que la direction pouvait me retourner à Oshawa, mais je n'étais pas intéressé par la perspective de disputer une cinquième saison là-bas. Je savais ce que je voulais. Le seul plan que j'avais en tête en me présentant au camp était simple : faire tout en mon pouvoir pour commencer la saison à Boston.

Ce mois d'août-là, j'étais dans une forme d'enfer – peut-être dans ce genre de forme que présentent les joueurs d'aujourd'hui presque douze mois par année, mais j'avais passé l'été en ayant ce camp d'entraînement en tête. Je me souviens d'avoir joggé avec des bottes de travail pour améliorer la puissance de mes jambes et de mon cardio. De temps à autre je sautais sur ma bicyclette et je pédalais un bon coup, sans compter quelques milliers de push-ups. J'avais aussi mis au point un exercice maison pour renforcer mes poignets et mes avant-bras. J'attachais une brique à une corde, que je nouais à un bout de manche à balai. Les bras bien tendus, j'empoignais le bout de bois, puis le faisais pivoter sur lui-même, de manière à ce que la brique monte et descende. J'étais parfaitement conscient que je devais devenir plus fort si je voulais avoir une chance de tenir mon bout dans la LNH.

J'avais aussi un banc pour faire des poids et haltères. Je n'utilisais que des poids légers, mais je répétais intensément mes mouvements. Voilà ce à quoi se bornait ma routine d'exercices. La plupart des joueurs de la LNH prennent très au sérieux le travail en gymnase, et mes séances d'exercices de l'été 1966 doivent paraître très décontractées si on les compare à celles d'aujourd'hui. Mais c'était ainsi dans ce temps-là, et c'est ainsi que je faisais les choses.

Alors que je pénétrais dans London par la sortie de la rue Wellington, je me suis dit qu'il était un peu tard pour me tracasser à propos de ma préparation. Ce que j'avais fait durant l'été devrait suffire à la tâche. Je n'aurais pu être davantage concentré sur mon premier camp d'entraînement professionnel, et rien d'autre ne comptait.

Mon tout premier souci a consisté à trouver l'hôtel où logeait l'équipe. Je me suis enregistré à la réception, on m'a donné ma clé et je me suis rendu à ma chambre. En ouvrant la porte, j'ai découvert, étendu sur le lit, un cigare entre les dents, l'homme qui deviendrait mon premier cochambreur. Je l'ai reconnu sur-le-champ. Il s'agissait du capitaine des Bruins, Johnny Bucyk. J'ai marché jusqu'à lui, la main tendue, en lui disant :

— Bonjour, monsieur Bucyk, je suis enchanté de vous connaître. Je m'appelle Bobby Orr.

Il m'a regardé, m'a servi l'un de ses grands sourires et m'a tendu la main en répliquant :

— Bon, à partir de maintenant, c'est Johnny ou Chef, OK ?

Ainsi a commencé entre lui et moi une grande amitié. Johnny était un homme discret, prévenant, imperturbable, et il veillait sur moi ainsi que sur plusieurs autres recrues comme une mère-poule. Il me faisait rire – quelque chose qu'apprécie infiniment quiconque se voit soumis à une forte pression. Nous avons souvent bavardé lors de ce premier camp, et j'écoutais attentivement tout ce qu'il me disait, et ses paroles me semblent aussi pertinentes aujourd'hui qu'elles l'étaient alors. En cette période charnière où je passais du hockey junior au hockey professionnel, Johnny m'a été d'un grand secours.

Vous n'auriez pu trouver un meilleur capitaine que le Chef. Il n'était pas porté sur les longs discours, mais il donnait tous les jours le meilleur de lui-même et son niveau de jeu servait de barème pour tout le reste de l'équipe. Il mettait la barre haute, et nous voulions lui emboîter le pas afin de constituer un modèle pour les autres. Tout comme mes parents, Johnny prêchait par l'exemple davantage que par la parole. Son leadership a été l'une des clés du succès que notre équipe a connu dans les années qui ont suivi.

La manière dont Johnny et les autres vétérans m'ont accueilli a été primordiale pour moi, car je me suis immédiatement senti à l'aise dans l'environnement de l'équipe, en grande partie grâce à leur support. Je n'étais qu'un joueur recrue qui lorgnait un poste dans l'alignement, mais les vétérans n'ont rien ménagé pour m'accueillir et me faire aussitôt sentir l'un des leurs. Et pourtant, la cruelle réalité s'énonçait ainsi : mon objectif était de décrocher un des postes de l'équipe, et le leur était de sauver celui qu'ils avaient déjà gagné. La victoire de l'un signifierait l'échec de l'autre. C'est la base même du sport professionnel, aussi brutal que ça puisse paraître. Mais tout cela n'a rien de personnel, et personne ne m'a jamais tenu rigueur du fait que j'étais là pour m'emparer du poste d'un autre.

Nous avions l'habitude de nous étirer un peu dans le corridor avant de patiner, et plus d'une fois un vétéran est venu me voir pour me prodiguer quelques mots d'encouragement avant que nous passions à l'attaque, ou me donner une claque sur une épaulière en me souhaitant bonne chance.

Il va sans dire que les vétérans n'ont aucun mal à détecter une recrue qui débarque au camp avec une attitude suffisante, et cela peut alors se retourner contre elle. Si j'avais été ce genre de jeune homme, je ne sais pas comment les vétérans auraient réagi à mon égard. S'ils dénotent ce genre d'attitude, la recrue peut être laissée à elle-même, mais heureusement pour moi, les vétérans des Bruins m'ont toujours fait sentir que j'appartenais à leur groupe.

Les camps d'entraînement de cette époque pouvaient s'étendre sur au-delà d'un mois – plus longtemps que de nos jours. Bien des vétérans nous arrivaient dans une condition qu'on pourrait qualifier de moyenne, voire de mauvaise, et le camp leur servait à retrouver la forme. Rappelez-vous que la plupart de ces gars-là occupaient un poste de col bleu pendant la saison morte et que le temps leur faisait défaut pour garder une forme athlétique optimale. C'était ainsi et pas autrement. Et laissez-moi vous dire que les premiers jours de navettes ligne bleue-ligne rouge-ligne bleue n'avaient rien d'une sinécure.

Nous ne jouions pas de matchs hors concours contre les autres équipes pendant les deux premières semaines du camp, nous contentant de matchs intra-équipe. Ainsi vous aviez tout le temps de vous demander si vous impressionniez ou non la direction pendant les séances d'entraînement. Plus tard, nous avons disputé une série de matchs hors concours dans des villes de l'Ontario, à London, Kitchener, Peterborough et Hamilton.

Alors que les parties se succédaient, j'ai commencé à me sentir de plus en plus à l'aise en jouant à ce plus haut des niveaux du hockey. J'avais probablement commencé le camp en étant un tantinet nerveux, mais au bout de quelques matchs, je m'aperçus que je conservais la rondelle un peu plus longtemps, que j'essayais de déjouer un vis-à-vis ou d'y aller d'un jeu que je n'aurais pas eu le culot de tenter quelques jours plus tôt. Et si une escarmouche éclatait durant un match hors concours, je savais que je pouvais compter sur les vétérans pour venir à mon aide. C'était réconfortant de savoir qu'ils m'épaulaient.

Malgré tout, je n'ai jamais présumé que j'étais assez bon pour faire l'équipe. Je ne donne pas ici dans la fausse modestie. C'est ainsi que se passaient les choses, et c'était ainsi qu'elles s'étaient passées à chaque étape du processus. Je gardais en mémoire ce que m'avait dit mon père bien des années plus tôt : « Vas-y, aie du plaisir et voyons ce qui arrivera. » C'était l'attitude que j'avais préconisée pour ce premier camp, et c'est aussi l'approche que j'ai favorisée tout au long de ma carrière.

Évidemment, plus le camp avançait, plus je commençais à avoir ma petite idée sur l'endroit où j'allais commencer la saison. Vers la fin du camp, un à un, les joueurs ont été appelés dans le local où Hap Emms et l'entraîneur Harry Sinden avaient établi leur quartier général. Les gars en ressortaient avec une expression qui trahissait l'annonce qu'ils venaient d'entendre. Certains resteraient à Boston, d'autres retournaient aux mineures. Il faut toutefois dire que la plupart des joueurs, s'ils étaient honnêtes face à eux-mêmes, savaient bien s'ils avaient le talent pour continuer à jouer à ce niveau. Mon tour allait venir et quelque chose me disait que j'avais une chance de rester.

Finalement, on m'a appelé et je suis entré dans le local pour ma rencontre avec messieurs Emms et Sinden. C'est un moment difficile à vivre pour n'importe quel jeune joueur qui veut percer la ligue, parce que vous ne savez jamais si vous en avez fait assez. Au milieu des années 1960, dans la LNH, une réalité prévalait : les vétérans étaient virtuellement assurés de leur job, alors surclasser l'un d'eux pour lui ravir son poste tenait de l'exploit.

Quand je suis entré dans le local, j'ai vu Hap assis à son bureau. J'ai pris place devant lui, il a lentement levé son regard sur moi et m'a dit sur un ton qui semblait relever de l'évidence :

— Tu viens avec nous à Boston pour la fin du camp d'entraînement.

Comme c'était étrange… Après toutes ces années de travail, le résultat de tous mes efforts était confirmé en quelques mots.

Pourtant, à ma sortie de la pièce, je ne savais toujours pas si je faisais l'équipe ou non. Sans contredit, j'étais soulagé. Ne pas être retranché était précisément ce que j'espérais. J'avais ma chance de faire le grand club, mais je ne disposais toujours d'aucune garantie, même à ce stade du processus. J'avais grimpé d'un échelon dans l'échelle qui me permettrait de faire mon entrée dans le Garden de Boston en tant que membre des Bruins.

J'avais nourri bien des doutes pendant tout le camp d'entraînement et il est indiscutable dans mon esprit qu'un certain sentiment de peur peut s'avérer un puissant facteur de motivation. Plusieurs personnes qui ont réussi m'ont avoué avoir connu cette peur de l'échec, ou la peur de ne pas vraiment appartenir à un groupe ou une équipe. Une partie de cette peur réside dans le fait que vous êtes conscient que votre emploi est en jeu. J'éprouvais une certaine confiance en moi, assurément, mais le doute était aussi présent. La vie d'un athlète professionnel n'est pas de tout repos, et cette saine peur que j'ai ressentie durant ce camp m'a sans doute aidé dans ma progression vers le succès.

Une fois à Boston, le reste du camp s'est déroulé sans histoire. Chaque jour qui passait m'apportait la certitude grandissante que j'étais de taille à tenir tête à l'adversaire et à jouer dans la LNH. Je ne dominais personne sur la patinoire, mais je tenais mon bout.

Quand est venu le temps de finaliser l'alignement du match d'ouverture, tout le monde était nerveux. Nous voulions tous en faire partie, et il y avait plus de postulants que de postes dans la formation partante. Nous ne pouvions habiller que 17 joueurs d'avant et d'arrière, et 2 gardiens. Du lot, quelqu'un allait être déçu…

Enfin, il a été temps de se mettre au travail et nous nous sommes préparés pour notre première rencontre de la saison, contre les Red Wings de Detroit. Mon père s'était déplacé à Boston pour l'occasion, en compagnie d'amis. La présence de mon père dans les gradins signifiait beaucoup pour moi, et il serait d'ailleurs là pour plusieurs des grands moments de ma carrière. Quant aux partisans de Boston, ils avaient soif d'une nouvelle ère qui débuterait avec cette édition des Bruins.

J'étais tellement excité que je suis arrivé juste après l'heure du lunch pour la partie de 19 h 30. Quand j'ai posé le pied dans le vestiaire ce jour-là, je n'avais d'yeux que pour une chose, et rien d'autre sur terre ne comptait que celle-là. À cette époque, il n'y avait pas vraiment de limite par rapport au nombre de joueurs que pouvait compter une équipe. Nous apprenions, tout spécialement en début de saison, si nous faisions partie de l'alignement du match du jour quand nous pénétrions dans le vestiaire, en voyant si le préposé à l'équipement avait suspendu notre chandail. Si vous ne voyiez pas votre numéro, c'est que vous regardiez le match des gradins, voilà tout.

Mon chandail était là, accroché dans mon casier. Pendant les matchs intra-équipe et hors concours du camp d'entraînement, j'avais porté plusieurs numéros, dont le 27, le 30 et le 4, si je me souviens bien. Dans ce temps-là, les chandails n'arboraient pas de noms : seulement le logo de l'équipe en avant, et le numéro du joueur en arrière. Le numéro sur le chandail suspendu était le 4.

Je n'avais pas demandé de numéro en particulier. Une recrue d'alors n'aurait jamais pensé à demander un numéro plutôt qu'un autre. Qu'on vous donne un chandail avec n'importe quel numéro suffisait amplement à votre bonheur. J'avais porté le numéro 2 durant toute ma carrière mineure et junior, mais quand on m'a attribué le 4, j'étais aux anges. De plus, mon vieux numéro 2 n'était pas disponible, car il avait été porté naguère par le légendaire Eddie Shore, puis retiré et il était maintenant accroché aux poutres du Garden. La saison précédente, en 1965-1966, le 4 avait été porté par Al Langlois, mais comme celui-ci ne faisait plus partie de l'organisation, le numéro était de nouveau disponible. Et c'était celui-là qu'on avait dit au préposé à l'équipement de suspendre dans mon casier. Il y a une rime plutôt agréable entre Orr et *four*, et c'est encore mieux lorsque prononcé avec l'accent de Boston. Mais croyez-moi, je n'ai aucune responsabilité dans cette idée d'avoir agencé ce chiffre et mon nom. J'aurais volontiers porté n'importe quel numéro qu'on m'aurait attribué.

Ma première partie en carrière dans la LNH représentait pour moi toute une sensation, et cela pour toutes sortes de raisons, dont la moindre n'était sans doute pas de me retrouver face à face avec l'homme qui portait le numéro 9 des Red Wings. Il aurait été impossible de surenchérir à l'admiration que je vouais – et voue toujours – à Gordie Howe. Tous ceux qui arrivaient dans la ligue devaient composer avec cette étrange réalité : jouer avec ou contre des gens qu'ils avaient admirés en grandissant. Et je dus faire face à ce défi dès mon tout premier match dans la LNH, et contre le joueur que j'estime être le meilleur de l'histoire du hockey.

Lors de mon baptême du feu, j'eus l'occasion de côtoyer de près mon héros, peut-être même d'un peu trop près... Apparemment, j'ai commis quelques erreurs assez tôt dans la partie. La première, m'a-t-il dit plus tard, avait été de porter le coude un peu trop haut sur sa personne (même si je persiste à croire que j'ai été plus intelligent que ça, et que Gordie s'est trompé d'adversaire). La seconde erreur s'est produite quand j'ai passé un moment de trop à contempler une passe que je venais de faire à un coéquipier lors de mon entrée en zone offensive. Un instant je regardais la rondelle, et le suivant j'étais étendu sur la glace, victime d'un grand classique indémodable : le coude de Gordie Howe. Au-dessus de moi se dressait Monsieur Hockey lui-même, me dévisageant sans pitié, avec la plus sévère expression. J'ai très bien saisi le message : Gordie voulait s'assurer que la recrue sache qui était le patron. Cinq ans plus tôt, à notre partie de pêche, il m'avait pourtant bien mis en garde contre son coude lorsque j'accéderais à la grande ligue. Apparemment, Monsieur Hockey n'avait pas parlé en l'air...

J'étais une recrue, alors en un éclair plusieurs coéquipiers se sont portés à ma défense. Je me retrouvais au cœur d'une mêlée, mesurant les conséquences de mes premières frictions avec l'un des plus féroces compétiteurs de ce sport. Howe ne venait pas de m'aplatir pour rien. J'avais un peu couru après. Il n'avait fait que me rembourser une dette, en prenant soin d'y ajouter un certain intérêt. Alors j'ai levé les yeux vers le fouillis de jambes et de bras au-dessus de moi et j'ai lâché à mes coéquipiers quelque chose du genre de : « OK, les gars, ça va, je l'ai mérité ! »

Les hostilités se sont conclues sur ces sages paroles de ma part et j'aime à penser que j'ai gagné un peu du respect de Howe dans le processus. Ce genre d'altercation survenait souvent dans la vieille LNH et je crois que cela reflète le respect que se vouaient les joueurs les uns envers les autres. Il y avait des frontières que vous ne pouviez pas franchir.

Mais Gordie n'en avait pas fini avec moi, ce soir-là. Plus tard, nous avons eu un autre entretien au sommet, en compagnie de mon coéquipier défenseur Gilles Marotte. Nous l'avons tous les deux un peu asticoté et Gordie a senti qu'il avait besoin de nous passer de nouveau son message, et d'une manière peut-être encore plus appuyée. Personnellement, j'ai toujours été convaincu qu'il ne faut jamais reculer devant un adversaire. Battre en retraite ne peut qu'empirer les choses. Mais ce soir-là, je ne pouvais pas imaginer un pire scénario que de jeter les gants devant Gordie Howe. À la fin de ma présence, en regardant par-dessus mon épaule, j'ai vu surgir derrière moi Gordie avec une expression plus féroce que jamais. Comme si son air terrible ne suffisait pas, il nous tenait un discours assez éloigné de celui d'un prix Nobel de la paix. J'ai jeté un regard de côté à Gilles en lui disant :

— Continue à patiner… On *doit* retourner au banc.

Je me suis retrouvé face à face avec Gordie quelques autres fois au cours de ce premier match, et bien des fois encore au fil des années. Je ne pense pas qu'il ait existé un seul hockeyeur qui aimait jouer contre lui. Il pouvait vous battre avec son talent autant qu'avec sa force brute, et le sourire amical qu'il arborait cachait une effroyable férocité. Mais je garde de merveilleux souvenirs de Monsieur Hockey et il demeure tout au sommet de ma liste en tant que meilleur joueur à avoir jamais foulé les patinoires de cette ligue.

Cette première partie de ma carrière s'est soldée pour nous par une victoire et j'ai récolté une passe pour mon premier point dans la LNH. Les journalistes de la presse écrite en ont parlé comme de la plus belle passe jamais vue au Boston Garden. Je crois me souvenir que je tentais seulement de tirer en direction du filet et que je n'ai rien fait de plus que d'envoyer la rondelle vers le gardien. J'ai été seulement chanceux que quelqu'un passe par là, recueille le disque libre et enfile l'aiguille. En fait, ce n'était pas un grand jeu. Mais peu importe ce qu'en ont dit les gens, j'étais bien heureux d'enregistrer ce premier point dans la ligue et de contribuer à notre victoire.

Mon premier but s'est produit quelques soirs plus tard, toujours à Boston. Vers la fin de la partie, j'ai réussi à loger la rondelle derrière

Gump Worsley des Canadiens de Montréal pour égaler le compte. Je me suis donné comme règle de ne jamais parler des buts que j'ai comptés, mais je n'oublierai jamais celui-là. Les spectateurs du Garden étaient debout, non parce que ce but était une pièce d'anthologie, mais simplement parce que c'était leur façon de m'accueillir à Boston et de me faire me sentir chez moi. Les applaudissements m'ont toujours incité à demeurer humble. Quand vous les entendez, vous n'avez qu'une seule envie : offrir en retour. Et c'est ainsi que ce but a été le point de départ d'une relation très spéciale.

Je ne peux toutefois pas dire que les joueurs des équipes adverses m'ont accueilli avec autant de chaleur. Dès le premier match contre les Red Wings, les adversaires ont convergé vers moi pour voir si j'étais capable d'en prendre. À croire que tous voulaient savoir de quel bois j'étais fait. Quand vous êtes une recrue, cela fait partie du parcours du combattant que d'être jaugé par des joueurs des quatre coins de la ligue qui veulent savoir si vous pouvez vous tenir debout. Même si je savais que j'étais entouré de formidables coéquipiers qui viendraient à mon aide si nécessaire, je savais que je devais faire mes preuves par moi-même et que personne d'autre ne pouvait le faire à ma place. Je me suis parfois battu, mais jamais sans avoir une bonne raison, et jamais sans être fâché. Si vous vous battez avec quelqu'un à ce niveau et que vous n'êtes pas à votre place, vous pouvez vous faire très vite très mal.

Je crois qu'on peut dire que j'étais ce genre de joueur pénible à affronter, parce que j'allais toujours au-devant de l'adversaire et que je recherchais toujours la mise en échec. Je ne courais jamais après les ennuis, mais ce jeu ne peut tout simplement pas être joué sans une certaine agressivité. Je savais parfaitement que si je ne lâchais pas mes opposants d'un pouce, ils se comporteraient de la même manière avec moi, et cette réciprocité allait de soi. Il y avait des choses qui se faisaient et d'autres qui ne se faisaient pas. Alors je savais à quoi m'attendre.

Quand je dis que j'aime le jeu agressif, j'aimerais ajouter deux petites choses à ce sujet. Premièrement, je me montrais agressif dans ce sens que je voulais posséder la rondelle, et cela signifiait que je la transporterais durant une bonne partie de ma présence sur la glace. Si vous désirez être le meneur de l'action, alors vous devez vous attendre à être frappé. Deuxièmement, si l'agressivité dont j'étais la cible prenait une tournure très physique, alors l'adversaire pouvait s'attendre à une forme de vengeance. Ce n'est que la loi de la jungle. Je ne m'attendais pas à ce que d'autres se battent pour mes propres combats, à plus forte raison parce que je savais que mes adversaires me cherchaient, moi et personne d'autre. Ils me cherchaient pour toutes sortes de bonnes raisons : parce que j'étais une recrue, parce que j'avais plus de publicité que les autres joueurs de 18 ans, parce que je n'esquivais pas les contacts. Toutes les autres équipes que j'avais croisées sur ma route avaient tenté de m'intimider, alors je n'étais certainement pas surpris que les gars de la LNH essayent de voir ce que j'avais dans le ventre. Ils pouvaient être plus forts et frapper plus dur, mais je savais qu'il n'y avait aucun moyen d'éviter les confrontations, alors à quoi bon tenter de se défiler ? Si vous devez répondre à un défi, vous êtes mieux d'y aller résolument, de votre propre chef.

De toute la saison, nous n'avons eu une fiche gagnante qu'après notre match inaugural. Peu importe, on m'a dit de quitter l'hôtel et de me chercher un logement. Quand la direction vous dit cela, cela signifie que vous passerez un certain temps au sein de l'équipe, parce que si vous êtes renvoyé après coup dans les mineures, c'est elle qui restera collée avec le prix de votre loyer.

Dès que j'ai eu la bénédiction des dirigeants de l'équipe pour m'installer à Boston, j'ai dû décider où je voulais me loger et avec qui. Joe Watson a été mon premier colocataire avec les Bruins, mais malheureusement notre cohabitation n'a duré qu'une saison. Lors du repêchage de l'expansion de 1967, nous avons perdu Joe au profit des Flyers de Philadelphie, ville où il connaîtrait beaucoup de succès et graverait son nom deux fois sur la coupe Stanley. Mais au moins avons-nous, durant mon année recrue, partagé un logement ensemble, et aussi pas mal de temps sur la glace comme duo de défenseurs.

Cependant, Joe n'a pas été mon seul colocataire cette année-là. Deux autres joueurs ont partagé avec nous une maison, et ils démontrent bien à quel point était petit le monde du hockey de cette époque. Il s'agissait de Ross Lonsberry et Ted Hodgson, deux joueurs que j'avais affrontés le printemps précédent lors du tournoi de la coupe Memorial. Ils avaient revêtu l'uniforme des Oil Kings d'Edmonton pour cette série, mais l'équipe les avait ajoutés à son alignement seulement après avoir éliminé les Bruins d'Estevan, pour qui ils avaient joué pendant toute la saison régulière. Tous les deux étaient la propriété des Bruins de Boston.

Nous avons décidé tous les quatre de louer une maison à Little Nahant, au bord de l'eau. Les gars qui ont pris les chambres en façade de la bâtisse ont très vite compris à quel point les vents en provenance de l'océan pouvaient être froids. Ils ont monté la tirette du thermostat le plus haut qu'ils pouvaient, mais la chaleur était tout juste suffisante, comme si Éole soufflait au travers des murs. Ma chambre se trouvant à l'arrière, je n'avais pas à composer avec la rigueur du climat. Les bonnes nouvelles s'arrêtaient là, et les mauvaises prenaient immédiatement le relais. Dès que mes colocataires montaient la température, ma chambre devenait un tel sauna que je devais l'évacuer. Malheureusement pour Ross et Ted, tous deux ont été cédés à une équipe des mineures, à Oklahoma City, et je me suis retrouvé du jour au lendemain avec deux colocataires en moins. C'est l'une des facettes ingrates du métier d'athlète professionnel : devoir se poser quelque part pour devoir aussitôt en partir, souvent sans un long préavis, est l'un des risques de la profession.

Mais pour ceux d'entre nous assez chanceux pour rester avec le grand club, nous étions des membres des Bruins, vivant seuls et profitant de la vue magnifique sur la mer. Tout cela était très emballant pour un jeune homme, et j'ai eu beaucoup de plaisir à prendre mes aises dans la région de Boston en m'initiant au style de vie d'un joueur de hockey professionnel. C'était emballant, certes, mais aussi très loin de chez moi. Le filet de sécurité que constituent des parents ou un couple d'hôtes n'était plus là, et il n'y avait personne à la maison pour s'occuper, par exemple, de faire le lavage. Les repas n'apparaissaient plus comme par enchantement sur la table, une foule d'autres détails de la vie quotidienne demandaient à être organisés, et toute cette adaptation se révélait un ajustement de taille. Mais pour être honnête, notre salle à manger était plus souvent qu'à son tour le Surf Restaurant, sur le bord de l'eau. J'y allais la plupart du temps y manger des œufs et un steak aux environs de midi afin d'être « équipé » pour le match. Nous étions évidemment capables de nous servir d'une poêle à frire si nous y étions forcés, mais la majorité d'entre nous préférions la bonne chère du restaurant.

Ce nouveau mode de vie comportait aussi d'autres aspects dont je n'avais jamais eu à me soucier auparavant : je me retrouvais soudainement avec des factures à payer. Je n'étais pas un premier de classe en tenue de comptes, alors j'ai dû mettre les bouchées doubles pour trier un bon paquet de papiers en très peu de temps. L'agent qui me représentait alors m'avait assuré que quelqu'un s'occuperait à ma place de toutes ces petites choses, et je n'avais aucune raison de ne pas prêter foi à ses propos. Mon manque d'attention sur la gestion de mes affaires me coûterait, hélas, bien cher les années suivantes. Mais à ce moment-là, l'argent n'était pas un sujet de préoccupation pour moi. La seule chose sur laquelle je voulais me concentrer, c'était le hockey et rien d'autre.

Mon année recrue allait me procurer son lot d'épreuves. Comme n'importe quel nouveau venu dans la ligue, j'avais beaucoup de choses auxquelles penser. Encore plus que celle d'attaquant, la position de défenseur exige de la maturité et un long apprentissage. Si un avant perd le disque, on parle d'une opportunité ratée. Si un défenseur commet une bourde, la rondelle échouera souvent devant son filet. C'est pourquoi il arrive que les défenseurs recrues n'aient pas beaucoup de temps de glace, ce qui explique la plus longue période de temps nécessaire à leur développement.

En ce qui me concernait, je n'avais toutefois pas à me plaindre. À l'automne de 1966, les Bruins de Boston ne constituaient pas une très bonne équipe de hockey. La formation était en plein processus de reconstruction, et les toutes premières étapes de cette reconstruction n'étaient pas une partie de plaisir pour l'organisation. Mais cela signifiait que je bénéficierais de beaucoup de temps de glace au fil des prochaines saisons. J'apprendrais sur le tas et je commettrais toutes sortes d'erreurs. Mes coéquipiers devraient s'adapter à ma façon de jouer et me couvrir de temps en temps à la suite de ces erreurs.

Il y a eu plus d'une soirée frustrante. J'étais conscient de la moindre faute que je faisais, et cela m'horripilait. Des jeux que j'exécutais avec succès au niveau junior ne fonctionnaient pas dans la LNH. Quand je dis que les Bruins ne formaient pas une grande équipe cette année-là, je fais aussi allusion à mon propre rendement. Il y a des soirs où nous étions littéralement massacrés, et il me semblait que j'étais sur la glace lors de chacun de nos buts alloués. Mais tout valait mieux que d'être cloué au banc, et s'il est vrai que l'on apprend de ses erreurs, j'ai certainement beaucoup appris cette saison-là. Quoi qu'il en soit, notre entraîneur Harry Sinden continuait à m'envoyer sur la glace et les partisans ne me faisaient pas de misères, alors je ne suis pas devenu un joueur timoré, ce qui est la pire chose qui puisse arriver à un jeune défenseur. En fait, c'était précisément le contraire qui m'arrivait : je prenais de plus en plus mes aises sur la patinoire.

Si vous additionnez tout ce temps de glace à toute l'aide et à tous les conseils reçus de mes coéquipiers et de mes entraîneurs, le résultat de cette année recrue était assurément une somme positive. Des fois, dans la vie, la chance vous sourit. J'avais une veine miraculeuse de faire partie de cette équipe-là, à ce moment-là, même si nous ne formions pas une bonne équipe.

C'est pendant mon année recrue que j'ai connu mes premiers problèmes avec mon genou gauche. Au début décembre, nous jouions contre les Maple Leafs. Je m'étais porté à l'attaque avec la rondelle et j'essayais de déjouer le grand Marcel Pronovost. Il fermait bien l'angle, mais j'ai quand même tenté de me glisser dans le minuscule espace entre le colossal défenseur et la bande. J'ai raté mon tour de passe-passe et Pronovost m'a offert un coup de hanche tout droit sorti de son manuel du parfait démolisseur. C'était une mise en échec légale, mais j'ai été cloué dans la bande et mon genou a été coincé puis s'est tordu sous la force de l'impact.

J'ai senti un drôle d'élancement, très douloureux. Je n'étais pas à l'agonie, mais la sensation n'avait rien d'agréable. Ce premier dommage au genou n'a pas entraîné d'opération, mais j'ai dû regarder huit matchs des gradins pour laisser guérir la blessure. Bien entendu, j'avais 18 ans, et comme la plupart des jeunes hommes de 18 ans, je me croyais indestructible. Je pensais que je serais éternellement jeune et solide, et qu'une blessure passagère était le prix à payer pour pratiquer ce métier. J'ai attendu que mon genou aille mieux et puis je suis retourné dans la mêlée. Mais je n'étais pas aussi invincible que je l'avais pensé…

Cette première année, d'un point de vue personnel, m'a servi à trouver mes repères et ma voie dans la LNH. Pour l'équipe, il s'agissait de suivre le programme de reconstruction défini par la direction et de façonner notre identité en tant que groupe. À ce moment-là, nous n'étions pas de taille pour remporter la coupe. En fait, nous représentions le pire club de la ligue. Lors des saisons précédentes, les Bruins ne pouvaient espérer mieux que de devancer les Rangers afin de mériter le titre de « deuxième moins pire club » de la LNH. Comment rêver de la coupe, quand l'idée même d'une participation aux séries relevait de la science-fiction ? L'année précédant mon arrivée à Beantown, les Bruins avaient fini cinquièmes d'une ligue de six équipes, et avec ma venue, tout aurait supposément dû changer le temps de crier ciseau. À la fin de ma saison recrue, nous étions passés de la cinquième à la dernière position, avec une fiche de 17-43-10, de loin la pire de la ligue. (En comparaison, les Rangers, nos sempiternels compagnons de cave, avaient réussi à faire les séries.) Qui parlait encore du Sauveur de Parry Sound ?

J'ai bel et bien mis la main sur le trophée Calder accordé à la meilleure recrue, et j'en ai été bien entendu honoré. Mais je n'ai jamais pensé un seul instant que cette gratification me conférait le moindre statut particulier. Dans mon esprit, le seul vrai triomphe était ailleurs : j'étais parvenu à faire l'équipe.

Je n'aime pas perdre. J'ai remporté quelques autres trophées au fil des années suivantes, mais je peux vous assurer qu'aucun ne m'a apporté la même satisfaction que celle de la victoire. Pas un n'en est venu près. J'avais compté 13 buts durant la saison, mais aucun d'entre eux ne s'était avéré un but gagnant. Et nous avions remporté seulement 17 parties.

Cet été-là, je suis retourné à la maison assez abattu, merci. Bien de l'encre avait coulé sur les presses au sujet de mes débuts dans la ligue, et les espérances avaient été énormes à Boston, à la fois pour moi et pour l'équipe, et il était indiscutable que nous n'avions pas livré la marchandise à nos partisans. Durant mes premiers temps à Oshawa, j'avais joué pour quelques équipes qui avaient perdu leur lot de parties, mais lors de ma dernière saison là-bas, nous avions eu la chance de concourir pour la coupe Memorial. Il n'était pas facile de renouer avec une fiche perdante, à plus forte raison quand l'équipe était déjà virtuellement écartée des séries avant Noël…

Au niveau professionnel, le travail d'un hockeyeur est simple à comprendre : il consiste à gagner. Même si j'étais heureux de retourner à Parry Sound pour l'été, j'avais déjà hâte qu'il soit terminé. Une seule chose m'intéressait : retourner gagner des matchs de hockey à Boston.

CHAPITRE 5

En route pour la coupe : 1967-1970

La ligue où je m'étais joint en qualité de joueur recrue était la bonne vieille « ligue à six clubs », dont la composition était restée la même depuis des décennies. J'étais privilégié de jouer à la fin de cette ère où évoluaient des légendes du hockey. Mais cet été-là, la LNH doubla de volume et accueillit six nouvelles concessions : Los Angeles, Minnesota, Oakland, Philadelphie, Pittsburgh et Saint Louis.

Au repêchage de l'expansion tenu pendant l'été 1967, les Bruins perdirent un grand nombre de joueurs, dont le futur membre du Temple de la renommée Bernard Parent, Jean-Paul Parisé, Poul Popiel, Wayne Rivers, Ron Schock, Gary Dornhoefer, Bill Goldsworthy et Wayne Connelly. Comme je l'ai mentionné plus tôt, je perdis dans cette curée mon colocataire, car Joe Watson fut réclamé par les Flyers.

J'ai dû me mettre en quête d'une nouvelle adresse et j'ai fini par emménager avec Eddie « EJ » Johnston, mon camarade défenseur Gary Doak et John « Frosty » Forristall, le thérapeute de notre équipe. Frosty était un gars formidable, quelqu'un de qui j'ai été très proche durant ma carrière avec les Bruins. Il faisait partie intégrante de l'équipe, tout comme notre soigneur en chef, Dan Canney, et c'est ainsi qu'ils ont toujours été considérés. Au cours des années qui ont suivi, EJ et Gary se sont mariés et ont déménagé, et Frosty et moi avons continué à habiter ensemble pendant un bout de temps.

L'expansion avait beau avoir profondément affecté notre équipe, d'autres changements eurent lieu à Boston qui éclipsèrent tous les autres.

En tout premier lieu, Milt Schmidt, une ancienne légende des Bruins, a remplacé Hap Emms à titre de directeur général de l'équipe. Schmidt était un membre du Temple de la renommée. Il était le centre d'une ligne appelée la Kraut Line, dans les années 1940, il avait remporté le championnat des compteurs, gagné le trophée Hart et la coupe Stanley, et comme si ça ne suffisait pas, il avait quitté les Bruins pour s'enrôler dans la Royal Canadian Air Force pour combattre durant la Deuxième Guerre mondiale, gagnant même la coupe Allan en tant que porte-couleur de l'équipe de la RCAF. Puis, une fois la guerre terminée, il était revenu avec les Bruins et avait repris là où il avait laissé. Quand « oncle Miltie » était dans les parages, même les plus gros egos récupéraient leur taille normale. Peu importe ce que vous espériez accomplir, il l'avait déjà fait. Sous sa gouverne, l'équipe s'est mise à se hisser lentement mais sûrement vers le sommet.

Cette ascension a commencé pour de bon pendant l'été 1967. En plus d'avoir été un grand joueur, Milt se révéla un homme de hockey des plus perspicaces. Dans sa toute première transaction, il céda Gilles Marotte, Jack Norris et Pit Martin aux Black Hawks de Chicago en retour de Phil Esposito, Ken Hodge et Fred Stanfield – trois joueurs qui sont devenus par la suite si importants pour les Bruins que cette transaction resterait connue dans les annales sous le nom de « L'Échange ». Schmidt avait commencé à négocier avec Chicago avant même d'être officiellement nommé directeur général, et Emms lui avait dit que si la transaction pouvait améliorer l'équipe, il avait tous les pouvoirs pour la réaliser.

Je connaissais déjà Ken et Fred pour les avoir affrontés dans le junior quand ils s'alignaient pour Saint Catharines, en Ontario. Ken était un grand et puissant gaillard qui savait manier la rondelle, et il deviendrait bientôt l'ailier droit du trio le plus redouté de la ligue. Fred, lui, excellait à jouer dans les deux sens de la patinoire ; il pouvait tuer les pénalités et couvrir les meilleurs joueurs offensifs adverses. Fred occuperait aussi la pointe lors des avantages numériques, et il formerait avec Johnny « Pie » McKenzie et Johnny Bucyk un excellent trio pendant des années.

Tout le monde sait en quel sensationnel marqueur Phil Esposito s'est transformé quand il s'est joint à nous. Ses exploits défient l'imagination. Il avait en fait déjà commencé à présenter quelques impressionnantes statistiques à Chicago, durant ses trois premières saisons là-bas. Cependant, quand il enfila l'uniforme des Bruins, Phil est devenu le marqueur de buts le plus dominant de son époque. Il n'a jamais obtenu de note parfaite pour son coup de patin, mais il montrait une habileté déconcertante à se démarquer autour du filet adverse. Et même s'il n'arrivait pas à se démarquer, il pouvait compter en ayant un défenseur sur le dos.

Évidemment, personne n'aurait pu imaginer, même dans ses rêves les plus fous, que ces trois gars-là se mettraient à produire autant en débarquant à Boston. Je me suis souvent demandé pourquoi le lieu où vous jouez influe à ce point sur la manière dont vous jouez. Ce phénomène n'est pas qu'inhérent au hockey, on peut l'observer dans tous les sports. Après avoir été échangé, certains athlètes se mettent à produire comme ils ne l'ont jamais fait auparavant. (Le contraire est aussi vrai : dans les mêmes circonstances, les performances d'autres joueurs piquent du nez après des années d'excellence.) Il y a des gars qui jouent mieux au sein de certaines équipes que d'autres. Comment ces trois joueurs avaient-ils pu être jugés remplaçables à Chicago et connaître par la suite autant de succès à Boston ? Je ne peux l'expliquer, mais cela arrive plus souvent qu'on ne le croit. Peut-être un simple changement d'air suffit-il à provoquer des choses ? C'est en tout cas ce qui s'est produit pour Phil, Kenny et Freddy. Sans conteste, « L'Échange » a métamorphosé les Bruins de Boston en une nouvelle équipe.

Mais Milt n'en avait pas fini. Il a aussi ramené dans le décor Eddie « The Entertainer » Shack. Eddie a connu une bonne saison cette année-là, mais se mit apparemment en délicatesse avec la direction. Le personnage était un farceur. Un jour, Milt monta avec quelques minutes de retard à bord de l'autobus qui nous menait à l'aéroport, quelque chose qui ne lui arrivait jamais, car il était la ponctualité même. Quand notre directeur général a pris place à l'avant du véhicule, on a tous pu entendre, reconnaissable entre toutes, la voix haut perchée d'Eddie qui criait :

— Hé, Miltie ! Est-ce qu'on va tous être mis à l'amende parce qu'on est arrivés trop tôt ?

Milt se retourna, dévisagea posément Eddie et lui répondit :

— Ca n'arrivera pas. Tu seras parti avant.

Et, sans surprise, Eddie a été échangé assez rapidement.

J'avais toujours pensé que Milt avait tenu rigueur à Shack de cette petite plaisanterie mesquine, mais il s'est avéré que j'avais tort. Milt me raconta plus tard que l'Entertainer avait pris l'habitude de se moquer des chapeaux que portait Weston Adams, le propriétaire des Bruins. Un beau jour, Adams en a eu assez des railleries de Shack et a tout bonnement demandé à son directeur général de le « débarrasser de ce gars-là ». Eddie avait choisi la mauvaise cible pour faire son petit malin…

II y avait aussi un autre nouveau visage dans l'équipe cet automne-là, un gars qui réussissait l'exploit de voler les projecteurs à Eddie Shack. Derek Sanderson a déboulé au camp comme s'il était déjà une vedette, a séduit la presse et a même jeté les gants devant Ted Green pendant une séance d'entraînement, et ce n'était pas pour jouer la comédie. Non seulement « Turk » (son surnom) a-t-il fait l'équipe, mais il est aussi devenu un chouchou des partisans du jour au lendemain et a gagné le trophée Calder cette année-là.

Derek était un joueur extrêmement doué dont les qualités ont permis à l'équipe de s'améliorer à plusieurs égards, sans que la chose saute aux yeux, et il s'est révélé un facteur déterminant dans les succès des Bruins de cette époque. Sa domination dans le cercle des mises en jeu était totale, sa couverture des meilleurs joueurs de centre des autres équipes était magistrale et il savait tuer le temps pendant une pénalité comme j'ai vu bien peu d'autres joueurs le faire. Ed Westfall et lui ont probablement formé la meilleure paire de joueurs que j'ai vue dans la LNH pour écouler des pénalités. J'ignore quel était notre pourcentage de réussite en désavantage numérique dans ces années-là, et je ne sais combien de buts nous avons marqués avec un ou deux hommes en moins durant le séjour de Turk à Boston, mais je sais que dès qu'il était sur la glace dans ce type de situation, les joueurs adverses jouaient toujours sur les talons.

Même quand nous étions à court d'un homme, les Bruins de ces années-là ne se repliaient pas dans leur zone en formation de défense. Nous continuions à tenter d'attaquer et de marquer. Que nous ayons tort ou raison, c'était ainsi que nous concevions le jeu, et c'était de cette manière que nous jouions. Je me souviens d'une partie contre les Rangers durant laquelle nous avions déjà marqué deux buts en désavantage numérique quand l'arbitre a levé son bras pour signaler une autre pénalité contre nous. En entendant le coup de sifflet, un des Rangers sur la patinoire – je crois que c'était Vic Hadfield – a crié :

— Nous déclinons la pénalité !

Turk raconte une histoire à laquelle d'autres coéquipiers et lui-même font allusion sous le titre générique « Le Regard ». Je n'ai jamais été le genre de joueur à faire des discours pour motiver les troupes et je ne croyais pas qu'un grand *speech* était la manière de secouer mes coéquipiers. J'avais pour conviction que nous étions des athlètes professionnels généreusement rétribués pour nos services, et j'attendais de mes camarades, ainsi que de moi-même, un certain niveau de performance. Je scindais toujours ma saison en segments de dix parties et j'essayais de déterminer si j'avais offert un rendement constant durant chacun de ces segments. Je pensais que tous les joueurs devaient avoir le même niveau de constance huit matchs sur dix. Parce que nous sommes tous des humains, il est normal de réduire un peu la cadence pendant deux matchs sur dix, et parfois les joueurs ont à combattre la maladie ou une blessure et ils ne peuvent pas jouer au niveau dont ils sont capables. Quand je sentais qu'un coéquipier n'offrait pas une performance digne de lui, Derek disait que je n'avais qu'à m'asseoir devant mon casier et à regarder le gars en question. Je présume que c'était ma façon, sans identifier personne, d'envoyer un petit message quand le temps venait de retrousser ses manches.

Derek se rappelle d'une soirée où sa performance n'était certainement pas impérissable. Il avait tendance à aimer bien s'amuser et brûler la chandelle par les deux bouts, aussi avait-il eu une autre nuit écourtée la veille. À la fin de la deuxième période, alors que nous regagnions notre vestiaire et que nous nous asseyions, le Turk a senti mon regard posé sur lui. Il savait qu'il ne jouait pas très bien et il ne voulait pas regarder dans ma direction pour constater que je le regardais bel et bien, alors il s'est penché vers son voisin de casier, Phil Esposito, et lui a demandé :

— Est-ce que Bobby regarde dans ma direction ?

Apparemment, Espo a jeté un coup d'œil vers moi et a dit au Turk :

— Pour regarder par ici, il regarde par ici, c'est sûr.

— Et il me regarde, moi, ou il te regarde, toi ? a continué Derek.

Et Espo a répondu :

— Eh bien, Derek, j'ai déjà deux buts ce soir et toi aucun, alors je ne crois pas que ce soit moi qu'il regarde !

Et le Turk n'a eu d'autre choix que de se mettre en marche en troisième.

Derek Sanderson était un gars drôle et un coéquipier talentueux, quelqu'un en compagnie de qui j'ai toujours aimé me retrouver sur la glace. Mais il a fini par se ramasser dans de sales draps. Un jour, il était le gars le plus cool de toute la ville de Boston ; le lendemain, il jouait dans l'AMH et touchait le plus gros salaire de tous les athlètes de la planète. Puis il a tout perdu. Peut-être était-il trop jeune pour tout cet argent et toute cette gloire ? La descente de Derek a été longue et l'atterrissage, abrupt. Mais plutôt que d'insister sur ce qui est allé de travers dans la vie de Derek après son départ de Boston, je préfère me rappeler des bonnes choses. Il représente un cas classique de rédemption, l'archétype du gars qui s'est repris en main et qui, contre toute attente, est parvenu à rebâtir sa vie. Au plus profond du baril, il n'était qu'une épave et une boule de douleur. Mais en s'entourant de gens qui tenaient à lui et grâce à leur soutien, Derek a réussi à changer le cours de son existence et à la relancer. Aujourd'hui, sa femme Nancy et ses fils Michael et Ryan lui apportent la stabilité qui lui permet d'être l'homme que j'ai toujours cru qu'il finirait par devenir. Sa vie est sur la bonne voie et je suis fier de ce qu'il a été capable d'accomplir.

Quoi qu'il en soit, c'était l'équipe que Milt avait assemblée en vue de cet automne-là. J'ai eu le plaisir de rencontrer bien des gentlemans dans le monde du hockey, mais aucun de la classe de Milt Schmidt. Il était toujours là pour vous guider et vous conseiller, et son influence sur ma carrière a été énorme. Il est l'une de ces personnes envers lesquelles j'ai contracté une éternelle dette de reconnaissance pour toutes les bonnes choses qu'il a apportées dans ma vie.

◈

Tandis que la saison 1967-1968 démarrait sur une note très positive pour les Bruins, les choses se passaient nettement moins bien pour moi. J'ai été blessé avant même le début de la saison. Je mourais d'impatience de sauter sur la patinoire après une première campagne décevante, et quand on m'a convié à participer à un match bénéfice à Winnipeg en août, je n'ai pas hésité un instant. Il est possible que tout le monde était un peu rouillé sur la patinoire, mais toujours est-il qu'en première période, lors d'un hors jeu, j'ai tordu mon genou droit. J'ai dû me retirer de la partie, et très vite mon genou a enflé et est devenu très douloureux. Je l'ai fait examiner au Toronto General, où l'on m'a dit que le temps suffirait à la guérison. Durant tout ce temps, j'ai dû garder ma jambe immobilisée. J'étais bien entendu furieux et frustré à un point que je ne saurais décrire en termes civilisés. Après avoir attendu avec tant d'impatience la chance de me remettre au travail et de racheter notre précédente mauvaise saison, je devais faire l'impasse sur le camp d'entraînement.

Dès que j'ai été de retour sur la glace, je me suis senti bien. Physiquement, tout allait parfaitement, et vous pouviez constater qu'une chimie était en train de s'installer au sein de l'équipe. Nous ne nous sentions pas comme une équipe de dernière place, et nous ne jouions pas non plus comme une bande d'éternels perdants. À la pause du match des étoiles de décembre, nous jouions bien. À cette époque, l'équipe des étoiles était opposée à celle des champions de la coupe Stanley, qui étaient cette année-là les Maple Leafs. En me rentrant dedans, Frank Mahovlich m'a blessé à la clavicule, et j'en ai été quitte pour quelques semaines supplémentaires à l'écart du jeu.

Nous n'accordions pas tant d'attention aux blessures, dans ce temps-là. Nous étions des professionnels, on attendait de chacun d'entre nous qu'il puisse jouer malgré les bosses et les bleus, et nous ne faisions pas grand cas de toutes nos blessures. Cela dit, mon genou n'était pas totalement guéri. Je ne peux pas affirmer où et quand je l'avais abîmé, mais je savais qu'il y avait un problème. Il me faisait un peu mal, mais au-delà de la douleur, une raideur croissante m'empêchait de donner mon plein rendement sur la glace. Il y avait plusieurs choses que je ne pouvais tout simplement plus faire comme avant. Finalement, un soir, au vieil Olympia Stadium de Detroit, mon genou m'a complètement laissé tomber. Je me souviens qu'au moment où je me suis élancé sur la patinoire, mon genou s'est brusquement bloqué. Un seul choix s'offrait à moi : rentrer au vestiaire.

Je suis retourné par le premier vol à Boston où le médecin de l'équipe, le Dr Ronald Adams, a ouvert mon genou et m'a enlevé les deux tiers du ménisque interne – le cartilage situé à l'intérieur du genou. Il a nettoyé l'articulation afin de pouvoir rétablir une latitude de mouvement, mais ma saison était terminée. Je n'avais joué que 46 parties.

Ce dont j'avais tant rêvé pendant l'été précédent, c'étaient les éliminatoires. Les Bruins n'y avaient pas accédé depuis 1959 et tous les membres de l'organisation, du président jusqu'au soigneur, voulaient mettre à tout prix un terme à cette traversée du désert. Et nous y avons réussi cette année-là. Notre alignement offrait une réelle puissance offensive et, facteur encore plus important, nous disposions d'une certaine profondeur : 7 joueurs différents avaient compté 20 buts ou plus pendant la saison régulière. Après avoir terminé la saison précédente avec la pire fiche du circuit, nous avions bouclé celle-ci au troisième rang de la division Est ce printemps-là. (La division Est comprenait les six équipes originales, tandis que les six équipes de l'expansion formaient celle de l'Ouest.)

Nous avions mérité notre place en séries, même si notre aventure ne fut longue que de quatre matchs. Sur notre route s'est dressée une édition phénoménale des Canadiens, qui a poursuivi sur sa lancée jusqu'à la conquête de la coupe. Pour nous, il s'agissait seulement d'un début, nous goûtions à l'expérience des séries. Nous avons appris rapidement qu'une victoire en saison régulière est une chose, et qu'une victoire en séries est quelque chose d'entièrement différent. Nous pensions avoir tout ce qu'il fallait pour tenir tête aux meilleurs de la ligue, mais ce balayage aux mains des Canadiens nous a ramenés sur terre et nous a montré toute la distance qu'il nous restait à parcourir pour aspirer aux grands honneurs.

◈

1968-1969

Chaque fois que vous perdez le dernier match d'une saison, l'été vous paraît un peu plus long. Mais notre rapide exclusion des séries n'était pas mon seul motif de contrariété quand je suis revenu à Parry Sound. Mon genou gauche n'avait jamais vraiment récupéré de la chirurgie de février. Il était encore enflé, raide et douloureux. J'ai bientôt dû repasser sous le bistouri, cette fois à Toronto, et le Dr John Palmer a retiré du cartilage articulaire endommagé – le tissu qui recouvre les surfaces de frottement des articulations. Cela a amélioré la situation sur le coup, mais quand le cartilage n'est plus là, il n'est plus là...

Nous désirions entamer la saison 1968-1969 avec ce même élan qui nous propulsait, à la fin de la campagne précédente. Nous comptions à peu de chose près sur les mêmes effectifs, et l'équipe ne faisait que s'améliorer. L'année d'avant, nous avions été chercher des renforts à l'extérieur ; maintenant, nous le faisions de l'intérieur. Nous étions devenus une équipe qui pouvait compter sur une production offensive reposant sur divers joueurs. Le club a connu cette fois une saison de 100 points, et de nouveau nous avons aligné 7 compteurs de 20 buts ou plus. En tout et pour tout, nous avons compté 303 buts, le plus haut total de la ligue.

La confiance de notre groupe avait fait un énorme bond en avant, et la récompense à cette solide saison se présenta sous la forme d'une série éliminatoire contre les Maple Leafs de Toronto.

La partie numéro 1 a eu lieu le 2 avril 1969, mais j'ai bien peur de ne pas avoir gardé un souvenir très précis de toute la partie. Quiconque a suivi ma carrière se rappelle que ce soir-là, Pat Quinn m'a servi un extrait de sa médecine. Pat était un grand et gros bonhomme : 215 livres de muscles distribués sur 6 pieds et 3 pouces, et il semblait être encore plus grand et plus lourd, parce qu'il savait comment faire sentir ce poids autour de lui.

Nous menions 6-0 avec à peine quelques minutes à écouler en deuxième période, et l'issue du match n'était déjà plus un mystère pour personne. Je mentionne la chose parce qu'il vous arrive parfois, quand vous détenez une bonne avance, de vous sentir un peu plus décontracté. Peut-être n'êtes-vous plus aussi vigilant ou paré pour des surprises… J'étais sans doute trop insouciant quand j'ai cueilli la rondelle derrière mon but pour entreprendre une montée. Ayant momentanément perdu le disque entre mes patins, j'ai baissé les yeux le temps d'une fraction de seconde pour situer la rondelle sans m'attendre le moins du monde à ce qu'un adversaire puisse se trouver dans notre zone pour me mettre en échec.

Mais Pat voyait les choses autrement. Personne n'aime faire partie de l'équipe qui tire de l'arrière par plusieurs buts. Peut-être voulait-il simplement faire savoir à l'ensemble des Bruins que les Leafs ne seraient pas une proie facile pour le reste de la série. Peu importe la raison, il s'est dirigé droit sur moi et mon menton a absorbé toute la force de l'impact. La suite des événements s'est perdue dans un flou artistique ; tout ce dont je me rappelle, c'est d'avoir été transporté à l'hôpital pour subir des examens. Les médecins ont conclu que je souffrais d'une commotion cérébrale.

Vous devez vous souvenir qu'à cette époque, bien peu de joueurs portaient le casque et qu'au-delà du cou, ils étaient très vulnérables. En dépit de ce fait, il est intéressant de noter qu'on rapporte plus de commotions aujourd'hui qu'en ce temps-là. De meilleures procédures de diagnostic sont-elles en cause, ou une sensibilité accrue aux symptômes eux-mêmes ? Ou encore, l'absence de protection à la tête incitait-elle les joueurs de cette ère à faire preuve de plus de discernement au moment de frapper un adversaire ? Si vous commettiez un faux pas, vous pouviez être sûr qu'on vous rendrait la monnaie de votre pièce.

Peu importe, nous savons tous que les commotions cérébrales représentent désormais un problème de plus en plus préoccupant. Mais je ne parviens pas à me souvenir d'un autre moment où j'ai été victime d'une commotion cérébrale, et j'ai été frappé plus souvent qu'à mon tour. Le lendemain matin, je souffrais d'un mal de tête, mais ça ne m'a pas empêché d'être en uniforme le lendemain soir pour notre duel suivant contre les Leafs. Je n'ai jamais subi de séquelles ni présenté aucun des symptômes qu'on associe normalement à une commotion, alors j'imagine que j'ai été chanceux à cet égard.

Mais l'épisode Pat Quinn ne s'est pas terminé là… J'avais donc passé la nuit à l'hôpital, en observation. Tôt le lendemain matin, après avoir obtenu mon congé, j'ai fait une rencontre que je n'ai jamais divulguée jusqu'à aujourd'hui, et que je n'ai certainement jamais pu oublier. Au retour de l'hôpital, je suis entré dans le vestibule de l'hôtel où toute l'équipe séjournait pour la durée des séries éliminatoires. L'équipe avait été réunie au grand complet dans un hôtel afin de réduire les distractions au maximum, cela même quand nous jouions à Boston.

Je venais donc de faire mon entrée dans l'hôtel quand un gentleman (à défaut d'un meilleur mot) d'aspect plutôt menaçant s'est dirigé vers moi. Comment avait-il appris où nous logions ? Je n'en ai pas la moindre idée. Encore aujourd'hui, j'ignore tout de lui : son nom, à quel milieu ou association il appartenait. Quand il a été à portée d'oreille, il m'a demandé, à voix très basse :

— Voulez-vous que je m'occupe de Pat Quinn ?

Le moment était plutôt effrayant, car le regard et toute l'attitude de cet homme laissaient présumer qu'il entendait faire réellement un mauvais parti au gros défenseur des Leafs. Je me suis contenté de le regarder et de lui répondre :

— Non merci… Je vais m'en charger moi-même.

Il s'éloigna… et ce fut tout. Jamais je n'ai revu cet homme par la suite, mais on comprendra que cet épisode ne m'est jamais sorti de l'esprit !

Nous avons commencé par balayer les Leafs en quarts de finale, puis les Canadiens se sont mis dans notre route. Ils formaient une grande équipe, bâtie sur le talent et la vitesse, et même s'ils nous ont sortis en six matchs, nous étions, sur bien des aspects, capables de rivaliser avec eux. Nous avons perdu les deux premières parties à Montréal, les deux fois par la marge d'un but, avant d'égaliser la série à Boston. Même si nous avons perdu la cinquième partie à Montréal, nous savions que nous pouvions gagner la suivante au Garden. Et nous sommes passés à un cheveu près, mais nous avons finalement perdu en deuxième période de prolongation.

Même si chacun des gars dans le vestiaire ne détestait rien autant que la défaite, il était évident que nous nous étions rendus assez loin en séries. Il s'agissait de la première incursion des Bruins en demi-finale dans l'ère de l'expansion. Et même sans avoir accédé à la finale, Espo amassa plus de points que n'importe quel autre joueur en séries – un heureux présage pour l'avenir. Nous n'avions été qu'à une poignée de rebonds et de ricochets de battre l'équipe qui allait éventuellement remporter la coupe. D'une certaine façon, cela rendait la défaite encore plus dure à avaler, mais cela nous permettait en même temps de nous rendre compte de ce qu'il fallait faire pour gagner.

Au printemps 1969, nous n'étions tout bonnement pas encore prêts à être champions. Pour gagner la coupe Stanley, ou n'importe quel championnat de n'importe quel sport majeur, vous devez être prêt. Par cela, je veux dire que vous devez avoir les bons joueurs aux bonnes positions, la bonne équipe d'entraîneurs, ainsi qu'une dose raisonnable de chance. Sans toutes ces pièces du casse-tête bien en place, vous ne pouvez aspirer à un championnat. Cela va au-delà du simple talent et d'une certaine chance. Pour devenir champion, vous devez être prêt à en payer le prix, et au hockey, ce prix peut être drôlement élevé.

Les séries éliminatoires de la coupe Stanley sont peut-être l'épreuve la plus dure de tous les sports si vous voulez aller jusqu'au bout. La saison régulière est longue, avec son allure d'interminable voyage aux innombrables escales, et elle est suivie par une succession de joutes éliminatoires marquées par une pression à couper au couteau. À la fin des séries, j'étais toujours épuisé, autant physiquement que mentalement. C'est le processus par lequel il faut passer pour devenir champion. Mais pour nous, les Bruins de cette année-là, il nous restait encore des leçons à apprendre avant de pouvoir assener le coup de grâce à nos opposants et conquérir la coupe. Nous étions déçus mais résolus, et la plupart d'entre nous étaient déjà impatients de se présenter au camp de l'automne et de préparer un exploit qui n'était pas survenu à Boston depuis trop longtemps déjà.

Nous avions décidément un œil sur le fameux saladier de lord Stanley…

1969-1970

Dorénavant, nous savions que nous pouvions rivaliser avec n'importe quelle équipe de la LNH. Au niveau de notre capacité à générer des buts, nous jouissions d'une belle profondeur, étions solides derrière la ligne bleue et comptions sur un excellent tandem de gardiens en Gerry Cheevers et Eddie Johnston. Nous n'étions qu'aux balbutiements de la saison 1969-1970 et nous sentions que nous avions une chance de remporter tous ensemble notre première coupe Stanley.

La saison régulière a raffermi notre conviction, tout comme lors de la campagne précédente, que nous pouvions jouer du bon hockey et maintenir un même niveau de performance d'un bout à l'autre du calendrier. Six de nos gars ont compté 20 buts ou plus et l'équipe a accumulé 99 points, presque le même total qu'en 1968-1969. Mais il y avait quelque chose de différent. D'une certaine façon, la saison régulière nous importait cette fois un peu moins, cela même si nous prenions le jeu encore plus au sérieux qu'avant. La saison était en fait devenue pour nous un long camp d'entraînement qui nous permettrait d'être fin prêts pour les séries. Nous désirions terminer la saison régulière avec de l'essence dans le réservoir…

Curieusement, les Canadiens, qui nous avaient barré la route lors des deux saisons précédentes, n'ont même pas fait les séries, et les Leafs non plus. En lever de rideau, nous avons affronté les Rangers dans une série qui a nécessité six matchs. Nous avons gagné les deux premières parties à la maison, puis perdu les deux suivantes à l'étranger, puis nous avons tout donné pour remporter la cinquième. Les Rangers se sont démenés comme des diables dans l'eau bénite, mais nous avons réussi à les éliminer lors du sixième match, au Madison Square Garden.

Pendant ce temps, de son côté, Chicago avait balayé Detroit et joui d'un repos légitime en nous attendant. Nous savions que la série serait ardue. Les Hawks avaient terminé premiers en saison régulière et présentaient un certain Bobby Hull dans leur alignement. Ils comptaient aussi sur un cerbère recrue de valeur, le jeune frère de Phil Esposito, Tony, aussi bon à garder son filet que son aîné l'était à les remplir. Tony venait justement de réaliser un record pour le nombre de blanchissages en une saison. Autre prise contre nous, nous commencions la série sur leur terrain et les Hawks étaient aussi durs à battre au Chicago Stadium que nous au Boston Garden. Mais nous avons gagné ces deux premiers matchs et une fois de retour à la maison, il était hors de question que nous donnions aux Hawks la moindre chance de revenir dans la série. Chicago a bien cherché à nous faire dévier de notre plan de match, mais les enseignements que nous avions tirés de nos duels contre les Canadiens ont probablement fait la différence. Même si les Hawks ont paru nous dominer à certains moments, nous savions ce qu'il fallait faire pour gagner, et nous y sommes parvenus.

Ce balayage des Black Hawks nous a donc conduits en finale contre les Blues de Saint Louis. Les Blues en étaient à une troisième apparition consécutive en finale, et ils comptaient dans leurs rangs bon nombre de vétérans avec beaucoup d'expérience en séries. En trois ans, les Blues s'étaient imposés comme la crème des équipes de l'expansion et nous savions que nous ne devions pas les prendre à la légère. Ici, vous devez vous rappeler de quelque chose de primordial en matière de sports et d'équipes aspirant à un championnat. Nous venions de connaître deux excellentes saisons régulières successives et personne dans notre vestiaire n'ignorait que nous formions une sacrée bonne équipe. Mais tout cela ne signifiait… rien. Si nous nous arrêtions à penser que notre niveau d'excellence était suffisant pour nous permettre de gagner, nous allions échouer. Vous ne gagnez pas parce que vous êtes bon. Vous gagnez parce que vous travaillez dur et que vous faites des sacrifices. Sans ces deux incontournables, le talent n'est rien de plus qu'un potentiel.

La coupe Stanley était maintenant à notre portée ; seulement quatre victoires nous en séparaient. Nous avons raflé les deux premiers matchs sur la glace des Blues, puis nous avons poursuivi sur notre lancée à Boston pour le troisième. Cela a mis la table pour un dramatique quatrième match. Ce qui s'offrait à nous, ce jour-là, alors que nous nous préparions pour l'affrontement, c'était la chance d'accomplir un exploit dont nous rêvions tous depuis des années. Laissez-moi partager avec vous ces heures inoubliables et la manière dont les événements se sont déroulés, ce 10 mai 1970, de là où je les ai vécus.

Le Garden de Boston était rempli à craquer, et tous ceux qui s'étaient présentés au guichet l'avaient fait avec l'espérance de voir prendre fin une interminable attente, celle du retour de la coupe à Boston. Le Garden était un extraordinaire vieil amphithéâtre, et les partisans de Boston avaient continué à nous suivre et à nous encourager même quand nous étions bons derniers de la ligue. Et, bien entendu, depuis le début des séries, ces mêmes partisans n'avaient cessé de nous accorder un support sans cesse plus enthousiaste. En cette chaude journée de printemps, pour cette partie numéro 4, avec non loin de nous la coupe que son préposé astiquait déjà, l'ambiance qui régnait au Garden était tout bonnement incroyable.

La dernière conquête de la coupe Stanley par une formation des Bruins remontait à la saison 1940-1941 – autant dire que la disette durait depuis presque 30 ans, et qu'elle avait assez duré, du moins de l'avis de nos fidèles partisans. Tout le vestiaire partageait ce point de vue : nous voulions gagner la coupe aujourd'hui et ici même. La chance de balayer la série nous tendait les bras. À l'évidence même, tous les gens qui ont pratiqué ce sport, surtout au plus haut niveau, vous diront que la dernière partie d'une série est toujours la plus difficile à gagner. Refuser de perdre peut s'avérer une source d'inspiration aussi grande que le désir de vaincre. Il y a une chose que les joueurs détestent au moins autant que la défaite : être balayés en quatre matchs lors d'une série, car cela vous laisse aux prises avec un épouvantable sentiment d'échec. Nous avions expérimenté la chose deux ans plus tôt, et nous pouvions comprendre comment se sentaient nos adversaires. Les Blues formaient une équipe fière, menée par Scotty Bowman, un grand leader, et nous savions tous que battre les Blues ce soir-là représenterait un tour de force, et nous sentions qu'ils nous livreraient leur meilleur match des séries.

Comme nous nous y étions attendus, les Blues ont répondu à l'appel et nous ont donné tout ce qu'ils avaient dans le ventre. Nous nous sommes d'abord inscrits au pointage grâce à Rick Smith, un défenseur qui n'était pas reconnu pour ses talents offensifs. Puis Red Berenson a égalé la marque avec une minute à faire en première période. Au début de la deuxième période, Gary Sabourin – un autre natif de Parry Sound – a rapidement donné une avance de 2-1 aux Blues, mais Espo a remis le compteur à zéro avant la fin de la période. Nous avons entamé la troisième avec ce compte de 2-2 et la tension déjà électrique qui régnait dans tout le Garden a continué à monter. Non, les Blues ne nous donneraient rien que nous ne devrions leur arracher.

À peine avons-nous eu le temps de nous asseoir sur le banc que Larry Keenan, avec 19 petites secondes d'écoulées, a relancé les Blues en avant, 3-2, ramenant un peu de calme dans l'enceinte survoltée. Aux alentours de la 13e minute de jeu, notre vieux guerrier Johnny Bucyk, mon premier cochambreur chez les Bruins, a marqué le but égalisateur. Rick Smith a obtenu une aide sur le but, son second point de la soirée, et cela montre bien la manière dont certains joueurs peuvent, en des moments cruciaux, se lever et apporter leur contribution. Le reste de la période a été une succession de montées à l'emporte-pièce d'un côté comme de l'autre de la patinoire, mais aucune des deux équipes n'a réussi à clore le débat.

Cela nous a donc tous renvoyés en prolongation, la circonstance idéale dans laquelle tout gamin rêve de remporter la coupe. À ces moments-là, nul n'a besoin d'un discours où puiser la motivation nécessaire pour retourner sur la patinoire. Peu de choses ont été dites – ou, pour être franc, je me souviens d'en avoir bien peu entendues. Je suppose que ce n'était pas nécessaire. Nous connaissions tous l'enjeu. Tout ce que nous avions à faire était de retourner sur la glace, que chacun remplisse son rôle et que nous en finissions avec cette partie, avec cette série et avec cette disette de presque 30 ans.

Je n'avais pas encore compté de but jusque-là dans les séries. Je ne m'en souciais pas outre mesure, parce qu'au fond cela n'avait pas vraiment d'importance. Je n'étais pas là pour améliorer mes statistiques personnelles, mais bien plutôt pour aider les Bruins à gagner. Et je me moquais complètement de l'auteur du but gagnant, en autant que ce joueur porte un uniforme noir et or.

Harry Sinden décida de commencer la période de prolongation avec le trio piloté par Derek Sanderson, constitué de Turk, Wayne Carleton et Ed Westfall, secondé à la défense par Don Awrey et moi. Peut-être la décision de Sinden d'y aller avec ce trio et de garder au banc la ligne explosive d'Espo, Cashman et Hodge a-t-elle surpris des gens dans les gradins et même sur le banc, mais elle m'apparaissait sensée. Derek et Eddie étaient des joueurs fiables des deux côtés de la patinoire, et leur trio excellait en défensive. Je suis sûr qu'Harry désirait éviter que les Blues ne marquent très tôt en prolongation et qu'il voulait compter sur une première présence sans mauvaise surprise. Il savait aussi que la nervosité serait à son comble.

Dès la mise en jeu initiale, la rondelle se retrouva en territoire des Blues et nos avants se ruèrent dessus. Nous leur avons appliqué une bonne pression, et comme le jeu se développait le long de la bande, sur la gauche du filet, Derek a fini par récupérer une rondelle libre au moment où les Blues s'apprêtaient à sortir de leur zone du côté droit. Turk s'est tourné vers le but et y est allé d'un lancer qui a manqué la cible. La rondelle a longé la bande vers le coin opposé et s'est dirigée dans ma direction. Souvenez-vous, même si je lançais de la gauche, j'ai toujours joué à droite, alors j'ai dû stopper du revers la rondelle qui filait le long de la bande.

Instinctivement, je me suis rué sur la rondelle. Je ne peux pas vraiment dire pourquoi je me trouvais si profondément dans la zone adverse, mais peu importe, j'ai décidé de jouer le tout pour le tout. L'avant des Blues le plus près de moi alors que j'ai récupéré la rondelle était le numéro 18, Larry Keenan, qui avait compté plus tôt dans le match. Il est parvenu au disque presque en même temps que moi, et je suis sûr que Larry se voyait déjà détaler pour marquer son second but du match quand il a allongé son bâton pour essayer de pousser la rondelle hors de ma portée. S'il avait été capable de décamper avec, les Blues se seraient retrouvés avec un deux contre un, ou même peut-être un trois contre un en leur faveur, et j'aurais été pris au piège.

Mais j'ai réussi à mettre le disque au bout de ma lame, et je l'ai aussitôt refilé à Derek. Entre-temps, Turk avait suivi le même chemin que la rondelle, derrière le filet, et il se tenait maintenant juste derrière la ligne des buts, près de la cage de Glenn Hall, à portée d'une passe rapide. J'ai fait les gestes qui me sont venus tout naturellement à l'esprit. Une fois que j'ai remis le disque à Derek, je me suis précipité vers le filet. Derek m'a immédiatement redonné la rondelle, dans l'enclave, j'ai vu s'entrouvrir les jambières de Glenn Hall et voilà, la rondelle secouait les cordages. J'aimerais bien vous dire que j'avais soigneusement calculé ma montée au filet et repéré l'endroit du filet où j'allais enfiler l'aiguille, mais la vérité est bien moins compliquée : il s'agissait d'un jeu de passe rapide et instinctif, et je ne cherchais qu'à diriger un tir vers le but.

Tandis que j'étais encore concentré sur l'exécution de mon lancer, le défenseur des Blues, Noël Picard, a glissé son bâton dans mes chevilles pour me ralentir. Cependant il m'a fait trébucher un instant trop tard. Il m'a fait tomber, mais pas avant que j'aie passé ce moment en suspension dans les airs. Aussitôt que j'ai atterri sur la glace, Sanderson m'est tombé dessus et les célébrations ont commencé. J'ai été littéralement enseveli sous mes coéquipiers, qui avaient tous sauté pardessus le banc. Certains de nos partisans se trouvaient juste derrière nous. Puis je me souviens que, quelques instants plus tard, je suivais autour de la patinoire le Chef tenant à bout de bras la coupe. Du temps de mon enfance, couché dans mon lit, c'était le genre de scène dont j'avais mille fois rêvé.

Aucun mot ne saurait tout à fait décrire le sentiment de triomphe qui vous submerge au moment de la conquête de la coupe Stanley. Tant de choses vous reviennent alors en mémoire. Il y a, bien entendu, la joie pure d'avoir accompli quelque chose que vous avez depuis si longtemps désiré. Bien des parties de shinny disputées sur la baie Géorgienne s'étaient soldées par un but décisif bon pour la coupe Stanley en prolongation. Réaliser ce dont vous avez tant rêvé depuis votre enfance est un sentiment qui ne se compare à nul autre. Mais il y a encore plus. L'excitation que vous ressentez ne découle pas seulement de l'atteinte d'un but que vous avez recherché toute votre vie, mais surtout d'y être parvenu par un travail acharné, et mieux encore, au terme de l'interminable épreuve des séries éliminatoires. Rien de tout cela n'aurait été pareil si on nous avait simplement tendu l'objet de nos rêves. Nous avions réalisé notre rêve contre les meilleurs joueurs de hockey au monde, des athlètes robustes et talentueux qui avaient tout donné à chacune de leurs présences sur la glace pour nous arrêter. Il n'y avait pas un gars dans cette équipe – ni dans l'autre non plus – qui n'était pas épuisé après avoir ainsi guerroyé, partie après partie, pour chaque pouce carré de glace. Quand vous gagnez, toutes ces bosses et tous ces bleus ne font que rendre le sentiment d'accomplissement encore plus puissant.

Il y avait toutefois pour moi quelque chose d'encore plus grand que le sentiment de triomphe. Mon père était présent au Garden ce soir-là, et j'ai tout de suite pensé à lui. Et cette conquête de la coupe survenait le jour de la fête des Mères (quelqu'un avait d'ailleurs tendu une banderole disant « Bonne fête des Mères, Mme Orr ! » derrière le filet). Je pensais aussi à elle. Quand vous gagnez quelque chose d'aussi énorme que la coupe Stanley, vous ne pouvez vous empêcher de penser à tous ces gens qui ont eu un rôle à jouer dans votre parcours jusqu'aux plus grands honneurs. Et il vous est absolument impossible de ne pas rendre à une multitude de César ce qui leur revient de plein droit.

Cela ne rend pas ces instants-là moins enivrants, bien au contraire ! Cela rend ces instants-là encore plus délectables. J'ai gagné quelques trophées au fil des années, et je n'ai jamais vraiment apprécié les honneurs individuels, parce qu'ils me semblent passer à côté d'une réalité incontournable. Aucun joueur ne peut accepter des louanges pour les statistiques qu'il présente, parce qu'il les doit à un nombre incalculable de contributions que tous les trophées laisseront toujours dans l'ombre. Contributions des entraîneurs du hockey mineur d'Oshawa. Des amis et des bénévoles, des enseignants et des gens qui vous ont hébergé. Des voisins qui vous ont donné un coup de main à un moment ou à un autre, des parents de joueurs qui vous ont véhiculé jusqu'à la patinoire.

Un accomplissement n'est jamais individuel. Une victoire d'équipe signifie davantage, signifie beaucoup plus. J'ai marqué seulement un but dans cette série-là, alors personne ne peut dire que j'ai gagné cette série avec ce but. Je ne faisais qu'apporter ma contribution. Les membres d'une équipe deviennent proches les uns des autres au travers de campagnes telles que celles que nous avions vécues, et je peux dire que les gars de cette équipe étaient devenus particulièrement proches. Je ne vous donnerai qu'un exemple : je crois que nous avons été la première formation à voter en faveur d'un partage égal du boni des éliminatoires pour nos deux thérapeutes. Une grande part du sentiment de joie d'avoir conquis la coupe vient du fait que les gars qui vous ont secondés dans la bataille sont des vainqueurs au même titre que vous.

Dans la même veine, c'est une grande joie que de remporter un championnat pour les partisans. Les gens parlent des sports comme s'il s'agissait d'un simple divertissement, mais cela va beaucoup plus loin. Nos fans étaient vraiment engagés dans le cours de notre aventure. Ils s'étaient investis dans le dénouement de cette saison d'une manière qui n'a rien à voir avec celle de gens qui vont voir un film au cinéma ! Nous savions que les Bruins étaient importants pour eux, et leur attachement représentait beaucoup pour nous.

Bien des années après ce but, chaque fois que je me trouvais en compagnie de Glenn Hall, quelqu'un ramenait fatalement sur le tapis la question du « But » ou tendait une copie de la photographie pour un autographe. Le pauvre Glenn avait dû assez rapidement en avoir plein le dos de voir sans cesse le sujet ressurgir, mais il prenait le tout avec un sens de l'humour qui l'honorait. Je me souviens qu'à l'occasion d'un événement, il m'a regardé et, secouant la tête avec une expression de dégoût, m'a demandé :

— Bobby, est-ce que c'est le seul but que tu as jamais compté dans la LNH ?

CHAPITRE 6

Le paradis est noir et or : 1970-1975

Les années comprises entre notre première conquête de la coupe et la fin de la saison 1974-1975 ont été les plus belles de ma carrière de joueur. Le noyau des joueurs qui étaient arrivés à l'automne de 1967 est resté réuni durant toutes ces années, et nous avons tous ensemble connu beaucoup de succès. Nous pouvions jouer le style de jeu que voulaient nous imposer nos opposants tout en continuant à gagner. Nous avions le talent nécessaire pour nous mesurer à n'importe qui dans cette ligue et remplir le filet adverse. Devant notre propre but, nous avions de bons gardiens. Et si quelqu'un s'aventurait à vouloir nous intimider, ils découvraient rapidement que nous n'étions pas moins portés sur la robustesse que n'importe quel autre club.

Les gens ont commencé à nous appeler les Big Bad Bruins, et il est vrai que jouer contre nous n'était pas toujours une partie de plaisir. Mais nous n'avons jamais cherché à être « méchants ». Tout simplement, nous ne laissions jamais personne nous malmener. Il ne s'agissait pas tant d'essayer d'intimider délibérément les gars de l'autre banc que de rester solidaires entre coéquipiers. Nous n'étions pas de ces équipes qui font jouer certains joueurs à seule fin de les envoyer se battre. Nous étions une équipe robuste, mais nous n'avions pas d'homme fort. Le jeu rude ne signifie pas la bagarre. Il signifie monter à l'assaut de l'enclave, l'endroit le plus dur à occuper sur la patinoire ; il signifie se relever tout de suite après avoir été assommé ; il signifie surtout retourner dans le coin de la patinoire mener la charge contre celui qui vient de vous envoyer sur le derrière. Presque tous les membres de cette équipe – Wayne Cashman, Ken Hodge, Ted Green, Johnny McKenzie et, bien sûr, Derek Sanderson – savaient comment se défendre, et chacun était toujours prêt à se porter à l'aide de l'autre. Quand les gars ont leurs coéquipiers à cœur, vous avez là une condition primordiale pour gagner des matchs de hockey. Et des matchs de hockey, nous en avons gagné beaucoup pendant toutes ces années – peu importe le style de jeu de nos adversaires.

Il est difficile d'expliquer l'essence d'une équipe. Les entraîneurs et les directeurs généraux sont à la recherche d'une « chimie », mais il n'existe aucune formule, ni chimique ni magique. Parfois il arrive que vous réunissiez un groupe d'athlètes qui veulent gagner les uns pour les autres. Ils ont la faculté d'anticiper les gestes de leur coéquipier, ils seront toujours derrière lui pour le soutenir et ils connaissent le rôle qu'ils ont à jouer. Il était essentiel que chacun connaisse son rôle. Nous n'attendions rien de plus – ou rien de moins – que ce qu'un joueur était capable d'offrir. Toutes ces éditions des Bruins, entre la fin de mon année recrue et l'automne de 1973, possédaient une telle chimie que nous n'avions alors même pas de capitaine ! Nous considérions tous Johnny Bucyk comme notre leader, et c'était au Chef que revenait le privilège de soulever la coupe en premier, mais personne ne portait un « C » cousu sur son chandail. Cela revient à dire que chacun des gars qui portaient le noir et or prenait sa part de leadership d'une manière ou d'une autre.

L'équipe qui s'est présentée au camp d'entraînement à l'automne qui a suivi la conquête de la coupe était presque identique à celle qui avait bu dedans en mai. L'une des exceptions notables était Ted Green.

Peut-être n'ai-je jamais rencontré un coéquipier qui a démontré plus de courage, de dignité et de passion que Ted. En septembre 1969, lors d'un match hors concours, il avait subi une terrible blessure à la tête – une blessure si grave qu'il n'avait pu jouer de toute la saison, ratant la conquête de la coupe ; une blessure si grave qu'il était passé près d'y laisser sa peau. La plupart d'entre nous tenaient sa survie pour un miracle, et nous aurions été plus qu'heureux de savoir qu'il pourrait mener une vie normale après un tel traumatisme. Mais Ted voyait les choses différemment…

Au terme d'une délicate chirurgie, Ted finit par se faire poser une plaque de métal dans la tête et, durant sa convalescence, il se mit à rêver. Non pas seulement de récupérer, ou de marcher de nouveau ou encore de vivre tout à fait normalement, comme avant son accident. Son seul rêve était de revenir au jeu et de pouvoir jouer dans la LNH. Et ce rêve ne se bornait pas à un retour au jeu symbolique, pour un seul match, mais à un vrai retour et à la reprise de sa carrière. Ted finit par graver son nom sur la coupe Stanley avec nous, rachetant celle qu'il avait ratée pendant son rétablissement, et il passa plus tard à l'AMH, jouant avec les Whalers de la Nouvelle-Angleterre puis les Jets de Winnipeg. Il ajouta trois coupes Avco à la liste de ses exploits et connut une fructueuse carrière d'entraîneur après avoir accroché ses patins. Bien sûr, à l'époque, nous ne pouvions prédire l'avenir et nous ignorions tout cela. Tout ce que nous savions, c'est que l'un des nôtres, dont la carrière aurait dû être terminée, était de retour sur la glace. Si les gars avaient besoin d'une nouvelle source d'inspiration après avoir gagné la coupe Stanley, Ted leur en donna une tonne entière. Jusqu'à la fin de mes jours, Ted demeurera une personne très spéciale pour moi – pour moi et pour tous ceux qui ont assisté à l'exploit de sa guérison et de son retour en force, il y a plus de 40 ans.

Une personne manquait à l'appel : Harry Sinden. Il était avec les Bruins depuis des années et il avait toujours fait partie de ma carrière professionnelle depuis mes débuts dans la LNH. Il nous avait menés à une coupe en tant qu'entraîneur, et il avait le logo des Bruins tatoué sur le cœur. On comprendra que son absence du camp nous paraissait étrange. À sa place derrière le banc, il y avait Tom Johnson, qui avait été un excellent défenseur dans la LNH. Six bagues de la coupe Stanley étaient là pour le prouver – cinq de plus que chacun d'entre nous. Alors on pouvait dire de Tom Johnson que c'était un gagnant.

Parfois les équipes championnes ont de la difficulté à retrouver le même niveau d'intensité une fois qu'elles s'attèlent à une nouvelle saison. Il n'y a rien de bizarre au fait qu'une équipe qui a tout gagné au printemps perde plus que sa part de matchs l'automne venu. Mais nous n'avons pas eu ce genre de problème – loin s'en faut. Nous avons terminé au premier rang de la ligue, loin devant tout le monde. Nous avions les quatre meilleurs compteurs du circuit, et dix joueurs qui présentaient des récoltes de 20 buts ou plus. Alors que pas un d'entre nous n'avait jamais enregistré 100 points en une saison, voilà que nous étions 4 à dépasser ce cap cette année-là. À nous tous, nous avons marqué 399 buts et n'en avons alloué que 244. Nous avons aussi établi un record de victoires. Notre pourcentage de réussite en avantage numérique culminait à 28 % et nous sommes parvenus à tuer les pénalités à hauteur de 84 %. Nous jouions encore mieux que l'année précédente, quand nous avions gagné la coupe.

Nous étions par conséquent impatients de renouer avec la période des éliminatoires. Notre premier défi a été les Canadiens. Ils nous avaient causé bien des soucis dans les dernières années, mais ils n'avaient pas pris part aux séries la saison précédente. À la fin de la saison, nous les avions dominés lors de deux affrontements. Mais peut-être aurait-il mieux valu pour nous les perdre…

Les entraîneurs mettent toujours en garde leurs joueurs contre un excès de confiance. Peu importe le sport et l'enjeu, si vous voulez gagner, vous devez absolument tout donner. Cela est peut-être encore plus vrai au hockey, un sport où non seulement vous donnez le meilleur de vous-même, mais où votre vis-à-vis, un aussi bon athlète que vous, donne le meilleur de lui-même pour vous arrêter. Vous pouvez le voir d'une année à l'autre, particulièrement en première ronde des séries : une équipe qui joue avec détermination peut battre celle qui a fini plus haut dans le classement. Ce qu'il y a de vicieux, avec un excès de confiance, c'est que jamais personne ne s'en croit atteint ; c'est une erreur qui se commet là, sous votre nez, et dont vous n'avez même pas conscience.

Je ne sais pas si nous étions trop sûrs de nous en entreprenant les séries. Nous étions certainement confiants, mais chaque équipe l'est. Pour gagner, vous avez besoin de croire que vous pouvez gagner. Mais je ne peux dire avec certitude si nous avons péché par un excès de confiance en nous-mêmes. Il y a toutefois un problème qui, lui, est beaucoup plus facile à circonscrire et identifier. À l'autre bout de la patinoire, devant le filet des Canadiens, il y avait un gardien recrue du nom de Ken Dryden.

Dryden s'était joint aux Canadiens après avoir obtenu son diplôme de l'Université Cornell et il n'avait disputé que six matchs dans la

LNH. Si peu de matchs, en fait, qu'il ne serait admissible au titre de recrue de l'année que la saison suivante. Et voilà qu'il brillait en séries éliminatoires. Vous voyez le phénomène chaque printemps. Vous ne pouvez prétendre aux grands honneurs sans un bon gardien de but. Les grands gardiens procurent à leur équipe une sorte de confiance qui s'explique difficilement. Et nous pouvions sentir que les Canadiens étaient confiants au point de pouvoir nous vaincre, même si nous les avions démolis deux fois en fin de saison.

Et les Canadiens nous ont battus. Bien loin de rééditer notre conquête de la coupe Stanley, nous avons été sortis dès la première ronde. Chaque gars dans le vestiaire savait qu'il avait laissé filer une chance entre ses doigts. Perdre fend le cœur, et perdre un septième match est encore plus crève-cœur. Mais être conscient que vous aviez ce qu'il faut pour gagner et que vous n'avez pas su livrer la marchandise est l'un des sentiments d'échec les plus cuisants que vous pouvez ressentir dans le sport.

Nous avons entrepris la saison suivante en lion ; nous étions en mission. Une fois encore, l'équipe disposait sensiblement des mêmes effectifs, alors nous savions ce qui était à notre portée. Il faut toutefois mentionner deux additions notables. Ace Bailey faisait désormais partie du club, ainsi que mon ami et partenaire d'affaires Mike Walton, acquis des Maple Leafs. Mike était lui aussi un gars du nord de l'Ontario et nous étions ensemble à la tête d'une école de hockey à Muskoka.

C'était bien de pouvoir dorénavant compter sur Mike dans notre équipe, même s'il était bizarre d'avoir parmi les Bruins un ancien porte-couleur des Maple Leafs. Les parties que nous disputions à Toronto étaient toujours très intenses, tout particulièrement après l'épisode Pat Quinn. Les partisans torontois semblaient m'avoir pris en aversion, développant l'habitude de me huer dès que j'avais la rondelle sur ma lame. Et comme j'aimais avoir la rondelle sur ma lame aussi souvent que je pouvais, j'entendais pas mal de huées quand nous jouions dans la Ville Reine.

La mère de Mike était l'une des femmes les plus adorables que j'aie jamais rencontrée. Elle n'avait jamais le moindre mauvais mot à dire sur qui que ce soit, sur quoi que ce soit. Un soir, Mme Walton était présente au Gardens alors que les Bruins se frottaient aux Leafs, et elle apprit que ma mère se trouvait elle aussi dans les gradins. Comme je l'ai dit plus tôt, il était rare que ma mère assiste à l'une de mes parties, et ce soir-là en était un d'exception. Se rendre à Toronto était beaucoup plus simple pour mes parents et d'autres membres de la famille que de faire tout le voyage jusqu'à Boston, et ce soir-là elle avait décidé de venir voir son fiston en action. Malheureusement, cela signifiait pour elle de devoir entendre ces milliers de gens conspuer la chair de sa chair…

En tant que joueur, il ne vous est pas possible d'adresser directement des commentaires à l'endroit de partisans au niveau de la patinoire – même si, croyez-moi, vous êtes parfaitement en mesure d'entendre qu'une foule entière vous hue. Mais quand vous êtes dans les gradins, vous saisissez distinctement ce que les partisans disent. Au bout d'un moment, la si gentille Mme Walton en a eu assez. Se trouvant assise à côté de l'un des meneurs de la charge contre moi, elle s'est tournée vers lui et a laissé parler son cœur :

— Vous ne devriez pas huer Bobby Orr comme ça.

Le gars lui a jeté un regard indigné et lui a demandé :

— Pourquoi dites-vous ça, madame ?

— Parce que sa mère est ici.

Je ne peux m'empêcher de sourire chaque fois que je repense à cette histoire, parce que je m'imagine très bien cette dame si douce et si bonne se portant à ma défense. Sommes-nous jamais assez reconnaissants à l'égard des mères ? Mais il n'en reste pas moins que les huées se sont poursuivies, malgré la requête de Mme Walton.

Cela dit, les huées ne me faisaient pas un pli ; ce que j'avais en tête, et tous mes coéquipiers partageaient la même préoccupation, c'étaient les séries. Nous connaissions une autre grande saison régulière, et nous aimions accumuler les victoires, mais si nous devions retirer un enseignement du désastre du printemps précédent, c'est que la saison régulière signifiait bien peu. Nous avions quelque chose à prouver en ces séries éliminatoires de 1972.

En première ronde, nous avons retrouvé les Leafs, et même s'ils nous ont livré une rude opposition, nous les avons sortis en cinq matchs. Puis ce fut le tour des Blues, qui devaient commencer à en avoir plein le dos de nos coups de balai – car une fois encore, nous les avons battus dans un minimum de quatre matchs.

Nous nous retrouvions maintenant confrontés à une grande équipe. Les Rangers avaient éjecté les Canadiens en six matchs avant de balayer les Black Hawks. Si nous avions été un peu trop sûrs de nous-mêmes l'année précédente, nous n'allions certainement pas répéter la même erreur cette fois. Les Rangers avaient fait la preuve de leur excellence et ils possédaient un alignement sans faille.

Malgré tout, nous avons réussi à nous emparer des deux premiers matchs à Boston, essuyé une défaite lors de la partie suivante à New York avant de nous sauver avec la quatrième, par la marge d'un but. Puis nous sommes tous rentrés à Boston… sauf moi.

À l'époque, la LNH avait l'habitude de tenir, durant la série finale, un banquet à l'occasion duquel étaient attribués les différents trophées aux meilleurs joueurs de la ligue. Cette année-là, il avait été prévu que l'événement se tiendrait à New York l'après-midi suivant le match numéro 4, et je devais être présent pour recevoir un honneur. Rester dans la Grosse Pomme pour ce banquet signifiait que je ne pouvais rentrer à Boston avec le reste de l'équipe, et ce n'était certes pas le plan que j'avais prévu. Je voulais récupérer au maximum en vue du match suivant et j'ai dit à un membre de l'équipe que je préférerais ne pas assister au banquet.

Je ne saurais dire comment, mais Clarence Campbell a eu vent de mon intention et le hasard a voulu que nous nous croisions dans un couloir du Madison Square Garden. Là, Campbell m'a demandé, sur un ton aussi sévère que l'était son regard posé sur moi :

— Fils, te crois-tu devenu plus gros que cette ligue ?

La personne qui me posait cette question était le président de la LNH et n'était pas un homme à prendre à la légère. C'était un diplômé de l'Université Rhodes, il avait servi en qualité d'officier durant la Deuxième Guerre mondiale et était déjà intronisé au Temple de la renommée du hockey. (Deux ans plus tard, la conférence de l'Ouest serait rebaptisée en son honneur.) Que pouvais-je bien lui répondre…

sinon un « non » énergique et la promesse de ma présence au banquet le lendemain.

De retour à Boston, nous avions la chance de remporter une nouvelle coupe Stanley à domicile. On sentait toute la ville vibrer d'une énergie contagieuse, et puisque tous les membres de notre équipe croyaient que la victoire était à portée de main, l'énergie qui régnait dans le vestiaire était particulièrement intense. Mais les Rangers se présentèrent et livrèrent un match superbe. Seule une équipe aguerrie et déterminée pouvait venir à bout de nous ce soir-là, au Garden, et c'est ce qu'ils ont réussi.

C'était maintenant à nous de leur servir la même médecine sur leur propre patinoire. Nous avons littéralement survolé la glace, ce soir-là, le 12 mai 1972, mais même si nous avons donné le meilleur de nous-mêmes, à la toute fin de la partie, c'est notre gardien Gerry Cheevers qui a fait la différence. Il a blanchi les Rangers et nous a offert la victoire sur un plateau d'argent. Un large plateau sur lequel scintillait un trophée non moins argenté : la coupe.

À peine quelques semaines plus tard, je repassais sous le bistouri. Mon genou gauche avait recommencé à me tirailler au milieu du calendrier. Je lui avais laissé tout le temps de prendre du mieux, mais en vain : il était devenu sans cesse plus raide et plus douloureux au fur et à mesure que la saison progressait et que les séries filaient. Certaines nuits, la douleur était plus vive que d'autres, mais j'étais habituellement capable de me concentrer sur le jeu plutôt que de me laisser distraire par la douleur. Je m'étais toujours discipliné à mettre les distractions de côté pour garder ma concentration sur ce que j'avais à faire. Mais à partir d'un certain moment, j'avais commencé à douter que mon genou tiendrait assez longtemps pour que je puisse soulever la coupe. Si je ne pouvais plus me concentrer sur le hockey pour oublier la douleur, il était temps que je me fasse opérer.

De toutes les chirurgies que j'ai dû subir dans ma carrière, celle-ci est restée gravée dans ma mémoire d'une manière toute particulière, parce qu'elle m'a coûté quelque chose que ne m'ont pas coûté les autres.

J'ai consacré tout mon été à ma rééducation afin d'être prêt pour un événement que le pays tout entier attendait impatiemment : la Série Canada-URSS, qui serait connue assez rapidement sous le nom de « Série du siècle ».

L'idée d'opposer les meilleurs joueurs canadiens contre l'élite du hockey soviétique était irrésistible. J'avais affronté une équipe russe à l'époque de mon hockey junior et je savais à quel point les Russes jouaient d'une manière différente, et je savais aussi comment le fait de jouer pour son pays pouvait apporter une dimension nouvelle au désir de vaincre. Et jamais je n'avais senti en moi une envie aussi impérieuse de participer à une compétition…

Cependant, il était absolument impossible que ma rééducation puisse être complétée dans les temps. Je me suis présenté au camp d'entraînement d'Équipe Canada avec le reste de l'alignement et j'ai patiné un peu. Mais je savais que mon genou ne pourrait être prêt. Il était raide et sensible et, après l'effort, enflait de façon inquiétante. Je me cramponnais à l'espoir que je serais capable de jouer et je suis demeuré avec l'équipe.

Les membres d'Équipe Canada ne s'étaient pas attendu à ça : ils en ont eu plein les bras avec les Soviétiques, et même plus encore. Nous savions bien peu de chose de leur club. Les rapports des dépisteurs dont nous disposions s'attardaient à des analyses individuelles des joueurs, et non en tant que joueurs évoluant au sein d'une équipe nationale. Ces mêmes dépisteurs nous avaient affirmé que les Russes étaient faibles devant le filet. Nous les avions observés lors de leur entraînement, avant la première partie, et ils ne nous avaient pas fait une forte impression. Avec le recul, je serais porté à penser qu'ils nous ont peut-être fait marcher. Nous pensions venir à bout d'eux facilement. La LNH avait les meilleurs patineurs, mais les Russes étaient encore plus rapides. Nous avons compris assez rapidement, merci, qu'ils formaient une équipe de hockey du tonnerre. J'aurais fait n'importe quoi pour aider mes coéquipiers, mais il n'y avait rien que je pouvais faire.

Il m'est difficile de décrire la frustration que j'ai ressentie en étant condamné à devoir rester sur la touche pour cette série. J'étais invité à voyager avec l'équipe mais incapable de lui apporter ma contribution sur la patinoire. Sans doute un enfant passionné de ce sport ressent-il exactement la même chose s'il ne peut jouer avec ses amis. Quand vous voyez la glace, vous n'avez qu'une seule envie : jouer. Quand vous êtes enfant et que vous voyez par la fenêtre la surface de la baie glacée battue par le vent, la seule chose à laquelle vous pensez est de vous ruer là-bas pour patiner. Même chose quand vous arrivez à l'aréna pour un entraînement matinal et que vous apercevez la glace lisse qui vous a attendu toute la nuit... Vous attachez vos patins en toute hâte dans l'espoir d'avoir quelques minutes supplémentaires de glace. Je voulais participer à la Série du siècle avec la même convoitise et la même impatience qu'un enfant... Mais je n'ai pas eu cette chance.

C'est un chapitre de ma carrière de joueur qui n'a jamais cessé de me hanter, parce que cette série a constitué un moment décisif pour les Canadiens et que je n'ai pu y prendre part.

Aurais-je aimé en faire partie ? Absolument. Mais n'avoir pu participer à la série ne m'a en aucune manière empêché d'apprécier l'exploit de mes compatriotes. Je lève mon chapeau à chacun de ceux qui ont contribué à ce triomphe, à tous ces joueurs qui nous ont offert cette grande manifestation de fierté canadienne. Ce que cette équipe a accompli durant cette série reste à mon sens l'un des plus grands exploits non seulement de l'histoire de ce sport, mais du sport en général. Cette victoire me semble d'autant plus impressionnante que nous avons surmonté une adversité de taille, parvenant à arracher la série aux Russes sur leur propre terrain. Le groupe de joueurs qui avaient été réunis pour ces huit parties restera toujours très spécial dans le cœur de tous les Canadiens, et leur place dans l'histoire du hockey est assurée à jamais.

Retourner disputer une saison régulière de la LNH après une série d'une telle intensité n'a pas été une tâche facile. Cet automne-là, au soir du match inaugural, l'alignement des Bruins comptait dans ses rangs un jeune homme qui démontrait une détermination comparable à celle dont nos athlètes canadiens avaient fait preuve face aux Russes.

Quand notre premier choix au repêchage de l'année précédente (14e choix au premier tour) s'était présenté au camp d'entraînement à la fin de l'été 1971, il n'avait pas comblé toutes les attentes fondées en lui. Nous avions déjà une coupe Stanley au compteur à ce moment-là, et nous jouissions déjà d'un alignement solidement établi. Si un choix au repêchage voulait percer notre alignement, il faudrait qu'il ait des arguments plus que convaincants. J'étais surpris, c'est le moins que je puisse dire, quand j'ai vu Terry O'Reilly sauter sur la patinoire.

Il venait de mon ancienne équipe junior, les Generals d'Oshawa, et parce qu'il avait été repêché haut en première ronde, nous tenions tous pour acquis que c'était un gars très talentueux. Mais il nous est vite apparu évident pendant le camp que Terry ne ferait pas l'équipe. Le gars possédait un coup de patin déficient et il était clair qu'il n'était pas encore prêt à jouer à un niveau aussi relevé que celui de la LNH. Honnêtement, s'il fallait se fier à ce que Terry nous avait montré lors de son premier camp, je doutais fortement qu'il soit prêt un jour. Si c'était là le meilleur espoir que notre équipe de dépisteurs avait à nous offrir, avons-nous été plusieurs à penser, il y avait de quoi se poser des questions…

Mais la chose qui vous sautait aux yeux chez Terry dès sa première présence sur la patinoire était sa passion absolue pour le hockey, et c'est sa rudesse et son intensité au jeu qui exprimaient le mieux cette passion. Terry était un jeune athlète très robuste et le joueur devant lequel il reculerait n'était pas encore né. À sa première campagne professionnelle, il ne disputa qu'une seule partie avec nous et passa le reste de sa saison recrue dans les mineures avec les Braves de Boston. Mais dès le début du calendrier 1972-1973, il est devenu clair que rien ni personne ne pourrait lui enlever son uniforme des Bruins. Et le reste est écrit dans les annales de l'histoire du hockey.

Terry avait le cœur aussi gros que le Garden de Boston et il n'a pas tardé à devenir l'un des éléments-clés de l'organisation des Bruins ; un élément si respecté qu'il verrait même un jour son numéro 24 être retiré. En tant qu'entraîneur-chef, il parviendrait à conduire les Bruins en finale de la coupe Stanley, après avoir engrangé 4 saisons de 20 buts et plus de 2 000 minutes de pénalité en carrière. En fait, il a été l'un des joueurs les plus aimés parmi tous ceux qui ont porté le noir et or.

Si vous me donniez une équipe entièrement constituée de joueurs ayant l'étoffe de Terry O'Reilly, je peux vous garantir que deux ou trois mains nous suffiraient pour compter nos défaites en une saison. Terry est le parfait exemple d'un athlète qui s'est consacré corps et âme à sa passion pour le hockey, et son attitude a toujours été une source d'inspiration pour moi. Si quelque chose vous tient à cœur et que vous en êtes passionné, vous avez toutes les chances de laisser votre marque dans le domaine que vous choisirez.

À cette époque-là, les joueurs des différentes éditions des Bruins savaient que les attentes à leur endroit étaient élevées, mais cela ne voulait pas dire que nous ne pouvions pas nous amuser. Plusieurs de mes coéquipiers semblaient avoir le don de toujours arriver au bon moment avec les bons mots pour détendre l'atmosphère. L'un de nos meilleurs farceurs était notre gardien Eddie Johnston, EJ ou Popsie pour les intimes, ce dernier surnom lui ayant été affectueusement attribué à cause de son grand âge. EJ paraissait se faire un devoir et un plaisir de toujours taquiner l'un ou l'autre d'entre nous ou de faire rire tout le monde. Je pourrais consacrer un livre entier à tous les tours pendables que je l'ai vu orchestrer, toutes les farces dont il nous a régalés. Voici un petit exemple pour illustrer mon propos…

Quand ma carrière a pris son envol, des journalistes ont émis des commentaires sur l'aspect défensif de mon jeu, qui ne leur semblait pas à la hauteur du reste, puisque j'avais toujours la rondelle au bout de ma lame. Je suppose que ces critiques n'étaient pas tout à fait dénuées de fondement. La chose inspira EJ, juste avant le début d'un match. Il était le gardien ce soir-là et, comme de coutume, les hymnes nationaux se sont fait entendre avant le début de la rencontre. J'étais de l'alignement de départ sur la patinoire, alors je me tenais avec mes coéquipiers le long de la ligne bleue jusqu'à ce que la musique cesse. Juste avant la mise en jeu initiale, j'ai fait un petit détour de dernière minute jusqu'à notre gardien, histoire de lui donner un coup de bâton sur une jambière en lui souhaitant bonne chance. Eddie a alors soulevé son masque en me lançant :

— Je te revois après la partie, Bobby !

Sa trouvaille m'a tellement pris au dépourvu que j'ai eu beaucoup de difficulté à maîtriser mon fou rire. Sans doute EJ avait-il attendu toute la journée pour me lancer sa blague, et le sourire qui fendait son visage au moment où il a remis son masque valait le prix d'entrée au Garden ce soir-là. (La LNH n'a jamais été un endroit recommandé pour les faces de carême et les rabat-joie. Vous devez être capable de faire et d'encaisser des blagues, et cela sans égard à votre nom ou votre titre.)

Lors d'une autre occasion, nous jouions au Maple Leaf Gardens. J'avais connu un bon départ ce soir-là et j'avais marqué deux buts assez tôt dans le match, mais bientôt les choses se sont mises à aller tout de travers pour moi. La rondelle s'est mise à faire de drôles de bonds, comme si le préposé aux rondelles avait oublié de les congeler avant la partie. À un certain moment, je crois que j'avais compté quatre buts : deux contre les Leafs… et deux contre notre propre gardien, ce bon vieux EJ !

Après avoir fait malencontreusement dévier un second disque derrière lui, Eddie s'est éloigné de son filet, m'a regardé et a désigné le logo des Bruins sur son chandail en me disant :

— Bobby ! Je suis dans la même équipe que toi !

Puis, quand il m'a tourné le dos pour regagner son filet, je n'ai pas eu besoin de voir sa tête pour savoir qu'il souriait à s'en démettre les mâchoires. Après la partie, quand il s'est adressé aux journalistes, il a dit, impassible :

— Ouais, ce Bobby Orr, vous devez toujours garder un œil sur lui…

Une autre fois, EJ a attendu le moment parfait pour nous en lâcher une bonne et faire crouler toute l'équipe. Le trait d'esprit nous a été offert juste après un but qui faisait de moi le premier défenseur de l'histoire de la LNH à amasser 100 points en saison régulière. Les partisans étaient debout, me servant une ovation monstre alors que l'annonceur-maison soulignait l'événement, et la partie a dû être interrompue pendant quelques instants. Je me souviens parfaitement du jeu qui avait mené à ce but, parce que EJ avait arrêté une rondelle dégagée derrière son filet et l'avait immobilisée pour moi avant de retourner nonchalamment à sa cage. J'ai donc récupéré la rondelle, me suis mis en marche et, après avoir repéré une faille dans la défensive adverse, je me suis retrouvé en échappée et j'ai enfilé l'aiguille.

Une montée d'un bout à l'autre de la patinoire qui se termine par un but est toujours spéciale, et dans les circonstances, elle l'était encore davantage. Alors que les partisans continuaient à manifester leur joie, j'ai vu EJ se diriger vers notre banc. Il est venu s'appuyer contre la bande juste devant là où j'étais assis, a soulevé son masque et, sur le ton de l'évidence, a dit :

— C'est vraiment une sacrée belle passe que je t'ai faite, hein, Bobby ?

Les gars étaient littéralement pliés en deux d'un bout à l'autre du banc. EJ était un gars qui avait toujours son petit grain de sel à ajouter, et qui savait quand et comment le sortir, et qui faisait mouche presque à tout coup. Vous avez besoin de coéquipiers tels que Eddie, des gens qui ne se prennent pas au sérieux et qui savent détendre l'atmosphère lors d'enjeux importants.

De temps à autre, dans le feu de l'action, les intermèdes comiques ne venaient pas toujours de nous, mais parfois du camp adverse. Yvan Cournoyer, l'une des grandes étoiles des Canadiens de Montréal, avait un merveilleux sens de l'humour. Yvan semblait toujours à son meilleur quand il jouait contre les Bruins. Il possédait un coup de patin si rapide qu'il aurait laissé ses adversaires loin derrière lui, peu importe l'époque. Quand il était en grande forme, il survolait littéralement la glace et sa vitesse le rendait très difficile à contenir ou à rattraper.

Un soir, à Boston, il était justement dans un de ces états de grâce qui le mettaient dans une classe à part. Alors que les joueurs se positionnaient pour une mise au jeu, Gerry Cheevers, notre gardien substitut ce soir-là, était assis au bout de notre banc et Yvan se trouvait devant lui, à moins de deux pieds. Gerry s'est penché au-dessus de la bande et a dit à Yvan :

— Hé, Yvan, pour l'amour du ciel, tu voudrais pas ralentir un peu ?

Yvan l'a dévisagé et, un grand sourire aux lèvres, lui a répondu :

— Non, Gerry, j'ai le vent dans le dos ce soir !

Sur le banc, tous les gars en noir et or ont ri en chœur. Des moments comme ceux-là aident tout le monde à rester décontractés ; on ne peut pas toujours jouer chaque minute de chaque match comme si notre vie en dépendait.

Le hockey est bien plus que des O et des X sur un tableau, bien plus que du pur talent et de savantes statistiques. Je dis cela en pensant à l'un des grands joueurs que j'ai affrontés, un féroce rival qui est parvenu à gagner le respect de tous les joueurs de la ligue tout simplement en jouant le hockey comme il devrait toujours être joué. Je ne suis certainement pas la première personne à chanter les louanges de Jean Béliveau. Tous ceux qui l'ont connu à un moment ou à un autre partagent la même opinion à son sujet: c'est un être exceptionnel. Je pourrais vous parler de son sens de la dignité, de son élégance ou de son talent, mais que trouverais-je de nouveau à dire sur lui ? Tout a déjà été dit sur Jean, et mieux que par moi.

De toutes les qualités de celui qu'on appelait le « Gros Bill », celle qui m'a le plus impressionné reste son humilité. Il avait un ensemble d'atouts extraordinaire. C'était un Canadien français jouant à Montréal pour les Canadiens, et il était l'âme et le cœur de cette équipe. Dès la première fois que je l'ai vu en action, j'ai compris à quel point il se situait dans une classe à part. Jean était doté d'une force peu commune et d'une adresse stupéfiante pour sa si grande taille, ce qui en faisait un joueur difficile à freiner. Ajoutez à cela sa longue portée, et il devenait tout un casse-tête à contenir. Jean n'était rien de moins que l'équivalent de Mario Lemieux avant Mario Lemieux.

Bien entendu, la seconde maison de Jean Béliveau était le vieux Forum de Montréal. De tous les amphithéâtres où j'ai joué en tant que professionnel, je dois avouer que c'était mon préféré – après le Garden, évidemment. Non parce qu'il était facile d'y jouer, mais parce qu'on y sentait la riche histoire de l'équipe, que la glace était toujours extraordinaire et que vous saviez toujours à quoi vous attendre là-bas. Du temps de ma carrière dans la LNH, la rivalité entre Montréal et Boston était intense, et vous pouviez compter sur les partisans du Tricolore pour vous la rappeler. En même temps, c'était un public loyal. Les fans démontraient une merveilleuse connaissance du hockey et ils semblaient toujours apprécier un beau jeu des deux côtés de la patinoire. Une grande partie du problème auquel vous étiez confronté, quand vous croisiez le fer avec les Canadiens, surtout à leur domicile, c'était ce grand numéro 4 vêtu de bleu-blanc-rouge. C'était le meneur de l'équipe et il aimait bien jouer son meilleur hockey chaque fois qu'il se mesurait aux Bruins. Que ce soit dans la victoire ou dans la défaite, l'attitude de Jean était toujours la même, celle d'un seigneur qui démontrait une élégance que l'on observe, hélas, trop rarement dans le monde du sport professionnel.

Il y a plusieurs années de cela, j'avais été invité à une réception aux côtés de Jean. Si vous avez déjà rencontré Jean en personne, ou si vous l'avez vu à la télévision en train de donner une entrevue, vous savez qu'il est toujours impeccablement habillé. Conscient de son élégance proverbiale, je me suis dit que si je devais partager sa compagnie, je ne devais pas être en reste et j'ai apporté mon plus beau complet. Notre point de ralliement était le vestibule, où nous nous étions donné rendez-vous avant d'aller à la réception. Et soudain j'aperçois Jean en pantalon sport et en chemise ! Et moi j'étais là, presque habillé en pingouin… et je dois admettre que même dans ces conditions, Jean était plus élégant que moi !

Après sa retraite, Jean a continué à jouer un rôle de formidable ambassadeur, à la fois pour les Canadiens et pour tout le hockey. Il a conservé sa bonne vieille humilité, si rare chez les superstars, sans jamais perdre un instant son attitude de gentleman en toutes circonstances. Selon moi, il a été l'un des meilleurs joueurs à avoir jamais porté les couleurs d'une équipe de la LNH, et l'affronter – lui, ainsi que les sensationnelles formations des Canadiens qu'il a menées – a été un honneur.

J'ai consacré quelques pages à évoquer ces joueurs et des personnages qui formaient les assises des grandes éditions des Bruins des années 1970, mais je n'ai pas encore parlé de la ville de Boston et de ses partisans. Nous qui portions le noir et or des Bruins n'avons pas tardé à nous rendre compte, très tôt en carrière, à quel point Boston était une ville de sports exigeante où les partisans entretenaient à l'égard de leurs équipes les plus hautes attentes. Je ne crois pas qu'il existe une autre ville qui ait connu autant de succès que Boston au fil du temps, dans l'ensemble des sports professionnels. Au basketball, les Celtics ont toujours été une concession dominante, et les Red Sox au baseball autant que les Patriots au football ont toujours été vénérés par leurs fans et ont remporté plus que leur part de championnats. Si vous considérez tous les programmes des grandes universités de la région consacrés à une multitude de sports, vous ne pouvez plus douter du niveau d'exigence des partisans de la Nouvelle-Angleterre à l'égard de leurs équipes favorites.

Les Bruins n'ont pas toujours présenté des formations de premier plan durant certaines périodes de leur histoire, mais malgré tout Boston n'a jamais cessé de constituer un gros marché pour le hockey. Il fallait bien, à un certain moment, que la foi de nos partisans soit récompensée. Boston était une ville de cols bleus avec des partisans ouvriers, et ils s'attendaient à rien de moins que leurs joueurs favoris offrent au travail, dans le feu de l'action, une ardeur comparable à la leur. L'uniforme des Bruins n'est pas une chose que les partisans de Boston prennent à la légère ; chaque joueur qui le revêt doit s'en montrer digne et remplir les responsabilités qui viennent avec ce chandail bien-aimé. Ma philosophie personnelle à cet égard n'était pas très compliquée…

Chaque fois que je sautais sur la patinoire, je savais quel devait être mon niveau de jeu, et le respect de ce niveau de jeu constituait mon unique but. Offrir à chaque partie le meilleur de moi-même était un devoir, parce que le hockey était mon métier. Je représentais les Bruins de Boston, la ville de Boston, la région entière de la Nouvelle-Angleterre, ainsi que mes coéquipiers. J'étais bien payé pour mes services. Chaque fois que j'étais sur la glace, mon jeu relevait de ma responsabilité – pas de mes entraîneurs, pas des autres joueurs des Bruins ou de qui que ce soit d'autre. Mon devoir était d'être un meneur par ma façon de jouer ; il n'était donc pas question de me laisser détourner par quiconque ou quoi que ce soit qui voulait se placer sur mon chemin. J'ai toujours pensé que si quelqu'un s'égare sur une mauvaise voie dans la vie, c'est parce qu'il a choisi de s'y engager. J'aime le sentiment de responsabilité que je ressens quand je porte un uniforme.

Les partisans avaient beau vénérer les couleurs des Bruins, ils ne vous acclamaient pas simplement parce que vous les portiez. Vous deviez mériter les cris et les applaudissements. J'ai toujours pensé que si vous ne pouviez pas supporter la pression des partisans, tant pis pour vous, vous n'aviez qu'à aller jouer ailleurs, là où le seuil d'exigence des partisans serait moins élevé.

Pour ceux qui se considéraient au bon endroit, pour ceux qui étaient prêts à relever le défi, il m'est impossible de penser à un meilleur endroit où jouer au hockey à cette époque-là. Nos partisans nous sont restés fidèles quand les choses allaient moins bien et ils ont fait du Garden l'un des lieux les plus inhospitaliers pour les clubs visiteurs. À cette époque, nous voyagions sur des vols commerciaux, alors nous croisions nos fans à l'aéroport et même à bord de l'avion. Les amphithéâtres avaient un caractère plus intime et la distance, au propre comme au figuré, entre les partisans et l'équipe était bien moins grande qu'aujourd'hui. Ce qu'il faut retenir de tout cela, c'est que nos fans attendaient beaucoup de nous.

J'appréciais tout particulièrement le fait qu'ils connaissaient leur hockey et comprenaient certaines facettes plus subtiles du jeu ; pour eux, un bon joueur ne faisait pas qu'accumuler des points. La chose n'était pas sans me plaire, car je n'entreprenais jamais une partie de hockey avec la seule intention de marquer, par exemple, deux buts. Dans certains des meilleurs matchs que j'ai disputés à Boston, mon nom n'apparaît pas sur la feuille de pointage, mais nos partisans savaient à quoi s'en tenir. Ils comprenaient qu'un joueur peut influencer l'issue d'un match de plusieurs manières, et non pas seulement en enregistrant des points.

Avec les années, en apprenant à mieux me connaître, ils ont été à même de constater que certains soirs les choses ne fonctionnaient pas toujours à mon goût. Si vous avez du succès dans la LNH, vos opposants commencent à vous accorder plus d'attention, tentant de diminuer au maximum votre espace de manœuvre et le temps pendant lequel vous possédez la rondelle. Certains soirs, je me rappelle avoir été gêné pendant presque toute la durée du match, mais si je demandais à l'arbitre son opinion sur l'accrochage dont j'étais victime, la réponse était souvent :

— Hé, tu n'es pas une superstar, toi ? Tu dois apprendre à vivre avec ça.

Dans le jeu tel qu'il est pratiqué de nos jours, les joueurs ne peuvent autant accrocher et retenir leurs adversaires sans en subir les conséquences, mais à l'époque, cette manière de jouer était une procédure courante pour bien des équipes. Les règlements en matière d'obstruction et d'accrochage étaient alors différents, et vous pouviez vous en tirer en étant beaucoup plus teigneux. Mais comme je l'ai mentionné plus haut, nos partisans inconditionnels comprenaient ces facettes du jeu, et j'ai toujours été traité avec honnêteté et loyauté par les fans, même en ces soirs où tout allait de travers.

Et ces soirs-là, il y en a eu plus d'un ! Si ce n'était pas l'adversaire qui nous donnait du fil à retordre, c'était de plus en plus souvent mon propre genou qui me ralentissait. Je ne ressentais pas tant une douleur aiguë qu'un malaise persistant, irritant, comme un mal de dent, toujours au niveau de l'articulation. La souffrance, ainsi que cette sensation de rigidité, étaient omniprésentes, même si je faisais tout en mon pouvoir pour les chasser de mon esprit. Vous ne voulez pas penser à la douleur, mais cela ne veut pas dire qu'elle est absente.

Ma routine d'après-match consistait à appliquer de la glace sur mon genou pour diminuer l'enflure. Le lendemain matin d'un match était toujours pénible, parce que la douleur était trop vive pour être ignorée. Le simple fait de sortir du lit devenait une épreuve, et pourtant la seule manière d'assouplir mon genou était de bouger.

Jouer deux matchs en autant de soirs est peu à peu devenu une expérience incroyablement pénible. Je ne parle pas ici d'une simple question d'inconfort. Chaque athlète doit composer avec la douleur et je ne veux certainement pas donner à mon problème un caractère d'exception. Les gars jouent avec des os brisés, des points de suture au visage et des articulations bandées par le soigneur afin de ne pas avoir à céder leur place dans l'alignement. J'ai vu des gars se lever alors qu'ils auraient dû rester couchés, ou jouer alors qu'ils auraient dû rester assis. Alors je ne vais pas dire que j'étais un cas à part parce que j'ai joué en devant supporter la douleur. Certains athlètes peuvent jouer avec un seuil de douleur plus élevé que d'autres, mais tout le monde doit le faire à un moment ou à un autre dans sa carrière.

Ce qui m'ennuyait le plus, c'était la façon dont la rigidité de mon genou affectait mon jeu. À chacune de mes présences sur la glace, je me sentais restreint dans mes mouvements. Je ne pouvais pas jouer comme je le pouvais et comme je le voulais. Je ne pouvais donner à mon coup de patin la même puissance qu'auparavant. Quand cette raideur dans mon genou me privait de ma fluidité habituelle dans mes mouvements (virage, freinage, accélération, etc,), une grande partie de mon jeu s'envolait en fumée.

Les joueurs de hockey professionnels parlent de sauter sur la glace et d'avoir du plaisir, un langage qui peut parfois sembler étrange aux oreilles des partisans, eux qui ne se rendent pas toujours au travail avec la joie au cœur. Mais tout cela n'est pas aussi bizarre qu'il y paraît. À mes yeux, avoir du plaisir à jouer au hockey signifiait jouer au meilleur de mes capacités et essayer de ne jamais décevoir mes coéquipiers – et les partisans.

Comme tous les athlètes, j'avais ma manière bien personnelle de faire les choses, certaines fondées sur une routine et d'autres sur la superstition, je suppose. Des journalistes ont avancé l'hypothèse que si je me contentais d'un seul tour de ruban sur la lame de mon bâton, c'était pour tirer plus rapidement, ce qui revient à dire que la puissance de mon tir en aurait été accrue. D'autres ont imaginé que cela relevait plutôt d'une préférence esthétique, que j'essayais d'imposer une tendance. Ce sont des interprétations dignes d'intérêt, mais la réalité était bien plus simple ! Quand je suis arrivé dans la LNH, je pensais qu'il existait une règle qui stipulait que chaque joueur devait avoir du ruban gommé sur la lame de son bâton. Je crois qu'il s'agissait d'une constatation qui allait de soi, puisque les lames de bâton de chacun comportaient quelques tours du traditionnel ruban gommé noir.

Pour ma part, j'aimais cette sensation de la rondelle contre ma lame, sans aucun ruban. Alors l'idée m'est venue que si je *devais* appliquer du ruban sur mon bâton, j'en utiliserais le moins possible. Et, le temps passant, j'en ai mis de moins en moins, jusqu'à ce que j'en sois rendu à une simple bande. Et, à la fin, sans surprise, je n'en ai plus mis du tout.

Et puis il y avait cette autre chose qui suscitait une certaine curiosité : je ne portais pas de chaussettes dans mes patins quand je jouais. Comment un joueur pouvait-il ne pas porter de chaussettes ? Là encore, la réponse est toute simple. Quand je jouais au niveau junior, j'étais responsable d'empaqueter mon propre équipement et, à l'occasion d'un voyage, j'avais oublié d'emporter des chaussettes dans mon sac. Par conséquent, je n'avais pas eu d'autre choix que de jouer sans chaussettes, et il se trouve que j'avais adoré la sensation. À partir de ce moment-là, j'ai décidé que je ne m'encombrerais plus de chaussettes, ni dans mon sac ni dans mes patins. J'ai bien été tenté, au fil des ans, d'inventer quelques histoires à coucher dehors pour justifier cette habitude, mais la vérité est que la chose s'est produite d'une manière toute naturelle et que je ne m'en suis jamais préoccupé.

Il y a en revanche une chose que je prenais très au sérieux : ma routine d'avant-match. Même pendant mes années dans le junior, j'aimais me rendre à la patinoire très tôt le jour d'un match. À Boston, cela signifiait que je me présentais au Garden aux environs de 14 h. Les préposés à l'équipement m'ont plus tard donné mes propres clés, parce que j'arrivais souvent avant eux les jours de match. À ces moments-là, j'étais seul dans mon environnement préféré et je pouvais me préparer pour la partie à ma façon. Il s'agit d'un principe fondamental pour tout athlète : déterminer les stratégies qui vous conviennent et en faire des éléments qui vous définissent.

Il n'y a pas deux athlètes qui se préparent de la même manière. Certains de mes coéquipiers se présentaient à 17 h, après avoir fait leur sieste, avant laquelle ils avaient pris leur repas d'avant-match, à la fin ou au début de l'après-midi. D'autres préféraient aller au cinéma en matinée, parce qu'un bon divertissement détend les nerfs et vous aide à vous décontracter en vue de la partie. Il y avait sans doute autant de techniques de préparation d'avant-match que de joueurs dans l'équipe, et personne ne se souciait de connaître la vôtre en autant que vous étiez réellement prêt pour la partie. Dans ce temps-là, on ne se concentrait pas beaucoup sur l'aspect mental dans le sport professionnel, ou à tout le moins nous ne disposions pas encore d'une terminologie raffinée pour en parler. Mais je crois que ma routine de l'époque m'était d'une grande aide en ce qui avait trait à la portion mentale de ma préparation de match.

Il y a deux choses qui m'ont toujours paru essentielles durant toute ma carrière. La première était d'être aussi constant que possible, et constant au niveau que je me sentais en mesure d'atteindre. La seconde était de me concentrer sur les aspects sur lesquels je pouvais exercer un contrôle et de ne pas me laisser distraire par mille et une choses. J'essayais de jouer de la même manière, peu importe l'identité de mon adversaire, et je ne pensais pas trop à certains joueurs spécifiques que j'allais affronter et pas davantage à changer mon jeu afin de m'adapter au leur. Je jouais mon jeu et je laissais les autres se soucier de systèmes. Le hockey reste le même sport, peu importe contre qui vous jouez, alors vous en faire à propos d'un joueur adverse va seulement constituer un problème. Mais bon, il y avait bien deux exceptions dont il fallait tenir compte…

Bobby Hull pouvait vous battre de tant de manières qu'il était impossible de pouvoir vous prémunir contre toutes. Si vous le laissiez monter sans vous interposer, il était si fort et si rapide qu'il finissait à tout coup par vous déborder et vous doubler. Chaque fois qu'il s'amenait par le centre de la patinoire, Bobby était une menace à cause de son lancer frappé. Habituellement, vous deviez vite vous placer devant lui pour l'empêcher de tirer. Il n'y a pas beaucoup de gars dans la LNH d'aujourd'hui qui peuvent lancer une rondelle comme Bobby Hull le faisait il y a plus de quarante ans. Des gars comme Guy Lafleur et Yvan Cournoyer possédaient une vitesse stupéfiante et pouvaient vous donner l'impression d'avoir les deux pieds figés dans la glace si vous ne parveniez pas à les contenir. Mais personne n'avait la réponse parfaite à l'énigme que constituait Hull.

Stan Mikita était un autre hockeyeur que je ne lâchais jamais un seul instant des yeux. Stan était un joueur doté d'une énergie dévastatrice qui a amassé toute une collection de trophées Art Ross et Hart – et même quelques Lady Bing, même s'il lui est arrivé d'accumuler plus de 100 minutes de pénalité à ses débuts dans la ligue –, mais ce qui m'a marqué le plus chez lui, c'était son talent de passeur. S'il y en avait un meilleur que lui dans la LNH, je ne le connais pas. Si un coéquipier se positionnait à la dernière seconde au bon endroit, Stan le repérait et lui relayait la rondelle dans l'instant même, exactement là où il fallait, sur sa lame.

C'étaient deux des joueurs auxquels je consacrais une attention qui ne s'est jamais relâchée. Mais, bien entendu, si vous tenez quoi que ce soit pour acquis dans une ligue du niveau de la LNH, vous allez vous en mordre les doigts. Il n'existe qu'une seule bonne approche : respecter tout le monde.

La plupart du temps, je ne pensais qu'à ce que j'allais faire sur la glace. Je ne me préoccupais que de moi et de mon propre jeu. C'est ainsi que je me préparais, aussi simple que ça puisse paraître…

De par mon statut d'athlète professionnel, j'ai eu l'occasion, durant toutes ces années passées à Boston, de rencontrer un grand nombre de personnalités, et pas seulement sportives. J'ai eu le privilège de rencontrer et de connaître des gens du monde du spectacle, de la politique, etc. Mon intention n'est pas de donner ici dans le *name-dropping*, mais plutôt de partager quelques réflexions et anecdotes au sujet de quelques personnes hors de l'ordinaire qui m'ont influencé de plus d'une manière. En vieillissant, nous nous retrouvons en contact avec une grande variété d'amis, de connaissances et de personnages. Bon nombre de ces gens, par hasard ou par choix, ont leur mot à dire dans la construction de notre propre personnalité. Cela est vrai, que ces gens soient célèbres ou non. Je crois que c'est une bonne idée de vous lier avec le plus grand nombre possible de ces personnes, et d'espérer que ce qu'elles ont de meilleur en elles déteigne un tant soit peu sur vous.

Plusieurs de ces personnalités que je vais vous présenter ont compris le sens du mot professionnalisme à différents niveaux, mais par-dessus tout, elles possèdent un sens aigu de la manière dont il convient de traiter autrui. Certaines m'ont montré des qualités personnelles qui m'ont fortement impressionné, d'autres ont vécu leur vie en mettant de l'avant des valeurs dont tous peuvent s'inspirer. Ce sont des gens que j'admire profondément. Avoir cette chance unique de rencontrer des personnalités n'est certainement pas donnée à tous, et je la tiens pour un des bénéfices marginaux de la célébrité.

L'ordre dans lequel je vais vous présenter ces gens ne reflète pas leur grandeur, mais il y a un seul être connu sous l'expression « Le Plus Grand ». J'ai assisté à quelques-uns de ses combats et j'ai eu la chance d'être invité à ses côtés à quelques reprises à l'émission *Gillette*

Cavalcade of Champions de Bob Hope. Il est l'un de mes athlètes préférés dans l'histoire du sport. Sa constitution physique était incomparable. Mohamed Ali était le champion du monde des poids lourds quand je l'ai connu, et ce titre était le plus prestigieux et le plus convoité de son sport à cette époque. Ali était tout un boxeur, Ali était *le* boxeur. Avec son bon ami Howard Cosell, Ali a donné à son sport une dimension qu'il n'avait jamais eue jusque-là – l'un au micro, l'autre sur le ring.

Quand Ali surgissait d'entre les câbles, il avait cette présence qui semble être le propre des athlètes d'exception. Il dégageait exactement le même charisme en entrant tout simplement quelque part. Cet homme semblait remplir de sa présence chaque recoin d'une pièce, et cette présence débordait même dans le couloir, au-delà de la porte ! Grand et puissant, le champion en imposait par sa prestance physique – je crois qu'il faisait six pieds et trois pouces à son apogée –, et chacun de ses mouvements reflétait sa formidable assurance. Il savait qui il était, et possédait une confiance illimitée en ses moyens.

J'ai toujours pensé que certains athlètes offrent un parfait jumelage avec leur sport. Cet agencement s'observe dans l'adresse physique, la résilience mentale et une passion de réussir qui culmine avec leur consécration au sommet de leur profession. Mohamed Ali correspondait parfaitement à cette définition pour la boxe. Comme plusieurs autres grands athlètes, Ali aurait pu réussir tout aussi admirablement dans quantité d'autres sports.

Nous savons tous le prix terrible qu'a payé le champion lorsque la maladie de Parkinson lui a ravi certaines de ses capacités. Nos chemins se sont croisés de nouveau quelquefois au fil des années, mais l'un des souvenirs que je chérirai toujours remonte à la dernière fois que je l'ai vu, il y a déjà un certain temps, au New Jersey. C'était à l'occasion d'un événement spécial auquel étaient présents une foule d'athlètes de renom et de célébrités, et on m'a dit qu'Ali était sur place. Je me suis mis à sa recherche, désireux de simplement lui dire bonsoir et de lui serrer la main une autre fois. Après l'avoir repéré, assis dans le coin d'une salle, j'ai attendu mon tour jusqu'au moment où j'ai eu la chance de m'en approcher et de le saluer. Je ne croyais pas qu'il se rappellerait de moi ou de nos rencontres précédentes, et cela n'était pas bien important. Mais quand j'ai pris sa main, il m'a dévisagé, m'a servi le grand sourire d'Ali et a murmuré :

— *Kid,* tu vas bien ?

Qu'il m'ait reconnu ou non, peu m'importe. Mais quelle sensation j'ai ressenti en le revoyant et en l'entendant me dire ces mots ! Il y a eu une infinité de grands athlètes dans l'histoire, et il y en aura encore bien d'autres, mais je ne peux en imaginer un qui sera meilleur dans son domaine ou qui symbolisera mieux son sport que l'a fait Mohamed Ali pour le sien.

Il y a un autre dieu vivant de son sport qui m'a enseigné de grandes leçons de professionnalisme. Je l'avais suivi à la télévision durant de nombreuses années avant d'avoir la chance de le rencontrer et vous ne pouvez que vous émerveiller en le voyant se comporter à tout moment en société. Arnold Palmer était et demeure le pro de tous les pros. Sans surprise, vous apprendrez que c'est lors d'un match de golf que j'ai eu l'occasion de le rencontrer pour la première fois. Même si je connaissais parfaitement son nom et son statut à l'époque où je jouais pour les Bruins, ce n'est que quelques anées plus tard que j'ai pu faire sa connaissance et passer un peu de temps avec lui. C'est une sensation très particulière de posséder une opinion sur quelqu'un sans le connaître, puis de découvrir, après l'avoir réellement connu, que cet être excède les attentes que vous nourrissiez à son égard. Je n'ai pas trouvé de meilleure manière de vous présenter Arnold Palmer…

En pensant à lui, je me rappelle d'un événement dont le souvenir me tient spécialement à cœur et auquel j'ai eu le privilège d'assister bien des années après ma retraite, en 1999, à Brookline, dans le Massachusetts. Durant le cadre de la coupe Ryder, une compétition qui oppose les meilleurs golfeurs d'Europe à ceux des États-Unis, un souper se tenait au Symphony Hall, à Boston. Cette soirée très spéciale avait été organisée en l'honneur d'Arnold, qui venait juste de célébrer ses 70 ans. Parmi les invités, on pouvait dénombrer le président George Bush S[r] – lui-même un passionné de golf – et sa famille, et je me souviens que le maître de cérémonie de la soirée était le légendaire commentateur sportif Jim McKay. Steven Tyler était l'un des artistes sur scène, ainsi que les Boston Pops. Comme vous pouvez le constater, il s'agissait d'une soirée où fourmillait une formidable concentration d'étoiles de tous les domaines. J'étais là avec plusieurs bons amis, dont Dick Connolly, qui est aussi un ami très proche d'Arnold.

Dick avait organisé, pour quelques-uns d'entre nous, une ronde de golf avec Arnie pendant son séjour dans la région de Boston. J'avais par le passé assisté à plusieurs réceptions auxquelles le Roi du golf avait lui aussi été présent, surtout à l'occasion de tournois pro-am associés avec le Tour des Champions. Comme je n'avais toutefois jamais eu l'occasion de passer beaucoup de temps avec lui en privé, me retrouver en sa compagnie sur un terrain de golf et jouer avec lui était une expérience incroyable pour moi.

Dick et moi nous sommes donc présentés à l'heure convenue pour le départ de notre ronde amicale au Kittansett Club, à Marion. Au moment où je me suis penché afin de déposer ma balle sur mon tee pour mon premier coup de la journée, j'étais si nerveux que je pouvais à peine voir la balle, et je me demandais comment j'allais seulement réussir à la frapper.

Je me suis alors retourné vers le Roi et je lui ai dit :

— Arnie, je parie que tu es drôlement nerveux de jouer une ronde avec nous, hein ? Détends-toi, tout va très bien aller…

Il n'a pu s'empêcher de s'esclaffer. Je n'étais pas dans mon élément, je n'étais pas sur mon terrain non plus, alors on peut dire que j'avais les nerfs à fleur de peau. Mettez-moi sur une couche de glace, et tout ira comme sur des roulettes – façon de parler. Mais ici, dans ce cadre-là, c'était une catastrophe. Mais Arnie a immédiatement trouvé le moyen de me mettre à l'aise, et cela m'a permis de rire à mon tour et de savourer ce moment unique. Arnold Palmer peut accomplir ce dont seuls sont capables les véritables êtres d'exceptions : vous sentir détendu en leur présence. Il possède un sens de l'humour et un je-ne-sais-quoi de pétillant dans l'œil qui ne peuvent que vous mettre à l'aise.

Quelques années plus tard, j'ai joué de nouveau avec Arnie sur son parcours de Bay Hill à l'occasion du volet pro-am du tournoi. De cette ronde, un trou en particulier m'est resté en mémoire. Il s'agissait d'une normale 5 dotée d'un obstacle d'eau devant le tertre de départ. Arnie a propulsé son coup de départ au-delà de l'eau et en plein centre de l'allée. Son coup suivant l'a placé en bonne position non loin du vert. Son coup d'approche a atterri sur le vert à une douzaine de pieds du fanion, et tous les gens qui suivaient notre groupe, sa fameuse *Arnie's Army*, était en liesse. Vous devinez sans peine la suite : Arnie s'est dirigé vers la balle et l'a calée pour un birdie. Sous le tonnerre des applaudissements, il a récupéré sa balle dans le fond de la coupe et m'a regardé en arborant son plus large sourire. Et quand je lui ai demandé…

— Tu es un vraiment un *show-off*, hein ?

… il m'a répondu du tac au tac :

— Bobby, je fais ça tout le temps.

J'ai disputé bien des rondes de golf au fil des décennies, mais je devrai me lever drôlement tôt pour revivre un moment pareil…

Arnold a ce type de personnalité qui retient l'attention de tous ceux qui l'entourent, y compris de ses pairs. Durant ce tournoi pro-am à Bay Hill, chaque fois qu'il s'avançait sur le tertre de départ, ses compagnons de jeu interrompaient leur discussion ou leur occupation du moment pour le regarder s'exécuter. Ils étaient tout bonnement en pâmoison devant lui.

Ce qui n'a jamais changé chez l'homme pendant toutes ces années, c'est cette maîtrise de lui-même qu'il a toujours eue, ce comportement irréprochable que tout professionnel devrait prendre comme modèle, peu importe où il est. Et peu importe en compagnie de qui il est, il traitera toujours ceux qui l'entourent avec cette attitude respectueuse qui n'appartient qu'à lui. J'ai toujours soutenu que la plus belle expérience que pouvait vivre un athlète consistait à passer une journée en compagnie d'Arnold Palmer afin qu'il puisse voir de quelle manière se comporte un vrai professionnel dans le monde. En l'espace d'une seule petite journée, il se rendrait très vite compte que le succès vient avec une grande responsabilité, *surtout* envers les fans. Arnold Palmer respecte ce principe jour après jour. On se souviendra certainement de lui comme de l'un des plus grands golfeurs de l'histoire. Mais, chose plus importante encore, il demeure un exemple à suivre pour quiconque entend se comporter comme un professionnel digne de ce nom.

J'ai aussi eu la possibilité de rencontrer des gens du monde du spectacle. L'un de mes préférés est un acteur d'origine canadienne qui m'a profondément marqué par le grand courage dont il fait preuve au quotidien. Du temps que je jouais à Boston, il n'était encore qu'un jeune garçon de Vancouver. Je n'ai pas rencontré Michael J. Fox à cette époque, mais je me souviens très bien du jour où j'ai fait sa connaissance lors d'un gala réunissant des célébrités du hockey. J'ai été tout de suite frappé par quelque chose chez lui : même s'il était une star de cinéma mondialement connue, il était clairement quelqu'un d'une grande humilité et d'un commerce des plus agréables. Il n'y a jamais eu le moindre atome de prétention chez Michael et j'ai toujours beaucoup apprécié sa compagnie.

Mais il y a déjà quelque temps de cela. Depuis, j'ai appris à respecter Michael pour d'autres raisons. Son combat contre la maladie de Parkinson sert d'inspiration à des millions de personnes qui souffrent de ce mal terrible. Plutôt que de la vivre à l'écart, Michael a choisi d'afficher sa maladie dans sa vie de tous les jours et de faire quelque chose pour les autres. Chaque fois que je le vois accorder une entrevue, un mot me vient à l'esprit, persévérance, parce qu'il ne baisse jamais les bras devant la maladie. Michael continue de se battre et il ne laissera jamais un revers ou le découragement l'arrêter. Il est une source d'inspiration pour tous ceux qui le rencontrent. Récemment, quelqu'un m'a expédié la coupure de journal d'une entrevue où Michael, en réponse à une question, nommait les gens qu'il admirait le plus. « Nelson Mandela et Bobby Orr », a-t-il répondu. Pouvez-vous imaginer qu'il ait dit cela ? Que puis-je dire, sinon lui rendre la pareille ? Michael J. Fox fait aussi partie des gens que j'admire le plus. C'est une merveilleuse personne, et quiconque a la chance de faire sa connaissance n'en devient que meilleur.

Ces rencontres ont été très importantes pour moi et j'en ai retiré de grands enseignements. Il y a une autre célébrité, qui a longtemps porté l'uniforme d'une équipe de la ville de Boston, que j'ai espéré rencontrer des années durant. Nos routes ne se sont pas croisées avant ma retraite et c'est à l'occasion d'une soirée bénéfice pour Tony Conigliaro, l'ancien grand joueur des Red Sox, que nous avons fait connaissance.

Ce soir-là, le 26 avril 1983, j'étais avec Joe Fitzgerald, un journaliste du *Boston Herald*. Alors que je jetais un regard panoramique sur l'assemblée présente, j'ai remarqué un homme à l'autre bout de la salle, le seul à ne pas porter de smoking. En apercevant le profil de l'homme, j'ai demandé à Joe :

— Est-ce bien celui que je pense ?

C'était Ted Williams en chair et en os. Joe m'a dit d'aller là-bas et de me présenter. J'hésitais. J'avais peut-être été un ancien membre des Bruins de Boston, mais il s'agissait de *Ted Williams*. J'ai attendu que les gens avec qui il discutait prennent congé de lui pour m'avancer et lui tendre la main en disant :

— Monsieur Williams, c'est un plaisir pour moi de vous rencontrer. Je suis Bobby Orr.

Il se leva, me serra la main et répliqua aussitôt :

— J'ai entendu dire que tu en avais pris un gros, cet été, fils. Parle-moi un peu de ce poisson…

Ted était bien davantage que l'une plus grandes légendes du baseball ; il cumulait deux distinctions dont, je crois bien, aucun autre sportif professionnel ne peut se vanter : il était le seul membre du Temple de la renommée du baseball à avoir été intronisé… au Temple de la renommée de la pêche ! Ted Williams aimait certainement son sport, mais il vouait, entre autres, une passion égale, sinon plus grande encore, à la pêche. Et voilà une activité pour laquelle l'ancienne étoile des Red Sox et moi partagions le même goût.

Bien qu'il aimât pêcher à plusieurs endroits au Canada, Ted aimait particulièrement se retrouver à un camp de pêche de la rivière Miramichi, au Nouveau-Brunswick. Ainsi que le voulait la rumeur, j'avais été assez chanceux pour prendre un saumon de 45 livres cet été-là, et ma prise avait fait couler pas mal d'encre. Tous les guides de pêche des environs avaient entendu parler de mon « monstre » et la nouvelle s'était vite répandue. Par le téléphone arabe des guides de pêche, mon exploit s'était même rendu aux oreilles de l'homme que je persiste à considérer comme le meilleur frappeur de l'histoire.

Ted Williams avait étudié tout ce qui était relié à son métier, surtout ce qui concernait l'art de frapper. Je lui ai demandé, bien des années plus tard, de corroborer un récit que j'avais lu sur ce qui se passait dans son esprit quand il prenait place dans la boîte du frappeur. On y disait que Williams était en mesure de voir les coutures d'une balle de baseball quand elle quittait la main d'un lanceur – une affirmation qui le faisait bien rire.

— Écoute, c'est vrai que j'étudiais les lanceurs adverses. Je savais quels étaient leurs lancers, et quand ils étaient susceptibles de les exécuter. Cette histoire d'un frappeur prodige capable de voir les coutures d'une balle est fabuleuse, mais elle n'est pas vraie.

Tout comme il avait étudié les lanceurs, il avait aussi apparemment étudié les autres pêcheurs. Il m'a posé toutes sortes de questions sur la mouche que j'avais utilisée quand j'avais fait ma grosse prise, quelles étaient les conditions météorologiques, et ainsi de suite. Pendant vingt minutes, il n'y avait plus personne d'autre dans cette salle que deux fous de la pêche discutant de leur passion. À un certain moment, dans le récit de ma prise, joignant le geste à la parole, je lui ai mimé comment je lançais ma ligne. Il a attrapé mon bras et m'a dit :

— Non, non, pas comme ça ! Ton bras doit être plus haut et derrière toi !

Et c'est ainsi que dans cette grande salle pleine de gens déguisés en pingouins (incluez-moi dans le nombre), Ted Williams m'a appris l'art de lancer correctement une ligne munie d'une mouche.

Ce soir-là, j'ai découvert chez Ted Williams cette faculté que possèdent les grands athlètes – possiblement tous les grands athlètes dans leur domaine respectif – : le pouvoir de concentration. Nous ne faisions que discuter, et j'avais probablement devant moi Ted Williams à son niveau de détente maximal, mais son regard ne cessait de me scruter et il n'y avait rien ni personne au monde qui aurait pu interrompre notre conversation.

La liste des athlètes d'exception qui ont pratiqué leur sport en Nouvelle-Angleterre est longue. Je sais tout de Carl Yastrzemski, Larry Bird, Bill Russell et, plus près de nous dans le temps, Tom Brady. Ce sont tous des grands. Mais quand vous pensez aux grandes légendes du sport de la Nouvelle-Angleterre, Ted Williams trône au sommet de la liste. Alors que j'écris ces lignes, Ted demeure toujours le dernier joueur des ligues majeures à avoir conservé une moyenne au bâton de ,400 en une saison, un exploit qui semble de plus en plus impensable à rééditer. Étant donné la manière dont le baseball est pratiqué de nos jours, avec les spécialistes de la courte relève et tout le reste, je doute fort que nous revoyons jamais un joueur frapper pour plus de ,400…

Passer un moment avec une légende vivante telle que Ted a été toute une sensation pour moi. Plus tard, j'ai même eu la chance de partir à quelques reprises en voyage de pêche avec lui et de le voir en action. C'était un maître de la pêche à la ligne et il utilisait toujours ses propres mouches, ce qui en dit long sur la passion de cet homme pour son activité favorite. Il aimait beaucoup ma femme Peggy, aussi une amatrice de pêche à la mouche. J'en suis venu à bien le connaître – et je doute l'avoir jamais vu en smoking !

Ted Williams n'était pas ce qu'on appelle un séducteur. C'était un gros et grand bonhomme bourru, et beaucoup de gens lui trouvaient une allure intimidante. Mais je peux vous assurer qu'il était l'expression même de l'humilité et que l'homme était doté d'un sacré sens de l'humour. Si vous voulez prendre la mesure de l'individu, il faut vous rappeler qu'il a sacrifié des années de sa vie, non seulement dans les plus belles de sa vie d'homme, mais en plein cœur d'une carrière qui promettait de battre tous les records établis dans son sport, pour aller se battre pour son pays. Il a été pilote de chasse pendant deux ans et il a été abattu au-dessus de la Corée. Ted était un athlète extraordinaire, mais chose plus importante encore, une fois que vous deveniez un familier de l'homme, il vous était impossible de ne pas lui vouer un profond respect. Il faisait partie de ces hommes qui savent exactement qui ils sont et ce qu'ils veulent. Rien de faux chez lui : que de l'authentique. Maintenant que j'y pense, je me rends compte qu'il y avait des points de ressemblance entre lui et Don Cherry. Voici deux hommes qui ont des opinions et qui n'en démordent pas, et qui ne savent faire les choses que d'une seule manière : la leur. Ce genre de personnalité m'a toujours impressionné. Le soir où j'ai rencontré Ted et parlé avec lui pour la première fois reste un souvenir frais et vibrant dans ma mémoire.

Quand je pense à tous ces hommes dont je viens d'évoquer les traits, il est clair pour moi qu'il s'agit de modèles, tout spécialement pour les jeunes. Si vous désirez vraiment trouver des travers à ces personnages et êtes disposé à creuser assez profondément, je suis sûr que vous leur en trouverez. Mais ce que je préfère retenir d'eux, c'est qu'ils avaient tous compris et assumé leurs responsabilités. Ce qu'ils ont accompli dans leur domaine, et ce qu'ils ont fait hors du feu des projecteurs, m'en disent beaucoup sur eux. Il y a encore bien d'autres personnes dont j'aurais pu ici vous faire l'éloge, mais voilà les hommes les plus marquants dont je voulais vous parler.

Il y a bien des années, une star du basketball avait déclaré qu'elle n'avait pas à assumer un rôle de modèle et que personne ne devrait fonder ce genre d'attentes dans un athlète professionnel. Je dois vous exprimer mon profond désaccord avec ce point de vue. Aucun athlète ne peut dénier la responsabilité qu'il exerce en tant que modèle. Après tout, ce sont les partisans et le public qui payent les billets et, par extension, son salaire, alors un athlète ne peut qu'accepter une forme de responsabilité à leur endroit. Dès le moment où vous apposez votre griffe au bas d'un contrat en tant que professionnel, ou même dès que vous appartenez à l'élite d'un sport amateur, vous êtes automatiquement inscrit dans un club virtuel, celui des Modèles à suivre – que vous le vouliez ou non. Quant à la manière dont vous vous comportez à titre de membre de ce club sélect, cela vous regarde.

Si quelqu'un vous considère comme un modèle, il est fort possible que vous ayez été gâté par la vie. Vous avez certainement dû trimer dur, mais vous jouissiez aussi de dons particuliers. Cela ne signifie pas que vous soyez une meilleure personne qu'une autre ; cela ne signifie pas non plus que vous méritiez tout ce qui vous arrive. Cela veut juste dire que vous avez hérité d'un don. Selon moi, cela veut dire que vous devez le partager.

Personne ne devrait attendre d'un athlète qu'il soit parfait. Nul n'est un superhéros, et aucun athlète professionnel, actif ou à la retraite, ne saurait être parfait 24 heures sur 24, 7 jours sur 7. Les athlètes commettront toujours leur lot d'erreurs. Mais quand vous en commettez une, vous devez l'admettre et prendre vos responsabilités. La plupart du temps, les gens font preuve d'une grande indulgence à l'endroit des athlètes et sont prêts à leur laisser bien des chances si ceux-ci admettent leurs torts et s'améliorent. Je ne suis pas différent des autres. Il y a des choses que j'ai faites durant ma carrière dont je ne suis pas particulièrement fier. Certaines d'entre elles sont survenues sur la glace, d'autres en dehors. En tant qu'individu, vous passez inévitablement à travers différents stades de développement : vos parents commencent par vous donner une base solide ; vous vous retrouvez à faire vos propres erreurs ; puis vous apprenez de celles-ci et devenez une meilleure personne. Vous êtes soudainement hissé sur un piédestal, et cela peut être quelque chose de complexe à vivre et se révéler susceptible d'affecter votre jugement. Je crois que lorsque vous descendez l'autre versant de la montagne, quand votre carrière prend fin et que ce piédestal vous est retiré, il vous est possible de mieux faire la part des choses. J'espère que cela a été le cas en ce qui me concerne, mais je ne peux que laisser aux autres le soin d'en juger.

Nous avons donc gagné cette seconde coupe Stanley en 1972, mais nous ne l'avons plus jamais gagnée par la suite. Bien sûr, je suis gourmand : j'en désirais d'autres. J'ai l'impression que la coupe aurait dû nous revenir en 1971, et une autre fois en 1974. Une fois que tu as goûté à la coupe, tu la veux encore. Dès que nous sommes revenus au vestiaire après notre victoire en prolongation, en 1970, nous pensions déjà à créer une dynastie. Encore aujourd'hui, des partisans qui nous ont suivis à cette époque-là viennent m'en parler et me disent que nous aurions dû gagner au moins deux autres championnats. Je ne peux que leur donner raison. Mais, hélas, nous n'avons jamais pu soulever de nouveau la coupe.

On ne peut pas dire que les Bruins ont connu un déclin. Nous avons joué beaucoup de bon hockey, et Boston est demeuré une puissance pour tout le reste de la décennie. Mais les ingrédients indispensables au triomphe final – la chance, le travail forcené et un certain coup de pouce du destin – n'étaient tout simplement pas là. Nous avons eu une saison du tonnerre en 1972-1973, mais nous avons perdu aux mains des Rangers en quart de finale. Le fait que nous ayons été privés des services d'Espo tôt en séries ne nous a pas aidés.

Sur une note plus personnelle, Bep Guidolin, qui avait été mon entraîneur à Oshawa quand nous nous étions rendus jusqu'à la Coupe Memorial, avait remplacé Tom Johnson derrière le banc en cours de saison. Guidolin avait lui-même joué pour les Bruins du temps de sa jeunesse (à l'âge de 16 ans, ce qui en faisait, et en fait d'ailleurs toujours, le plus jeune joueur de l'histoire de la LNH). Il avait aussi mené les McFarlands de Belleville à la victoire lors du Championnat du monde, si bien que personne ne pouvait prétendre qu'il ne connaissait pas son métier. Harry Sinden était aussi de retour avec les Bruins.

Il me faut aussi rappeler que la formation qui avait remporté la première coupe s'était peu à peu démembrée. Nous avons perdu quelques gars à cause d'une nouvelle expansion, dont le plus notable, Ed Westfall, aux mains des Islanders de New York, et Gerry Cheevers et Pie McKenzie à la toute nouvelle Association mondiale de hockey, qui avait déjà fait tout un coup d'éclat en raflant Bobby Hull à la LNH. Derek Sanderson est lui aussi parti pour l'AMH, mais il n'a pas tardé à revenir. Personne dans notre vestiaire n'a jamais porté un jugement sévère sur ces transfuges. Nous étions certainement déçus de les voir nous quitter, mais nous comprenions également qu'ils devaient penser à leur famille et à eux-mêmes. La carrière de la plupart des joueurs professionnels équivaut à une fenêtre de temps plutôt limitée ; qui pourrait les blâmer de vouloir tenter de maximiser leurs revenus durant ces années-là ? Si la LNH n'était pas prête à payer, une alternative valable s'offrait enfin aux joueurs. Mais pour les Bruins, ces départs ont entraîné à brève échéance la fin d'une ère, et les Big Bad Bruins n'ont jamais été les même par la suite.

Cela ne nous a pas empêchés de dominer également la saison régulière 1973-1974 et de présenter, une fois encore, les quatre meilleurs pointeurs du circuit. Nous avons balayé les Maple Leafs en quarts de finale avant de régler le cas des Rangers en six matchs en demi-finales. Puis, en finale, nous nous sommes retrouvés confrontés aux Flyers de Philadelphie. Même s'ils formaient une équipe de l'expansion, nous ne pouvions nous permettre de prendre les Flyers à la légère, surtout pas avec un gardien de la trempe de Bernard Parent, capable de voler des matchs à lui seul, et un capitaine comme Bobby Clarke, prêt à tout pour gagner. En matière de rudesse, ils n'avaient rien à envier aux Big Bad Bruins. Nous étions toutefois les champions de la saison régulière, nous avions déjà deux bagues de la coupe aux doigts et nous savions ce qu'il fallait faire pour en avoir une troisième.

Mais nous avons perdu cette série en six matchs, et nous avons perdu à l'étranger, et nous avons vu célébrer la foule du Spectrum ainsi que l'avaient fait nos fans, quatre ans plus tôt. Cette série constitue un souvenir bien amer dans ma carrière. Comme lors de notre défaite en 1971, nous avions la coupe à portée de main et nous l'avons laissée filer. Mais si perdre la coupe n'était pas si affligeant, la gagner ne serait pas aussi exaltant…

Nous n'avons rien concédé à personne non plus la saison suivante. Une fois de plus, au sommet du classement des marqueurs, trônaient deux des nôtres et nous jouions avec la même fierté. Il n'y avait pas un gars dans le vestiaire pour croire qu'il ne soulèverait jamais la coupe de nouveau. Mais voilà, nous n'avons pas réussi à rééditer l'exploit. Au printemps de 1975, nous avons été éliminés en cinq matchs par Chicago en lever de rideau. Et le rideau est retombé pour de bon.

En tant que groupe, nous avions vécu une séquence fabuleuse, avec trois apparitions en grande finale en cinq ans, et nous avions bu par deux fois dans le saladier de lord Stanley. Et même si cette saison-là se terminait en queue de poisson, j'ai rencontré alors quelqu'un qui allait signifier beaucoup non seulement pour les Bruins de Boston et pour le hockey en général, mais aussi pour moi en particulier. Et il me paraîtrait inapproprié de ne pas lui consacrer un peu d'espace dans ces pages, parce qu'il mérite mieux qu'une rapide allusion, et je lui dois ce tribut. Il est bien rare, dans le monde du sport, qu'une personne, peu importe ses succès en tant que joueur ou entraîneur, finisse par devenir quelqu'un à qui l'amateur type peut s'identifier. Il est encore plus rare que quelqu'un qui prend sa retraite de son sport voie sa popularité augmenter alors qu'il vieillit. Et dans le monde du hockey, il existe au Canada[1] une personne à qui presque tout le monde peut aisément s'identifier.

Au cas où vous ne l'auriez pas deviné, je parle de Don Cherry.

---

1. On aura ici compris que l'auteur parle du Canada anglais, car Don Cherry ne connaît pas au Québec une popularité comparable à celle dont il jouit dans le reste du pays. Cela dit, le cas de Cherry a été si peu abordé dans les ouvrages de sport publiés en français que l'occasion nous semble bonne d'en apprendre un peu plus sur la perception qu'ont les gens du ROC de l'homme. (NdÉ)

CHAPITRE 7

« Grapes »

Don « Grapes » Cherry était venu à Parry Sound pour un « patin-o-thon » visant à amasser des fonds pour les timbres de Pâques, il y a bien des années de cela. Je l'ai emmené faire la connaissance de ma grand-mère Orr juste avant son départ. Bien que nonagénaire, elle a marché droit vers Don, l'a regardé dans les yeux (quoi qu'elle n'y voyait plus très clair) et a posé un index sur sa poitrine.

— Monsieur Cherry, je vous aime parce que vous êtes le seul qui dites toujours la vérité.

Ma grand-mère n'était pas la seule à partager cet avis sur Don. Il m'arrive d'attirer les regards des gens lorsque je voyage, mais chaque fois que je suis en sa compagnie, ils passent souvent devant moi sans me voir et s'adressent à lui. Quand vous êtes avec Don Cherry, il n'y en a que pour lui. C'est proprement hallucinant de constater à quel point cet homme se fait reconnaître. Je lui ai dit qu'une seule raison pouvait expliquer l'attention qu'il suscitait : les étranges vestons qu'il porte. Vous savez bien de quoi je parle, je parle de ceux qui semblent avoir été taillés à partir de bizarres ensembles de draps – le plus sérieusement du monde, je vous dirai qu'il choisit lui-même ses motifs chez Fabricland. Mais il n'y a pas que cela. Bien des gens ne sont pas d'accord avec ses opinions, mais Don est aimé par des millions d'autres, et cette adoration dont il est l'objet s'explique. Il doit bien y avoir une raison pour laquelle il s'est classé parmi les dix plus grands Canadiens lors d'un concours organisé par la CBC (*The Greatest Canadian*). Don possède une rare qualité que bien peu de gens ont le courage d'imiter. Il dit les choses comme elles sont.

Je sais qu'aujourd'hui encore il tire fierté du fait que le Canadien moyen – quelqu'un comme ma grand-mère, par exemple – lui reconnaît cette qualité. Honnêtement, j'aurais aimé avoir au fil des années le courage de dire certaines des choses que Don a dites. Je sais qu'il a souvent exprimé certaines de ses opinions en étant parfaitement conscient des conséquences qui s'ensuivraient. Ses points de vue se situent fréquemment à l'exact opposé de tout ce que les autres disent, mais il sait qu'il adopte une position que ne partagent pas les médias. Dans l'esprit de Don, la vérité vaut le prix des débats qui semblent inévitablement avoir cours autour de sa personne. Il n'a pas peur de prendre à partie les politiciens, la LNH, des hommes de hockey comme Brian Burke, ou encore ses propres patrons de la CBC. Il ne changera pas ses opinions pour plaire aux autres et je l'ai toujours respecté pour cela.

Je tiens à être bien clair sur le fait qu'on ne peut demander d'être objectif dans ce chapitre que je consacre à Don. Il est un de mes meilleurs amis et il est indiscutablement un de mes plus grands fans. Je suis conscient qu'il y a probablement des gens qui ne partagent pas les sentiments que je nourris à l'endroit de Don. Je sais que le personnage ne convient pas à tout le monde. Mais même si vous ne l'aimez pas, ou si vous êtes en désaccord avec certaines de ses opinions, vous devez à tout le moins lui concéder qu'il sait mettre en lumière le sport du hockey. Même si nos sentiments sur l'homme varient, il est impossible de nier qu'il est plus connu, en Amérique du Nord, que bien des joueurs de la LNH. Ce n'est pas seulement un personnage unique, ce n'est pas seulement une bonne personne. Il est un atout pour le hockey, peu importe ce que vous pouvez penser de lui.

J'aimerais partager avec vous quelques réflexions sur le Don Cherry que je connais, l'homme que j'ai appris à apprécier au fil de nos nombreuses années d'amitié, et au sujet duquel j'aimerais vous en apprendre davantage. Alors, bien que mon opinion soit un peu biaisée, permettez-moi de vous parler de cet homme que j'en suis venu à aimer autant que respecter.

◈

Quand j'ai rencontré Don Cherry, il venait tout juste d'être nommé le nouvel entraîneur en chef des Americans de Rochester de la Ligue américaine de hockey. Cette année-là – en 1972 –, je me trouvais à la cérémonie d'intronisation de Gordie Howe au Temple de la renommée du hockey, à Toronto. À ce stade de ma carrière, j'avais fait partie de deux éditions des Bruins gagnantes de la coupe Stanley et je jouissais d'une certaine notoriété, surtout dans une ville dingue de hockey comme peut l'être Toronto. Comme d'habitude, toute la presse sportive était réunie pour l'événement, et beaucoup d'entre nous, hockeyeurs, étions très sollicités par toutes sortes de médias et de fans de hockey, et d'une manière si intense qu'il nous était difficile d'avoir un seul moment de répit, ne serait-ce que le temps d'une simple bouchée.

Don s'est rendu compte que j'étais cerné par quelques personnes, à tel point que je n'arrivais même pas à pouvoir manger ! Alors il est venu me voir, s'est présenté et m'a dit :

— Je vais te couvrir.

Et il a fait ni plus ni moins qu'un rempart de son corps pendant que je mangeais, de telle sorte que personne n'a pu m'approcher avant que j'aie fini de me sustenter. C'était la première de nombreuses fois où Don m'est venu en aide alors que la situation le commandait.

Je n'avais pas la moindre idée de qui il était. Il avait dirigé cette année-là les Americans de Rochester, au sein desquels il avait commencé la saison en qualité de joueur. Il avait passé toute sa carrière dans des ligues mineures, alors nos chemins ne s'étaient jamais croisés. Mais deux ans plus tard, le destin nous a réunis de nouveau, cette fois au Garden de Boston, alors qu'il s'apprêtait à devenir le nouvel entraîneur en chef des Bruins – bref, mon entraîneur !

Depuis des années, Don raconte une histoire qui remonte au jour où il a obtenu ce poste à Boston. Impatient d'annoncer la bonne nouvelle à son jeune fils Tim, il s'est précipité à la maison.

— Tim, ton père va devenir le prochain entraîneur en chef des Bruins de Boston !

— C'est formidable, lui a répondu son fils, enthousiaste. Je vais pouvoir rencontrer Bobby Orr !

— Moi aussi, Timmy ! a exulté le père.

Parlant de son fils, j'ai appris lui aussi à le connaître au fil des années, à l'occasion de joyeuses sorties, tout particulièrement des parties de pêche. Je me souviens qu'une fois, j'ai eu bien peur que Blue, la bien-aimée chienne de Don, ne fasse qu'une bouchée de moi. Nous devions retourner chez Don à 16 h ce jour-là, Tim et moi, mais le sort a voulu que le poisson ne démordait pas et qu'il nous était absolument impossible de laisser passer une manne pareille, alors nous avons décidé d'allonger quelque peu notre séjour sur le lac.

Le temps a passé sans que nous nous en rendions compte, et il était près de 20 h quand nous sommes rentrés chez les Cherry. Je crains que Don et son épouse Rose aient imaginé le pire, alors en nous voyant arriver dans l'allée, ils sont sortis de la maison, soulagés de voir que la chair de leur chair était toujours en un morceau. La nervosité de ses maîtres avait sans doute déteint sur Blue, qui est apparue, aboyant et grognant, montrant tous les signes d'une bête furieuse prête à me réduire en confettis, mais Don a réussi à la maîtriser. Pouvez-vous imaginer la jolie manchette si Blue avait enfoncé ses crocs délicats dans mon anatomie ? « Orr mis au rancart pour un mois par la chienne de Cherry ! » (Des années après cet incident, Rose a déclaré que Don ne s'en est pas vraiment fait pour Tim, mais bien plutôt pour son défenseur.)

Don, un meneur d'hommes dans l'âme, est ce qu'on peut appeler un *player's coach*, un entraîneur taillé sur mesure pour des joueurs[1], un entraîneur auquel tous les gars de l'équipe se sont identifiés à plus d'un niveau. Nous avons tout de suite réalisé qu'il était l'un des nôtres. Il n'avait disputé qu'une seule partie dans la LNH – une partie d'une série éliminatoire pour les Bruins, en 1955 –, mais plus de 1 000 dans les rangs mineurs. Tous les gars du vestiaire se sont dit qu'il méritait pleinement sa nomination. Si vous voyagez en autobus durant toutes ces années dans différentes ligues mineures et que vous déménagez 53 fois d'une ville étrangère à une autre, cela veut dire que vous êtes un passionné de votre sport et que vous avez bien approfondi le sens du mot résilience. (Le fait qu'il ait cumulé plus de 1 000 minutes de

1. L'expression *player's coach* n'a pas vraiment d'équivalent en langue française. (NdÉ)

pénalité en carrière donne aussi une certaine idée de sa robustesse.) À nos yeux, son engagement dans la Ligue américaine de hockey démontrait mieux que tout le reste que Coach Cherry n'était pas un lâcheur et qu'il était exactement le genre de personne que vous désirez avoir derrière vous comme entraîneur. Cela ne gâchait rien non plus qu'il vienne tout juste de gagner le titre d'entraîneur de l'année dans la LAH et qu'il ait soulevé quatre fois la coupe Calder comme joueur, et une fois la coupe Memorial dans le junior. Cherry n'était pas seulement quelqu'un de dur et de têtu, c'était aussi un gagnant. En devenant entraîneur en chef dans la LNH en 1974, Cherry récoltait enfin ce qu'il avait semé pendant toutes ces années comme joueur au sein des ligues mineures.

Ne déduisez pas de cette étiquette de *player's coach* que je lui accole que Don nous laissait nous la couler douce. Il avait toujours une vision très précise de la manière dont les choses devaient être faites et cette vision n'était pas négociable. Il avait tout un caractère, un très fort caractère, et il ne l'oubliait jamais à la maison. Il avait pleinement confiance en lui et il était persuadé qu'il connaissait la route qui nous mènerait au succès. Et ça finissait là : avec Don, la discussion n'était pas à l'ordre du jour et personne ne se mêlait de lui dire comment diriger son équipe.

Il attendait de ses joueurs qu'ils soient bien préparés en fonction des matchs et que chacun fournisse chaque jour son plein rendement. Il savait motiver ses troupes comme pas un. Était-il le meilleur technicien parmi les entraîneurs de la ligue ? Sans doute pas, mais les gars étaient prêts à défoncer les bandes pour lui. Don était aimé de la quasi-totalité de ses joueurs. Mais il pouvait aussi vous faire la vie dure si vous ne jouiez pas à la hauteur de votre talent. Dès le départ, lui et moi sommes tombés d'accord sur ce point-là, parce que les entraîneurs sont en droit de s'attendre de leurs joueurs qu'ils livrent la marchandise, peu importe les conditions. Si vous ne teniez pas votre rang, Don ne vous gardait pas longtemps dans l'alignement.

J'étais chanceux de retrouver chez Don la même approche de coaching que celle dans laquelle j'avais progressé au hockey junior. Une constance dans les différents styles de coaching est à mon avis très importante et devrait être un facteur dont se soucient les entraîneurs, peu importe le niveau auquel ils œuvrent. Cela étant, Don laissait jouer ses gars à leur manière si l'équipe y trouvait son compte. En ce qui me concernait, cela signifiait posséder la rondelle et patiner. Il ne me demandait pas de me débarrasser du disque au fond de la zone adverse puis de m'y ruer pour le récupérer, ou de me servir de la baie vitrée pour dégager notre territoire en toute sécurité. Don était assez brillant pour ne pas tenir ses joueurs en laisse ; il attendait d'eux qu'ils soient eux-mêmes et fassent preuve de créativité. Il comprenait que ce style de jeu entraînerait sa part d'erreurs ; il percevait très bien les inconvénients de la situation, mais il en appréciait aussi clairement les avantages.

Bien des années plus tard, alors que nous étions tous les deux à la retraite, Don et moi participions à un événement. Durant une séance de questions, quelqu'un a demandé à Don quelle avait été son approche de coaching à mon égard durant notre association à Boston. Sa réponse a été du typique Cherry :

— Il y a une chose à ne pas faire : chercher à trop diriger Bobby Orr. Pouvez-vous imaginer une seconde Don Cherry expliquant à Bobby Orr ce qu'il doit faire sur la glace ? Pourrait-on imaginer quelque chose de plus stupide ?

L'assistance a apprécié la réponse. Il est vrai que Don n'avait pas une approche interventionniste, tant et aussi longtemps que vous faisiez bien votre boulot.

Si vous demandiez aujourd'hui à Don comment il dirigeait ces grandes éditions des Bruins des années 1970, il vous citerait seulement trois règles et le tout ressemblerait à cela :

— Premièrement, vous pouvez être aussi créatif que vous voulez en zone offensive. Essayez n'importe quoi qui mettra la rondelle dans le but. Deuxièment, en territoire défensif, c'est tout le contraire. Vous faites ce que je vous dis quand je vous le dis, et si vous ne le faites pas, je ne discuterai même pas, je ne vous renverrai tout simplement plus sur la glace. Et enfin, troisièmement, si Orr est en possession de la rondelle et se rue vers le but, pour l'amour de Dieu, ne me faites pas un hors-jeu !

Je ris encore en repensant à la règle numéro 3…

Rendons à César ce qui revient à César. Don m'a attribué une bonne part de ses succès en tant que coach des Bruins, mais l'année où il a reçu le trophée Jack-Adams du meilleur entraîneur de la LNH, je ne faisais plus partie de son équipe.

Une facette de la personnalité de Don n'a pas changé à travers les années, et c'est son goût pour la tragédie. Je ne crois pas exagérer quand je prétends qu'il est sans doute l'entraîneur le plus haut en couleur à avoir pris place derrière le banc d'un club de la LNH. Don a toujours drainé vers lui un maximum d'attention, et cette déroutante approche a permis à ses joueurs de « voler sous le radar » et de pouvoir se concentrer sur le jeu. Il absorbait la pression exercée par les médias quand les choses allaient mal, mais faisait dévier l'attention vers ses joueurs une fois qu'elles allaient mieux. Voici l'un des signes auxquels on reconnaît un vrai leader. Oui, Don appréciait certainement les feux de la rampe, mais il les utilisait d'abord et avant tout au profit de l'équipe.

C'est ainsi que pendant des années il s'est attiré, en qualité de paratonnerre, aussi bien les louanges que les critiques des joueurs, des partisans, des propriétaires, sans oublier les contrôleurs de billets aux portes du Garden, et toute personne associée de près ou de loin au hockey. Bien entendu, les personnages publics doivent être prêts à faire face à une attention aussi soutenue et dans le cas de Don, il ne semble pas y avoir de place pour la tiédeur ou les nuances : on l'aime ou on le déteste. En fait, s'assurer que les gens aient une opinion sur lui fait partie de son travail. Mais même si vous n'êtes pas un partisan de Don Cherry, ses arguments ne tolèrent aucune discussion. Comme je l'ai déjà dit, je n'ai sans aucun doute jamais rencontré un homme avec plus de suite dans les idées que lui. Son honnêteté est absolue, sa loyauté, indéfectible, et son amitié jamais démentie. Il a un cœur d'or, et croyez-moi ou non, son caractère parfois bourru n'est qu'une façade servant à cacher une gentillesse sans borne. Mille fois je l'ai vu faire pour autrui des choses dont les journaux n'ont jamais parlé parce que telle était sa volonté. Il m'est impossible de compter toutes les fois où, dans les trente dernière années, Don m'a appelé pour me demander d'autographier quelque chose pour un enfant malade, une nouvelle connaissance ou un membre des Forces armées. Sa générosité est incroyable et je ne crois pas qu'il reçoive la reconnaissance qu'il mérite. Il est indiscutablement l'une des meilleures personnes que j'aie rencontrées. Il a été mon entraîneur, mon ami, mon mentor et mon second père. Il m'a accompagné dans certains des mauvais moments que j'ai vécus et il a toujours été là pour soutenir ma famille. Je sais aussi qu'il sera toujours là pour moi et cela m'est d'un grand réconfort.

Au moment où j'écris ces lignes, Don Cherry n'est toujours pas un membre du Temple de la renommée du hockey et c'est pour moi l'une des plus grandes omissions de l'histoire de ce sport. Il a laissé une marque inégalée dans le hockey lors du dernier demi-siècle, pas seulement au Canada, mais aussi à l'échelle internationale. Il a pratiqué ce sport et a dirigé des équipes au plus haut niveau. Bien entendu, les plus jeunes générations de Canadiens le connaissent essentiellement comme analyste et tête d'affiche de *Hockey Night in Canada* – que son coanimateur Ron MacLean ne s'en offusque pas. Sa chronique *Coaches Corner* est légendaire et fait partie des segments télévisées les plus regardés au Canada. Plusieurs d'entre nous seraient bien incapables d'imaginer ce sport privé de la personne de Don[2].

Mais tout cela ne constitue qu'un chapitre de son histoire. En plus d'avoir accompagné à sa façon le développement de son sport par sa contribution en tant qu'analyste, Don ne cesse de toujours faire davantage pour la promotion de ce jeu qu'il aime tant. Passant d'un hôpital à une base militaire, des arénas du hockey mineur aux événements caricatifs, Don est devenu un ambassadeur du hockey dans ce que ce sport a de meilleur à offrir. Je sais qu'il n'a jamais pris une minute pour additionner toutes les sommes d'argent qu'il a pu amasser pour de bonnes causes durant toutes ces années, mais cela se chiffre en millions de dollars. Son désintéressement, qui l'a amené à venir en aide à de nombreux groupes dans la communauté du hockey, est la meilleure preuve de sa capacité à construire des ponts dans notre

2. Une fois encore, nous devons signaler que ces constatations concernent presque exclusivement le Canada anglais. Rares sont les amateurs de hockey francophones à suivre régulièrement les apparitions de Don Cherry à la CBC. Du moins sous l'aspect proprement dit du sport, Don Cherry symbolise à merveille le fossé qui peut séparer les fameuses « deux solitudes ». (NdÉ)

sport. Les honorables membres qui constituent le Temple de la renommée du hockey ont tous contribué à l'essor de leur sport. Don a sans contredit mérité sa place dans ce groupe inspirant, par son engagement sans pareil à promouvoir et améliorer son sport.

Évidemment, vous pourrez objecter que la carrière de Don dans la LNH en tant que joueur a été, pour le moins, un peu courte. Les opposants à son intronisation peuvent aussi faire valoir que ses statistiques en tant qu'entraîneur ne suffisent pas à l'admettre dans la même catégorie que certains de ses contemporains. (Pour ce qui est de sa carrière dans la LNH comme joueur, il est malaisé de le juger en fonction de la seule partie qu'il y a disputé. Don ayant réponse à tout, il dit là-dessus : « Hé, même si vous ne bâtissez qu'un pont, vous êtes un bâtisseur de ponts, non ? »)

Quand vous regardez l'ensemble de l'œuvre de l'homme à travers le temps, quand vous constatez son impact positif sur l'essor et le développement de son sport, sa fiche soutient la comparaison avec celle de n'importe quel membre du Temple. Don aurait dû y être admis depuis longtemps. Par exemple, les règles de cette institution sont très claires que les nominés dans la catégorie « Bâtisseurs » sont considérés pour « leurs aptitudes sous les rapports du coaching, de la gestion ou de la direction, si cela s'applique, ou toute autre fonction ou habileté significative en dehors de l'aire de jeu, c'est-à-dire pour leur esprit sportif, leur caractère ou leur contribution à des organisations et au sport du hockey en général ». En d'autres mots, ce règlement semble avoir été écrit à dessein pour Don Cherry.

Son importance dans le monde du hockey est marquante et riche de sens, aussi grande que celle de n'importe quel joueur, d'hier ou d'aujourd'hui. Étant donné tout ce qu'il a apporté à son sport, de façon si durable et si constante, dans son pays autant qu'ailleurs, il mérite amplement sa nomination au Temple de la renommée du hockey. Et vous savez que je serai sans aucun doute dans l'assistance le soir où cette omission sera corrigée. Je me demande s'il sera en mesure de pouvoir se rendre jusqu'au bout de son discours si jamais on lui demande de se rendre sur la scène et de s'exprimer. Je crois sincèrement que son parcours le rend digne de prononcer ce discours en tant que nouveau membre du Temple de la renommée du hockey.

◈

Au travers de toutes ces années d'amitié avec Don Cherry, un moment reste gravé de manière toute particulière dans ma mémoire. Il est survenu le jour où mon père a été inhumé à Parry Sound.

Bien entendu, Don était là. Mon père et lui s'entendaient comme larrons en foire, et la mort de mon père a vivement affecté Don. Que mon père ait autrefois sacrifié une carrière de hockeyeur pour s'engager dans l'armée a toujours touché Don. Il est souvent venu à Parry Sound et il était devenu un grand ami de toute la famille Orr. Il a souvent mentionné les noms de mes parents pendant ses interventions télévisées, et même parfois celui de grand-maman Orr ; ce détail vous en dit long sur le lien profond qui l'unit à ma famille.

Je me souviens encore de ce jour d'été où je me trouvais sur la galerie de la maison familiale, en compagnie de mes parents, quand Don et son fils Tim sont arrivés en automobile. Quand Don est sorti de sa voiture, ma mère s'est tournée vers moi et m'a demandé :

— Bobby, de quelle couleur est ce veston ?

— Vert lime, maman. Vert lime !

Un veston vert lime à Parry Sound en plein cœur de l'été : voilà de l'authentique Don Cherry. Pendant toutes ces années, Don et mes parents ont partagé une belle complicité et de beaux éclats de rire, alors quand le triste événement est survenu, notre famille a demandé à Don s'il voudrait bien dire quelques mots sur mon père à ses funérailles. Quand est venu pour lui le temps de prendre la parole, il s'est dirigé vers le cercueil de mon père. Vous savez tous que Don gagne sa vie en parlant et qu'il est bien rarement à court de mots, surtout quand il y a un micro dans le secteur. Mais une fois n'est pas coutume, j'ai pu lire dans les yeux de Don qu'il avait grand peine à prononcer les mots qu'on attendait de lui.

Quand il a commencé à parler de mon père, on a pu constater qu'il était submergé par l'émotion. Il a brossé un portrait de mon père en y allant de quelques anecdotes, et pendant un moment j'ai bien cru qu'il réussirait à aller jusqu'au bout de son discours. Mais soudain il s'est tu et est demeuré silencieux. Ce gros bonhomme bourru issu de la vieille école du hockey restait là, debout, incapable de recouvrer l'usage de la parole. La foule était aussi muette que lui. Il a regardé l'assistance et celle-ci lui a rendu son regard, et, sans émettre le moindre son, Don a réussi à transmettre à la fois le chagrin et la compassion. Cela a été un moment très touchant, un moment dont je me souviendrai toujours.

Quand on parle de Don Cherry, toutes sortes d'images viennent à l'esprit des gens, mais ce qu'il a été ce jour-là demeure ce que je persiste à penser de lui : un homme humble et altruiste, accablé de tristesse mais assez courageux pour aller jusqu'au bout.

Il a été un grand entraîneur et je peux vous assurer qu'il est une personne bien meilleure encore. Mon père disait toujours que, en qualité d'ancien militaire, il aurait aimé avoir Don à ses côtés dans une tranchée, parce qu'il était le genre d'homme sur qui on pouvait se fier. Papa avait absolument raison là-dessus. Si Don est votre ami, il l'est pour la vie, et il veillera toujours sur vous. Plus le temps passe, et plus j'apprécie ses qualités. Avoir Don Cherry pour ami a été l'un des plus beaux cadeaux que la vie m'a donnés. Je le prends tel qu'il est… avec ses abominables vestons et tout le reste.

CHAPITRE 8

Les dernières années : 1975-1979

Personne n'aurait pu soupçonner que j'en étais au début de la fin. Les manchettes des journaux de 1975 laissaient croire que ma carrière était à son apogée. Les choses se passaient bien pour moi. J'avais remporté le championnat des compteurs de la saison 1974-1975 et, chose plus importante encore, j'avais réussi à rester dans l'alignement d'un bout à l'autre du calendrier. J'avais raté mon lot de parties plus tôt en carrière, mais en 1973-1974 et 1974-1975, j'avais été un véritable homme de fer, disputant successivement 74 et 80 parties. C'était comme si mes problèmes de genoux étaient désormais de l'histoire ancienne.

De mon côté, je ne me berçais pas d'illusions. Cela faisait déjà quelques saisons que je jouais en dépit d'un malaise et la situation ne semblait qu'empirer. Pour parler franchement, la douleur n'occupait jamais mes pensées. En situation de match, je me concentrais sur ce qui devait être fait. Je ne me souciais jamais de l'endroit où nous jouions, de l'identité du gardien dans le filet ou de la longueur du vol, pas plus que du seuil de douleur de mon genou gauche. Mais il y avait de plus en plus de choses que je ne pouvais tout simplement plus faire. Je ne me demandais pas si ma jambe me faisait mal ; je me demandais si j'allais pouvoir patiner.

À ses pires moments, l'articulation de mon genou se bloquait. Un geste aussi insignifiant que me lever de table pouvait déclencher le problème. Un moment, tout était parfait, la seconde suivante, j'avais peine à marcher. Le chirurgien Carter Rowe ouvrit mon genou pour en retirer une particule flottante en septembre, puis je suis parvenu à reprendre ma place dans l'alignement, mais je savais bien que quelque chose n'allait pas.

Je me souviens que je mangeais une bouchée dans un restaurant de Boston avant de me rendre à l'aéroport où nous attendait un vol pour Chicago. Au moment de me lever de table, j'ai mis du poids sur mon genou et l'articulation de mon genou s'est complètement bloquée. Le *Chicago Tribune* avait l'intention de publier un portrait de moi à l'occasion du passage des Bruins en ville, et j'ai dû appeler Bob Verdi, le célèbre journaliste sportif, pour lui demander d'annuler la publication du papier parce que je ne pourrais participer au match. Même si j'étais parvenu à monter dans l'avion, il aurait été hors de question que je puisse jouer.

Je ne jouerais plus jamais une seule autre partie dans l'uniforme des Bruins.

Et ce n'est pas faute d'avoir essayé. Je me suis soumis à une autre chirurgie en novembre afin d'enlever un ménisque latéral tordu. Les Bruins et moi-même avons nourri l'espoir d'un retour au jeu après quelques semaines, mais celles-ci se sont additionnées les unes aux autres. Les Bruins continuaient à dominer et se dirigeaient vers une autre participation aux séries éliminatoires, et je n'étais toujours pas en condition de pouvoir patiner.

Entre-temps, l'équipe connaissait d'importants changements. Dans un échange aussi historique que celui qui l'avait amené à Boston, Phil Esposito a été cédé aux Rangers dans une transaction qui a fait atterrir Jean Ratelle et Brad Park chez les Bruins – deux athlètes qui seraient les pierres d'assise de l'équipe pour les années à venir. Ces nouveaux Bruins se rendirent jusqu'en demi-finale, où ils trouvèrent de nouveau les Flyers sur leur route. La saison entière avait filé, et je n'avais pour ainsi dire rien fait d'autre que d'en être témoin. J'ai déjà dit que la défaite est une déception déchirante, mais regarder jouer ses coéquipiers sans pouvoir leur apporter votre contribution constitue une forme toute particulière d'atroce torture.

◈

Je n'ai jamais été préparé aux événements qui ont suivi. Dans mon esprit, j'étais un Bruins, et c'est ainsi que je me percevais depuis des années. J'appartenais à cette organisation depuis l'époque de mes études. J'aimais la ville et ses partisans. J'étais entouré de gens formidables sur et en dehors de la patinoire. Je ne peux traduire en mots ce que signifiait – et continue de signifier – pour moi Boston. J'aimais Boston et je voulais y rester.

Mais les choses ne se sont pas déroulées ainsi. Pour des raisons que j'aborderai plus tard, je suis devenu un membre des Black Hawks de Chicago.

Cependant, avant que je ne revête le chandail des Black Hawks, une autre chance de défendre les couleurs du Canada m'a été donnée. Mon genou n'était pas à son mieux et, pour être honnête, j'ai songé à décliner l'invitation de participer à la Coupe Canada. Si ce tournoi devait réellement opposer les meilleures équipes au monde, je ne voulais pas y prendre part à vitesse réduite. Cela n'aurait pas été juste pour le reste du club. Mais après quelques séances d'entraînement, j'ai compris que je ne pouvais pas laisser passer cette chance de jouer pour mon pays. Je regrettais amèrement de n'avoir pu jouer en 1972, et j'avais raté une autre belle occasion en janvier 1976 quand le Soviet de l'Armée rouge avait battu les Bruins 5-2. S'il y avait pour moi une chance de participer à cet événement, eh bien je n'allais pas la laisser passer.

Mon cochambreur durant cette série était nul autre que Guy Lafleur, le fameux joueur des Canadiens, une merveilleuse personne. J'appréciais beaucoup de porter, pour une fois, le même uniforme que lui et de ne pas avoir à me casser la tête pour freiner ses montées à l'emporte-pièce. Si vous vous penchez sur la composition de ce groupe, un coup d'œil suffit pour réaliser qu'il s'agissait d'un sacrée belle brochette de joueurs. Certains vont jusqu'à dire que l'équipe de 1976 fait partie des meilleures formations, sinon de *la* meilleure, à avoir jamais représenté le pays sur la scène internationale. Bien sûr, d'autres contesteront ce point de vue, mais aucun amateur de hockey le moindrement averti ne niera le fait qu'il s'agissait d'une bonne équipe, pour employer un euphémisme. J'en veux pour preuve que 16 des joueurs qui la constituaient ont aujourd'hui leur niche au Temple de la renommée…

Avec les effectifs que nous possédions à la ligne bleue – Larry Robinson, Serge Savard, Guy Lapointe, Jimmy Watson, Denis Potvin et Carol Vadnais, mon coéquipier de l'édition gagnante de la coupe Stanley en 1972 –, il était clair que personne ne s'attendait à ce que je charrie la brigade défensive sur mes épaules. Je n'aurais pas à jouer autant de minutes par match que dans la LNH et je pourrais me contenter d'apporter simplement ma contribution à l'équipe. Encore aujourd'hui, je suis reconnaissant d'avoir eu cette occasion de jouer pour mon pays, et je n'échangerais cette expérience pour aucune autre.

Mais ceux qui pensaient que notre groupe de joueurs constituait une équipe coriace devaient concéder que la Tchécoslovaquie avait elle aussi assemblé une superbe formation pour le tournoi. Les Soviétiques n'étaient pas en reste et jouaient du bon hockey, ainsi que les Suédois. Cela dit, les Tchèques ont été la seule équipe à nous vaincre en ronde préliminaire. Et ils nous ont aussi disputé les honneurs d'une féroce série deux de trois. Leur gardien, Vladimir Dzurilla, a réussi à blanchir des marqueurs tels que Guy Lafleur, Marcel Dionne, Bobby Hull et Darryl Sittler pendant la ronde préliminaire. Bien que nous ayons réussi à le déjouer quelquefois lors de la première partie de la finale, il a excellé lors de la deuxième, les Tchèques s'étant même emparés de l'avance en fin de troisième période. Mais Bill Barber est parvenu à compter et a envoyé tout le monde en prolongation, ce qui a donné lieu à l'un des meilleurs moments de coaching de Don Cherry.

Assistant-entraîneur de l'équipe, Don regardait les matchs des gradins. Avant le début de la période de prolongation, il est descendu nous voir au banc pour nous donner un conseil à propos de Dzurilla. Afin de diminuer l'angle de tir de ses adversaires, le gardien tchèque avait tendance à sortir de son filet et à s'avancer vers eux. Si la chance se présente, nous a recommandé Don, feignez de tirer et débordez-le. À peine deux minutes plus tard, Darryl Sittler a déboulé dans le territoire des Tchèques à l'aile gauche, s'est mis en position pour tirer et, au moment où Dzurilla s'est avancé pour le défier, il l'a contourné par la gauche et s'est retrouvé devant une cage béante.

Rien ne peut se comparer à la sensation de gagner pour votre pays. J'ai beaucoup insisté sur le désir de gagner pour ses coéquipiers, ainsi que pour ses proches et les gens de sa communauté. Le sport rapproche les gens, et plus la compétition est importante, plus elle réunit de monde. Pour les gars qui trépignent sur le banc, peu leur importe alors l'équipe pour laquelle ils jouent en saison régulière, ou même la ligue à laquelle ils appartiennent. Lors d'un jour aussi crucial, tant pour les partisans que pour les joueurs, tout est oublié : leur province d'origine, leur appartenance politique. Nous sommes tous Canadiens, et faire partie d'un événement qui a uni autant de gens représente un honneur.

Le lendemain, chaque membre de la formation est retourné à son équipe de la LNH, ce qui signifiait que, pour la première fois de ma carrière, je me dirigeais vers une autre ville que Boston.

Être un athlète professionnel est une manière formidable de gagner sa vie mais peut devenir une expérience pénible quand vous n'êtes pas au meilleur de votre forme et fin prêt à jouer. Les blessures finissent alors invariablement par vous rattraper. Les parties les plus faibles de votre jeu sautent alors aux yeux de vos adversaires, qui tentent d'exploiter vos carences. À ce stade de ma carrière, ma principale faiblesse s'avérait mon manque de mobilité. Et une blessure constitue une faiblesse. Si l'autre équipe se rend compte que vous avez un plâtre à la main droite, vous devez vous attendre à ce que celle-ci s'attire quelques bons coups de bâton. Si vous avez une épaule souffrante, l'adversaire vous frappera chaque fois qu'il le pourra. Si vous êtes blessé à une jambe et que vous en arrachez quand vous virez à droite, c'est toujours là qu'ils vous attendront. À un tel niveau de jeu, vous ne pouvez pas sauver les apparences. L'opposition est trop forte et tout le talent du monde ne peut compenser pour une blessure majeure ou un problème de santé.

L'un des inconvénients engendrés par une blessure affecte votre capacité à vous entraîner. Vous ne parvenez pas à rester à 100 % de votre forme physique, ce qui vous empêche de jouer à votre plus haut niveau. Cette incapacité à garder votre corps en parfaite condition entraîne inévitablement un déclin de votre jeu. Quand je me suis présenté au camp d'entraînement des Black Hawks après la signature de mon contrat, j'étais confronté à ces problèmes-là. Je n'étais pas en mesure de jouer en regard de mes attentes. Mes genoux ne me permettaient tout simplement plus de jouer comme je l'avais toujours fait.

Quand je suis arrivé au vieux Chicago Stadium, le temps m'était compté et l'état de mes genoux était en chute libre. Il m'est difficile de décrire la frustration que j'ai éprouvée à mon arrivée là-bas. Je voulais réellement aider cette fière équipe, et je croyais vraiment en mon pouvoir d'y parvenir, sinon je n'aurais jamais signé de contrat.

Rétrospectivement, c'est facile de dire que je n'aurais jamais dû aller à Chicago et que les jeux étaient faits d'avance. J'avais raté la majeure partie de la saison précédente, mon genou gauche était passé plusieurs fois sous le bistouri et je boitais, en proie à la douleur. Mais c'était ainsi que se passaient les choses pour moi depuis déjà des années. Pour la plus grande partie de ma carrière professionnelle, depuis ma toute première blessure à ma saison recrue, j'avais dû composer avec des problèmes au genou gauche.

Cependant, je ne pouvais attribuer les causes véritables de tous mes problèmes à l'une ou l'autre partie que j'avais jouée, mais plutôt à mon style de jeu. Que voulez-vous, j'aimais transporter la rondelle… Et si vous aimez transporter la rondelle, vous vous exposez aux coups. C'est ainsi que les choses se passent, et pas autrement. Quand vous jouez, vous jouez à fond. Reculer était un verbe qui ne faisait pas partie de mon vocabulaire. Je voulais faire partie de l'action. J'étais conscient du marché. Je savais que si vous défiez les gars d'en face, vous risquez de vous faire mal. Je n'ai jamais vraiment pensé aux dangers que je pouvais courir sur la patinoire. Quand j'y allais d'une montée, ce n'est pas comme si je choisissais un chemin en particulier et que je le suivais. Je suivais plutôt mon instinct, tout me venait de façon naturelle. Si je plaquais, ou si je me jetais sur la glace pour bloquer un tir, je ne réfléchissais pas. Peut-être certains gars jouent-ils en préméditant tous leurs gestes; pour ma part, depuis que je suis enfant, j'ai toujours laissé la partie me dicter la voie à suivre. Maintenant mon instinct ne me servait plus à rien; il me conseillait des choses que je ne pouvais plus faire.

Ce que je ne pouvais prévoir, et ce que peut-être aucun jeune homme ne peut prévoir, c'est la manière dont ces blessures s'accumuleraient et me diminueraient peu à peu. Durant tout le cours de ma carrière, je m'étais cru indestructible. Je n'avais que 28 ans. Je ne me voyais certainement pas comme une personne âgée. Malgré toutes les chirurgies qui s'additionnaient au fil des ans, je me disais que je n'avais qu'à me soumettre au travail de rééducation une fois sorti de la salle d'opération, et que je pourrais retourner jouer. Me rendre compte que je me trompais n'a pas été chose facile.

Pour un athlète qui ne demande qu'à pratiquer son sport, il est pénible de réaliser que son corps ne lui permet plus de le faire. À ce moment-là, vous commencez à douter de vous-même. Et si un athlète perd sa confiance, alors il n'est plus rien. Croyez-moi, tout cela n'a rien d'une partie de plaisir. Il s'agit ni plus ni moins d'un supplice.

J'avais peur chaque soir de mal jouer, et je vivais avec cette épée de Damoclès depuis le premier jour de ma carrière. J'avais compris qu'en toute chose la clé du succès est de se présenter au travail chaque jour, que vous soyez ou non au meilleur de votre forme, et j'étais déterminé à offrir cette contribution à mon équipe. Cela constitue toujours un problème quand des blessures dégarnissent votre alignement, à plus forte raison quand il s'agit de joueurs-clés, mais j'ai toujours cru que même si vous n'êtes pas à votre mieux, vous ne devez sauter aucune présence sur la patinoire. Je devais cela à mon équipe, à mes coéquipiers et à moi-même.

Je n'avais jamais senti de pression quand j'étais en santé. À mes yeux, la pression se veut la peur de laisser tomber les autres, et ce n'est pas quelque chose que vous pouvez maîtriser. Si je pouvais jouer avec la pleine maîtrise de mes moyens et veiller à toutes les choses sur lesquelles je pouvais exercer un contrôle, la pression était inexistante. Mais dès que j'ai été incapable de faire ce que j'avais toujours fait jusque-là, j'ai senti une énorme pression, qui venait surtout de moi-même. À partir de ce moment-là, j'ai perdu cette seconde nature qui était la base même de mon jeu.

Dès le début de ma première saison à Chicago, il a été évident pour tout le monde que je ne pourrais participer entièrement aux séances d'entraînement avec mes coéquipiers. Mes genoux, surtout le gauche, n'allaient jamais bien, en proie à un curieux mélange de douleur et de raideur, au point où parfois je ne pouvais même pas plier la jambe sans forcer mon articulation. Je pouvais à peine marcher – imaginez patiner ! Je voulais jouer, mais j'en étais incapable.

Au total, pour cette première saison avec les Black Hawks, j'ai participé à 20 matchs. Tout a bien commencé pendant les matchs hors-concours, mais mon genou a flanché en octobre. J'ai tenté de faire un peu de bicyclette pour lui conserver la plus grande flexibilité possible, et je portais une botte lestée pour garder à mes muscles leur puissance sans pour autant mettre de pression sur l'articulation, mais ce fut en pure perte. J'ai donc, le même mois, subi une opération mineure afin de retirer des particules flottantes autour de l'articulation. En décembre, c'était retour à la case départ : raideur et douleur, comme toujours. Cela voulait dire en clair : une nouvelle chirurgie et encore plus de temps à en récupérer.

La rééducation et l'attente n'ont jamais été des choses faciles pour moi. Je ne connais pas un athlète qui aime s'asseoir et attendre que son corps guérisse. Vous voulez retourner faire ce que vous êtes censé faire. Mais c'est une chose de suivre une rééducation en vous disant que vous allez en sortir aussi bien-portant que vous l'avez toujours été, et c'en est une totalement différente quand vous devez admettre que rien ne sera plus jamais comme avant. Lors de ma rééducation de cet hiver-là, j'ai dû me résigner au fait que je ne pourrais plus jamais jouer comme j'en avais l'habitude, et j'ai même commencé à me demander si je pourrais jouer de nouveau un jour.

J'ai raté tout le reste de la saison sans faire le moindre progrès. J'ai été contraint de prendre une décision quant à la meilleure chose à faire, à la fois pour moi et pour l'organisation. J'ai donc décidé que je resterais à l'écart du jeu pour toute la saison 1977-1978 en espérant être prêt pour la saison suivante.

Je croyais qu'en prenant toute cette année pour me reposer et me soumettre à une rééducation, mes genoux auraient la chance de guérir. Souvent, le temps et le repos sont les meilleurs remèdes. La décision était difficile à prendre parce que je désirais plus que tout être sur la glace. Je n'étais pas venu à Chicago pour me reposer. Avec le recul, je comprenais que j'avais dû hâter, à plus d'une reprise, mon retour au jeu après une opération parce que je voulais jouer au plus vite. Que dire, sinon que j'étais un hockeyeur professionnel ? Voilà ce que j'étais, et voilà ce que je faisais pour gagner ma vie, alors regarder jouer mes coéquipiers à partir des gradins était une chose qui m'indisposait au plus haut point. Mais avec tout ce que j'avais enduré jusque-là et tous les dommages qu'avaient subi mes genoux au fil du temps, je me suis résolu à ne pas précipiter une nouvelle fois mon retour au jeu. Refuser de récupérer pleinement n'avait pas servi ma cause ; le repos me ferait peut-être du bien.

Cette période de ma vie a été particulièrement pénible. J'ai dit plus tôt que je n'avais jamais ressenti beaucoup de pression comme joueur, mais pour la première fois de ma carrière professionnelle, j'ai commencé à comprendre ce qu'était la pression. J'étais préoccupé par la perspective de ne pas répondre aux attentes des partisans de Chicago ; j'avais peur de laisser tomber mes coéquipiers ; je redoutais que les gens qui avaient milité pour ma venue avec les Black Hawks en viennent à la conclusion qu'ils avaient commis une erreur. Jamais auparavant je n'avais été soumis à ce genre de pression. Je devais me donner une chance supplémentaire de jouer de nouveau, alors voilà : j'ai décidé de rester un an à l'écart du jeu. Je n'ai accepté aucun salaire des Black Hawks. J'étais payé pour jouer au hockey, et je croyais que si je ne pouvais respecter mon engagement, je ne méritais pas d'être payé.

J'ai entamé la saison 1978-1979 en nourrissant les plus hautes attentes envers moi-même. Je m'étais préparé en vue de cette dernière saison comme jamais. Je croyais sincèrement que j'allais réussir ce retour au jeu, et je ne pouvais d'ailleurs pas ne pas y croire.

Six parties ont suffi pour que je doive me rendre à l'évidence.

Je ne pouvais presque pas m'entraîner avec l'équipe et mon temps de jeu n'était plus ce qu'il avait déjà été. Mon genou était trop douloureux pour que je puisse jouer davantage, et rester assis au banc rendait les choses encore pires, car mon genou se mettait à raidir dès que je cessais de bouger.

Je marchais pour assouplir ma jambe, mais monter et descendre des escaliers m'était pénible. J'avais soumis mon genou à de multiples opérations à cette époque. Le cartilage ne se reconstituait pas ; au contraire, il continuait à s'effriter, laissant une surface sans cesse plus grande de l'os à nu. Mes deux ménisques n'étaient plus là, l'os frottait contre l'os et des particules continuaient à se détacher. Les aspérités de l'os et l'arthrite rendaient mon articulation enflée et inerte. Je ne pouvais plus virer, je ne pouvais plus accélérer, je ne pouvais plus jouer au niveau que j'attendais de moi-même. J'avais toujours dit que je jouerais jusqu'au jour où je ne pourrais plus patiner. Ce jour était finalement arrivé.

J'ai marqué mon dernier but dans la LNH le 28 octobre 1978 contre Detroit. Moins d'une semaine plus tard, je prenais ma retraite.

Si j'avais pu jouer avec les habiletés et à la cadence qui avaient toujours été les miennes, j'aurais été volontiers prêt à composer avec toutes les détériorations de mon état physique et l'inconfort qui en résultait. Avais-je mal ? Oui. Y avait-il un jour sans douleur ? Non. Mais j'aurais gaiement poursuivi ma carrière à Chicago malgré tout cela si j'avais pu. Mais je ne pouvais pas, je ne pouvais plus. J'en ai parlé avec Peggy. J'ai avisé Bob Pulford. C'était fini.

Vient un jour où, fatalement, vous devez accrocher vos patins. En ce qui me concerne, j'avais grandi en croyant que je pourrais faire tout ce que je voulais sur une patinoire, et je m'étais moi-même convaincu que je parviendrais à jouer malgré les blessures afin de rester un hockeyeur professionnel aussi longtemps que je le voudrais. Le modèle que j'avais en tête était celui de Gordie Howe, un athlète qui repoussait année après année les blessures graves. Mais il n'y a qu'un seul Gordie Howe, et même la plus résolue des volontés ou la pensée magique ne peut vous prémunir contre l'inéluctable. Malgré tout, je suis heureux d'avoir pu disputer ces ultimes matchs. J'en aurai au moins retiré le soulagement de n'avoir pas passé le reste de ma vie à me demander s'il existait encore une chance que je puisse continuer à jouer et soulever une nouvelle fois la coupe Stanley. Je savais, sans le moindre doute, que je n'étais plus en mesure de jouer.

Le 8 novembre, j'ai eu à affronter une heure que j'avais vu venir depuis déjà un certain temps : celle de la conférence de presse où je devrais annoncer ma retraite. Ce qui avait commencé sur la baie gelée de Parry Sound se terminait dans une salle de presse du Chicago Stadium.

Malgré mon inconfort proverbial à me retrouver en compagnie d'inconnus, ce jour-là, j'ai pleuré. Entouré par les caméras et les microphones, je n'ai pas vu la nécessité de cacher l'état de dévastation dans lequel me plongeait la situation. Le hockey avait été toute ma vie. Je n'avais que 30 ans – l'âge où bien des défenseurs sont à leur apogée. Quiconque a consacré sa vie entière à une passion pour se la voir enlever, cette personne-là sait que les adieux ne sont pas faciles.

Mes larmes n'exprimaient toutefois pas seulement la tristesse. À la fin de ma carrière, j'avais appris à apprécier plus que jamais les gens qui m'entouraient, ces gens qui étaient restés à mes côtés malgré tous mes ennuis de santé et les conséquences qui en découlaient : mes parents, qui avaient toujours été derrière moi depuis ma tendre enfance ; Peggy, toujours là au moment où j'avais le plus besoin d'elle ; mes coéquipiers et tant d'autres personnes liées au hockey. Et les journalistes, et les admirateurs. Dans les semaines qui ont suivi l'annonce de ma retraite, j'ai reçu des centaines et des centaines de lettres, et jamais je ne pourrai oublier ces mots pleins de bienveillance et de bonté.

J'avais toujours considéré mon rôle dans le hockey comme une importante responsabilité. Et même en ces instants où je me retrouvais devant tous ces microphones, je sentais plus que jamais qu'il s'agissait d'un privilège.

En même temps, malgré toute la sympathie et le respect qu'on me vouait, je vivais l'expérience de la retraite dans la solitude la plus complète. J'avais perdu quelque chose que je ne pensais pas les autres capables de comprendre. Tout m'avait filé entre les doigts : ma santé, ma carrière, mon statut dans ce sport.

Et je découvrirais bientôt que j'avais perdu davantage encore.

Ci-contre, à droite : de retour à Parry Sound avec deux trophées remportés lors de mon année recrue dans la LNH : le trophée Elisabeth Dufresne à ma droite, et le trophée Gallery Gods à ma gauche.

Ci-contre, à gauche : scène typique d'après-match – victorieux, si on en croit mon expression. L'amateur de hockey perspicace remarquera que je ne portais pas d'épaulières rembourrées, mais seulement des coquilles cousues à même mes bretelles.

Ci-contre : en compagnie de Derek Sanderson lors d'une pause, pendant une séance d'entraînement au vieux Garden. Notre alignement a connu de nombreux changements à ma deuxième saison avec les Bruins, mais aucun élément de l'équipe n'était plus haut en couleur que « Turk ».

Ci-dessous : durant un match présaison, je fais de mon mieux pour éloigner Reg Fleming des Rangers de notre gardien Gerry Cheevers. Je porte alors le numéro 27 ; je n'adopterai le 4 que plus tard.

« Le but » de 1970 croqué en trois temps, d'un angle moins familier. Le premier cliché a été pris une fraction de seconde après le but ; le deuxième, à la fin de mon vol plané ; le dernier, alors que je suis invisible, déjà enseveli sous la masse de mes coéquipiers survoltés.

Ci-dessus : je savoure ma première coupe Stanley.

Ci-contre : avec notre thérapeute et mon bon ami et colocataire John « Frosty » Forrestall.

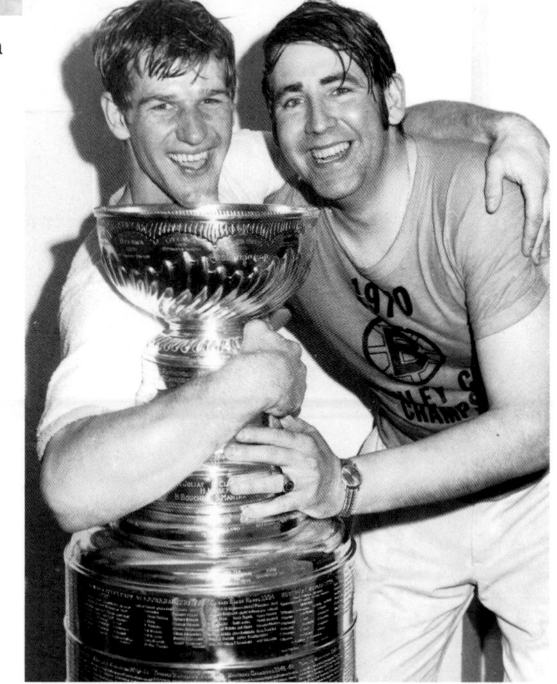

Trois scènes de la parade qui a eu lieu lors de la Journée Bobby Orr tenue à Parry Sound en mai 1970. La photo du haut nous donne un aperçu de la mode de l'époque (l'ensemble de Derek Sanderson vaut à lui seul le déplacement). Au milieu, j'ai pris place dans une décapotable avec Eddie Johnston. En bas, mes parents font eux aussi partie du cortège. La victoire est encore meilleure lorsqu'on peut la partager à la maison, avec sa famille et ses amis.

Ci-contre : en compagnie de l'homme qui a relancé les Bruins de Boston, le directeur général des Bruins et mon bon ami, Milt Schmidt.

Ci-dessous : j'accueillerais n'importe quand et à bras ouverts les trois gars qu'on voit ici en ma compagnie lors du souper du match des Étoiles de 1971 : Phil Esposito, Bobby Hull et Gordie Howe.

Ci-dessus : réunion estivale au chalet de grand-maman Orr. J'ai la main sur l'épaule de ma grand-mère et je parle à ma tante Margaret et ma cousine Joanne. Dans la rangée du fond, on peut voir ma tante Joyce Abbott et mes cousins Robbie Atherton, Debbie Atherton et Neil Abbott. Au premier plan, de gauche à droite : mon beau-frère Ron Blanchard et ma sœur Penny, ma femme Peggy, et Darryl Sittler et sa femme Wendy.

Ci-contre : petite croisière sur la baie Géorgienne avec Peggy ainsi qu'Eddie Johnston et sa femme Diane.

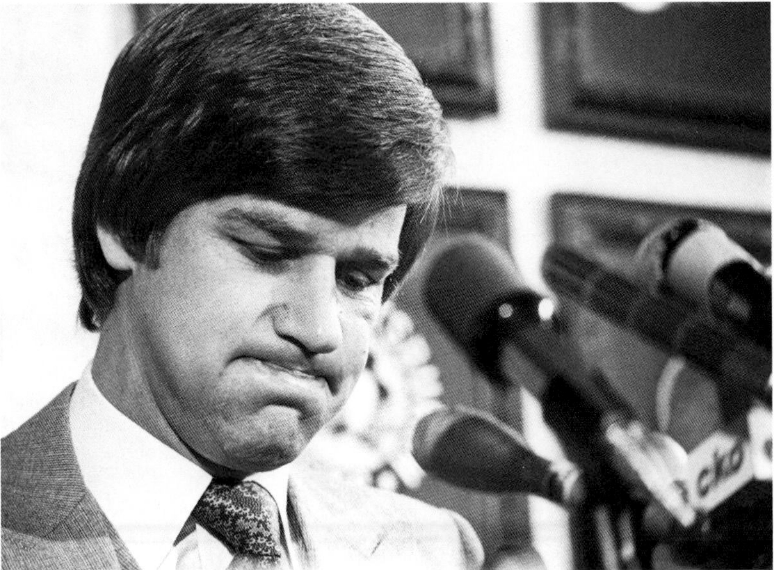

En haut : j'ai vécu l'une des plus grandes sensations de ma carrière quand j'ai eu l'honneur de défendre les couleurs de mon pays lors de la Coupe Canada, en 1976. Le gardien tchécoslovaque Vladimir Dzurilla a été brillant tout au long du tournoi, mais je réussis ici à déjouer sa vigilance.

En bas : l'un des moments les plus éprouvants de ma carrière et de ma vie, lors de l'annonce de ma retraite, le 8 novembre 1978. Mon expression en dit plus long que tous les discours…

CHAPITRE 9

À propos d'Alan Eagleson

À ce point de mon livre, je n'ai toujours pas mentionné le nom d'Alan Eagleson, et cela pour une excellente raison. Je ne désirais pas que son nom vienne créer une digression dans le cours de cet ouvrage. Si j'avais le choix, je n'écrirais pas un mot de plus au sujet de cette personne, et cela exactement pour la même raison que je parle rarement de lui. Alan Eagleson ne fait plus partie de ma vie, il n'est qu'un mauvais souvenir. Mais je dois à la vérité de dire qu'il a *déjà* fait partie de ma vie, et une partie très importante même, et qui plus est à un moment crucial. Et c'est pourquoi il convient que je vous fasse part de mes réflexions sur son compte.

Je dois toutefois vous avouer que ce ne sera pas une tâche aisée que d'écrire à son propos. Les souvenirs que je conserve de lui me mettent à la fois en colère et mal à l'aise: en colère pour le mal qu'il a fait à tant de gens et mal à l'aise parce que j'ai été l'une de ces personnes. Que deux tribunaux de deux pays l'aient reconnu coupable et qu'il ait été envoyé en prison pour détournement de fonds et fraude, voilà qui devrait tout dire de l'homme. Et pourtant, cela suffit à peine à brosser son portrait. Aucune des transactions que nous avons scellées ne fait même partie des charges qui ont finalement mené à ses condamnations et à son emprisonnement. J'ai été trahi par quelqu'un que je connaissais depuis que j'étais un gamin. Bien qu'il ait payé le prix fort pour plusieurs de ses crimes, il n'a jamais eu à répondre de cet acte de trahison.

Tout le monde peut commettre un méfait et être condamné pour cela. Il n'y a rien là de bien exceptionnel. Mais être dépouillé d'honneurs tels que l'Ordre du Canada et une place au Temple de la renommée du hockey se veut une punition réservée à un genre de criminel pour le moins singulier. Cela veut dire que vous avez accompli de grandes choses dans votre vie, et cela veut également dire que vos méfaits ont été assez graves pour porter ombrage à ces hauts faits d'armes.

Personne ne peut nier le fait qu'Alan Eagleson s'est signalé par diverses réalisations d'importance. Il a presque à lui seul changé le hockey en valorisant les joueurs et en développant le hockey à l'échelle internationale. Il a posé les jalons de ce que plusieurs tiennent pour le plus grand événement sportif du XXe siècle : la Série du siècle. Il a créé la Coupe Canada. Sans lui, Foster Hewitt n'aurait jamais crié : « Henderson a compté pour le Canada ! » et Mario Lemieux n'aurait pas brillé de tous ses feux contre les Soviétiques lors de Rendez-vous 1987.

Je n'énumère pas tous ces faits marquants pour fabriquer une aura de héros à Eagleson – loin de là. La seule raison pour laquelle je me donne cette peine ne sert qu'à montrer la manière dont ses sombres méfaits ont effacé tous ces brillants exploits. À la fin, plusieurs de ses plus grands accomplissements eux-mêmes reposaient sur la malhonnêteté. Il a souillé la mémoire de tout ce qu'il avait fait pour gagner le respect et la reconnaissance des gens qui l'entouraient. Puis il a vu tout ce dont il pouvait tirer quelque fierté devenir un monument élevé à sa cupidité.

La même chose vaut pour la relation que j'ai entretenue avec lui. Quand il est entré dans ma vie, j'ai cru qu'il était un ami. Bien plus qu'un ami, même. Je lui ai fait confiance en toute chose. Imaginez un ami à qui vous confieriez la gestion de toutes vos opérations financières sans lui poser la moindre question. La confiance ne saurait être plus grande et plus entière que celle que je lui ai vouée. La confiance est une chose rare et précieuse. Comme toutes les choses pendant sa carrière, Alan Eagleson a réussi à transformer la confiance, si rare et si précieuse, en une chose infecte et regrettable.

◈

Ma première rencontre avec Alan Eagleson remonte à l'été 1964. J'avais alors 16 ans et je faisais partie d'une équipe championne de baseball, Au banquet donné à la fin de la saison, qui coïncidait avec une présentation de trophées dans la petite ville de MacTier, pas très loin de Parry Sound, Eagleson s'est levé et s'est adressé aux joueurs et à leurs parents. L'homme en imposait par sa prestance et sa confiance en lui-même. Il savait parler en public et ranger les gens à son point de vue. En fait, cela était le cœur de son travail en tant qu'avocat et membre du Parlement.

Notre premier contact avec Eagleson a eu lieu après les festivités à MacTier. C'est à ce moment qu'a débuté notre relation. Nous n'avons pas mis de temps à être impressionnés par l'homme. La décision d'embaucher un agent revenait à mes parents, et tous les deux se sont sentis à l'aise avec Alan Eagleson. Et à vrai dire, moi aussi. Que vous l'aimiez ou pas, Eagleson savait vendre – tout particulièrement sa personne. Ma mère lui a posé la question la plus délicate : le montant qu'il en coûterait pour ses services. Posant sur elle son regard le plus sincère, il lui a répondu :

— Madame Orr, je ferai de l'argent seulement si votre fils en fait…

Et il disait vrai.

S'il existait d'autres agents à ce moment-là, nous n'avions jamais entendu parler d'eux. Dans les années 1950 et 1960, les sports professionnels étaient dirigés avec une poigne d'acier par les propriétaires d'équipe. Peu importe le sport – hockey, baseball, football, basketball –, les conditions étaient fondamentalement les mêmes pour la plupart des joueurs. La direction imposait les règles et déterminait les salaires, et les joueurs n'avaient d'autre choix que d'accepter l'offre qu'on leur soumettait. Les pensions étaient ridicules et l'assurance médicale n'était effective que lorsque vous jouiez pour l'équipe. Beaucoup de joueurs travaillaient en qualité de cols bleus pendant la saison morte pour joindre les deux bouts. Une fois qu'ils prenaient leur retraite ou qu'une blessure interrompait leur carrière, ils étaient livrés à eux-mêmes.

Dans une ligue de six clubs dont chacun était roi et maître des droits contractuels de ses joueurs et où les propriétaires possédaient toutes les cartes du jeu, on voyait mal comment un joueur pouvait espérer un jour plaider sa cause pour obtenir un meilleur traitement. Certains joueurs ont tenté de se tenir debout ou de décrocher une légère augmentation de salaire d'un propriétaire ou d'un directeur général, d'autres ont été envoyés croupir dans les mineures ou échangés à une autre équipe. Si un joueur – par exemple Ted Lindsay, à la fin des années 1950 – avait le courage de se lever et d'oser parler de son désir d'appartenir à une association de joueurs, c'était pour découvrir que la ligue ne permettrait même pas aux joueurs de consulter les documents relatifs à leurs propres fonds de pension. En « récompense » de leurs efforts, Lindsay et ses compagnons organisateurs Gus Mortson et Ferny Flaman ont été rapidement échangés.

Les joueurs de cette ère évoluaient dans un environnement où l'information disponible sur les salaires que touchaient les uns et les autres était inexistante, et très peu d'entre eux osaient défier les conventions établies par le système. Personne ne voulait être le gars qui serait éjecté du vestiaire et expédié sous d'autres cieux.

Je n'étais qu'un tout jeune homme d'une petite ville qui n'avait jamais joué une seule partie comme professionnel et qui rêvait d'accéder un jour à la LNH. L'idée d'avoir à négocier quoi que ce soit ne m'intéressait pas. Cependant il était clair pour mes parents et pour moi-même que nous aurions besoin d'aide si nous avions à traiter avec des gens qui présidaient aux destinées de la LNH. Il est possible qu'Eagleson fût le seul agent de tout le hockey au moment où j'ai été prêt à signer mon premier contrat professionnel. Il comptait déjà quelques clients à l'époque où je l'ai rencontré, parmi lesquels Bob Baun, Carl Brewer et Bob Pulford. Mais il n'en était encore qu'à ses débuts dans le métier d'agent.

Les circonstances et le timing m'indiquaient une seule voie à suivre, et cette voie menait sans équivoque à Alan Eagleson. Il me semblait que le jumelage serait parfait. Les Bruins ne faisaient aucun mystère qu'ils désiraient me mettre sous contrat, mais il n'était pas dans leurs coutumes de négocier, eux qui dictaient normalement leurs volontés aux joueurs. Mes parents ne possédaient pas ce rare talent qui consiste à s'asseoir face à un peloton constitué de vétérans du hockey et de propriétaires d'équipe dans le but de leur imposer votre point de vue…

Il y a une chose qui vous sautait aux yeux quand vous rencontriez Eagleson : cet homme ne se laisserait intimider par personne. Il avait une personnalité qui marquait ceux qui l'approchaient, tout particulièrement des gens comme les Orr, qui n'avaient franchement aucune expérience dans les affaires ou dans l'art de la négociation. Et je ne peux passer sous silence le fait qu'Eagleson a plus que livré la marchandise. Quand j'ai signé mon premier contrat avec les Bruins, le montant accordé était bien des fois plus élevé que celui offert initialement par Hap Emms. Il aurait fallu être d'une incroyable mauvaise foi pour ne pas reconnaître qu'Eagleson abattait un bon boulot.

Il ne fallut pas attendre bien longtemps pour que la carrière d'Eagleson et la mienne soient intimement liées. L'homme était en pleine ascension, calme et confiant devant les médias, capable de discuter d'égal à égal avec les propriétaires dans les salles de conférence de la ligue. Agent le plus connu de son sport, il s'est bientôt occupé de plusieurs dizaines de clients. Et en 1967, l'AJLNH (l'Association des joueurs de la Ligue nationale de hockey) était créée. Cinq ans plus tard, son nom était désormais bien connu du grand public et il était peut-être devenu l'homme le plus important du hockey.

Voilà pour le tableau d'ensemble. À une échelle plus modeste, Alan Eagleson a fini par jouer un rôle dans tous les aspects de ma vie, y compris celui touchant à mes finances. Je n'étais pas spécialement doué pour les chiffres et je trouvais que tout ce qui concernait ce domaine équivalait à une perte de temps et une source d'ennui. La dimension financière des choses n'était tout simplement pas importante pour moi, en partie parce que je n'avais jamais eu d'argent. Le sujet ne représentait aucun intérêt pour moi et je voyais en Eagleson un excellent conseiller financier. Son travail consistait justement à s'occuper de ces choses qui m'empêchaient de me concentrer sur le hockey.

Du moment où j'ai apposé ma signature au bas de mon premier contrat de la LNH, à 18 ans, et pour presque toute la durée de ma carrière professionnelle, Alan Eagleson a été à mes côtés et s'est occupé de tout ce qui avait trait à mes finances. Les années ont passé, notre relation s'est étoffée, il a fait ce que j'attendais de lui. Je jouais au hockey et, de temps à autre, il alignait devant moi des contrats que je signais. Les endossements se succédaient. Et plus Eagleson accumulait les succès, plus j'étais confiant dans ses capacités et la manière dont il conduisait mes affaires, et plus je m'estimais chanceux de pouvoir compter sur un homme comme lui. J'avais plus d'argent que je n'en avais besoin, sans compter l'assurance qu'une personne en qui j'avais toute confiance veillait sur mon avenir financier.

On aurait difficilement pu imaginer une relation de travail plus heureuse entre un joueur et son agent, et je n'avais aucune raison de mettre en doute ses conseils. Nous étions des associés en affaires, certes, mais notre lien allait bien au-delà de cette dimension. Nous étions des amis, de très bons amis. Quand votre bon ami est futé et puissant et qu'il fait ce qu'il a à faire, s'il vous dit qu'il a vu à telle ou telle chose, pourquoi auriez-vous la moindre inquiétude ? J'aurais bien voulu me voir dire au plus grand bâcleur de transactions du hockey comment gérer la fortune de ses clients... J'imaginais qu'il s'occupait de ces choses dans lesquelles il excellait tant, et j'en faisais autant de mon côté.

Mais ici et là étaient apparus des signes laissant soupçonner qu'il n'était pas l'homme d'affaires le plus scrupuleux qui fût. Eagleson possédait un cottage près d'Orillia, un peu au sud de Parry Sound. Il avait décidé en 1969 que nous pourrions réaliser un coup formidable, chaque été, dans la région de Muskoka située au nord de Toronto, si nous consacrions temps et argent dans le développement d'un camp de sport.

Le montant exact de temps et d'argent en question n'a été connu que par la suite. Mon partenaire Mike Walton et moi avons pris la chose très au sérieux, chose normale puisque l'enseigne de l'entreprise arborait nos noms. Nous n'avons jamais tourné les coins ronds et avons donné de multiples sessions d'enseignement sur la glace ; nous voulions que les choses soient faites dans les règles de l'art. Plus tard, plusieurs membres de la famille Eagleson se sont retrouvés sur la liste de paye. Son beau-père a été engagé pour bâtir les installations. (En fait, le même beau-père a été engagé par Eagleson pour construire la nouvelle maison que j'ai offerte à mes parents à Parry Sound une fois que je suis devenu joueur professionnel et que j'ai disposé d'un peu d'argent. Je ne crois pas trop me tromper en pensant que cet appel d'offres a été rondement mené…) En plus, il suggéra que certaines personnes viennent au camp pour agir en tant qu'instructeurs, services pour lesquels ils étaient payés. Bien entendu, on retrouvait sur place des clients d'Eagleson ou des joueurs qu'il désirait avoir comme nouveaux clients. Pour dire vrai, il distribuait des à-côtés à tous ces gens tandis que Mike et moi l'aidions à défrayer toutes les factures.

Il serait faux d'affirmer que le camp a été un désastre. La plupart des joueurs qu'Eagleson y avaient attirés étaient de bonnes personnes, prêtes à fournir de bonnes journées de travail au camp. Mais si j'avais vu un peu plus clair, j'aurais compris qu'Eagleson tirait profit du camp et que plusieurs de nos entreprises ne servaient qu'à rémunérer des membres de sa famille ou des amis à lui – sans qu'il ait jamais à mettre la main dans sa poche.

Au bout d'un moment, j'ai commencé à comprendre que Eagleson ne voulait pas seulement avoir la mainmise sur les finances de ses clients, mais aussi sur les relations qu'ils entretenaient. Il voulait être le seul maître à bord et cherchait à diminuer toute influence qui n'était pas la sienne. Il semblait exiger une totale loyauté à tous les niveaux et cherchait à s'immiscer dans les relations amicales de ses clients.

Par exemple, il a commencé à se livrer à des stratagèmes psychologiques à l'endroit de certaines personnes de mon entourage, dont des amis de la famille tels que Bill Watters. Eagleson me disait des choses à propos de Bill afin de créer une forme de tension entre nous. Eagleson me « confia » que Bill ne voulait pas que mon père soit mêlé à aucun aspect relatif à l'école de hockey ou toute autre entreprise dans laquelle nous étions associés. Toute cette histoire n'était qu'un tissu de mensonges ; Eagleson usait de cette sorte de tactique pour monter les gens les uns contre les autres et les amener à perdre confiance. Il me voulait entièrement dépendant de ses conseils et de son amitié, et cela laissait bien peu de place pour d'autres personnes. Dès qu'il suspectait quelqu'un – par exemple, Bill – de se rapprocher de moi, il fabriquait ses petits scénarios et les disséminait dans l'air ambiant.

L'un de mes grands regrets réside dans le fait que ses stratégies ont fonctionné. Au fil des années, certains de mes amis et de mes coéquipiers n'aimaient pas Eagleson ou ne lui faisaient pas confiance. Mais j'étais son ami et je prenais fait et cause pour lui, même contre les gens qui ne cherchaient que mon bien. Cette amitié m'a coûté cher.

Plus Eagleson est devenu puissant, plus il a été dur d'approche. La manière dont il traitait les gens en public a commencé à me déplaire. Je n'oublierai jamais un lunch d'affaires que Eagleson et moi avons eu avec Paul Fireman, qui est aujourd'hui l'un des hommes les plus riches sur terre, mais qui n'était alors qu'un prometteur entrepreneur de la région de Boston. Fireman voulait nous parler d'une possible association de commandite avec sa nouvelle compagnie d'articles de sports. Nous nous sommes tous les trois rencontrés dans un bon restaurant et, à peine assis, Eagleson s'est mis à gueuler au point où le pauvre Paul voulait disparaître sous son siège. Eagleson n'était pas seulement agressif; son langage était déplacé et d'une vulgarité sans nom. Je présume qu'il tentait d'impressionner Paul, mais il n'a réussi qu'à l'offusquer, en même temps que tous les gens présents dans l'établissement. Sans doute dans le but d'insulter encore davantage Fireman, Eagleson a quitté la salle du restaurant pour aller téléphoner d'une cabine publique, laissant son invité parfaitement abasourdi et silencieux. J'en avais assez vu et entendu. J'ai fait venir le gérant, j'ai offert mes excuses pour le langage employé et le dérangement occasionné par Eagleson, et la rencontre a pris fin peu après.

Des années plus tard, Paul m'a avoué qu'il n'avait jamais vu un pire comportement que celui d'Eagleson ce jour-là. La compagnie qu'il avait fondée s'appelle Reebok et Fireman soutient qu'après cette rencontre avec Eagleson, il a décidé de ne jamais travailler avec lui ou aucun de ses clients. Le destin a voulu que Paul et moi devenions bien plus tard de bons amis, mais ce lunch aurait pu me priver d'une éventuelle belle amitié, et il m'a certainement coûté une association intéressante à l'époque.

Il est venu un moment où je ne pouvais tout bonnement plus me rendre dans un restaurant avec Eagleson parce qu'il était souvent agressif et vulgaire. Pendant longtemps, je n'ai pas eu le cran de lui faire la moindre remarque. Je ne parvenais pas à trouver un moyen de m'extirper du filet dans lequel j'étais pris, car tant d'aspects de ma vie étaient liés à Eagleson et sa compagnie. J'étais coincé dans une situation que je ne maîtrisais pas du tout, et ma relation avec Eagleson m'avait rendu incapable de réagir. Je l'avais laissé me dominer à un point tel que me libérer de son emprise devenait une tâche surhumaine. Il avait la mainmise sur tout: mon argent, mon horaire – ma vie. Et j'avais peur de faire de l'ordre dans ma propre vie.

Malgré tous les problèmes, malgré tous les signaux d'alarme, beaucoup de gens ont, comme moi, choisi de ne pas voir la réalité en face quand il s'agissait d'Alan Eagleson. On doit aussi remettre les choses dans leur contexte: je connaissais une carrière de hockeyeur pour le moins intéressante et l'avenir s'annonçait radieux. Je croyais que la facette financière de ma vie suivait une trajectoire comparable à celle de mon statut d'athlète: propre et prospère. Ces deux aspects me semblaient aller de pair, l'un reflétant l'autre, et cela s'avérait particulièrement vrai à cause de l'homme qui était à la tête de tout ce qui touchait à mes finances.

Je le répète, personne ne peut nier qu'Alan Eagleson savait négocier un contrat. Dès que j'ai rayé la surface d'une patinoire de la LNH, j'ai fait partie des athlètes les mieux payés. Cela s'expliquait par le fait que la plupart des gars étaient sous-payés, surtout ceux qui en étaient à leurs débuts. Mais quand les salaires se mirent à grimper, le mien monta d'autant. Mon deuxième contrat fut le premier de notre sport à dépasser le million de dollars. Eagleson pouvait être impitoyable en affaires et ne redoutait personne. De telle sorte que même quand les défauts d'Eagleson m'apparurent évidents, je trouvais réconfortant de savoir qu'un homme tel que lui veillait sur mes intérêts.

Mon association avec Eagleson a commencé à battre de l'aile pendant mon passage à Chicago. À un certain moment, je ne pouvais même plus supporter d'être dans la même pièce que lui. J'en étais rendu à ce point où je devais impérativement m'éloigner de lui, sans égard à ce qu'il m'en coûterait, financièrement et autrement.

Le fait est que je ne serais jamais allé jouer à Chicago si je n'avais pas voué à Eagleson une confiance absolue. J'avais le B de Boston tatoué sur mon cœur. Je n'étais pas allé à Chicago par appât du gain, mais bien parce que c'est là qu'on m'avait conseillé d'aller.

La chose paraît évidente aux yeux de tous aujourd'hui, c'était un conseil empoisonné. Non que j'aie quoi que ce soit à reprocher aux Black Hawks, mais plutôt parce que je n'ai jamais su toute la vérité sur l'offre de Boston. Eagleson ne cessait de me répéter que les Bruins avaient lancé la serviette à mon sujet et qu'ils étaient prêts à se débarrasser de moi. Et j'étais outragé de constater que l'équipe qui comptait tant pour moi croyait ma valeur en chute libre.

Mais je n'avais eu droit qu'à une partie de l'histoire. Eagleson avait opportunément oublié de me dire exactement ce que m'offrait Jeremy Jacobs, le nouveau propriétaire des Bruins. En vérité, Eagleson n'a pour ainsi dire jamais discuté de cette offre en détail avec moi. Des rumeurs ont commencé à circuler, et quand certaines choses se sont rendues jusqu'à mes oreilles, je lui ai posé des questions. Il m'a simplement dit que l'offre de Chicago était la meilleure, point. Toute discussion était inutile. Avec le recul, je sais que j'aurais dû exiger de lui de savoir tous les détails entourant l'offre des Bruins, mais je ne croyais pas la chose nécessaire.

La suprême ironie de toute cette histoire est que l'information qu'Eagleson me cachait m'est presque parvenue, mais je n'ai même pas voulu l'entendre. Je me souviens que ce jour-là, je faisais de la bicyclette stationnaire dans le vestiaire des Bruins dans le cadre de ma rééducation lorsque Paul Mooney, le président de l'équipe à l'époque, est venu me voir pour discuter. Et j'ai tout simplement refusé de l'écouter. Il m'a demandé si je connaissais la nature de la proposition que l'équipe m'avait faite. Je lui ai répondu qu'il tentait d'interférer dans ma relation avec Eagleson et que ça ne fonctionnerait pas. Fin de la discussion. Quand j'ai enfin découvert ce qu'il avait tenté de me dire, il était trop tard.

Jeremy Jacobs se préparait à m'offrir une partie de l'équipe afin de s'assurer que je demeure un Bruin toute ma vie. Non seulement y avait-il beaucoup d'argent sur la table mais, chose plus importante encore, ils m'offraient d'être propriétaire. Le genre de proposition dont nous parlons ici représentait alors un énorme investissement, et je vous laisse imaginer ce qu'il vaudrait 35 ans plus tard. Une montagne d'argent...

L'offre des Black Hawks s'élevait à environ 500 000 $ par année pour cinq ans, ce qui constituait certainement un beau pactole. J'étais honoré de signer ce contrat. Mais même une personne aussi limitée que moi sous le rapport des connaissances financières aurait su laquelle des deux offres était la plus profitable à long terme. À condition, bien sûr, d'avoir pu exercer véritablement un choix.

Tout agent ou conseiller financier qui reçoit une proposition de ce type doit en informer son client sous tous les aspects afin qu'il puisse prendre une décision éclairée. J'approchais de la fin de ma carrière et, eu égard à l'état de mes genoux, mes gains futurs en tant que hockeyeur représentaient une interrogation. Eagleson le savait. Le choix qu'il aurait dû me dicter était limpide...

Des négociations qu'il avait eues, Eagleson ne m'a communiqué que ce qui faisait son affaire. Pourquoi ? Je peux seulement présumer qu'il a agi ainsi dans le but d'engranger le plus grand profit pour lui, et non pour son client. Toutes sortes de rumeurs couraient dans la presse sur mes négociations de contrat. Manifestement, d'autres personnes étaient au courant des intentions des Bruins à mon égard. Comment ai-je pu avoir été maintenu dans une telle ignorance ?

Il faut savoir qu'Alan Eagleson avait appris à utiliser les médias à son profit en période de négociations de contrat. Quand ils lisaient dans le journal un article en rapport avec leur dossier, les clients ne pouvaient jamais savoir s'il s'agissait d'une rumeur ou d'une tactique employée par Eagleson pour se conférer un avantage à la table de négociations. Quiconque le connaissait savait qu'il devait se méfier de ce qu'il racontait aux journalistes.

Et pourtant je l'ai cru. Je n'avais aucune raison de me méfier de lui, et encore moins de songer qu'il était en train de faire échouer le meilleur marché pour moi. Après tout, ce n'était pas que mon agent, mais aussi un ami inestimable.

J'ignore encore aujourd'hui pourquoi il a fait cela. Je n'arrive pas à comprendre le bénéfice qu'il pouvait retirer de cette trahison. Des gens ont supposé qu'il faisait ainsi une faveur aux propriétaires des Black Hawks, et il est vrai qu'Eagleson entretenait d'amicales relations avec la famille Wirtz. Mais il était aussi mon ami et il n'est pas clair qu'il ait fait une faveur à aucune des parties en sabotant l'offre des Bruins. Je crois que je n'aurai jamais toutes les réponses à mes questions, et cela ne m'importe plus vraiment aujourd'hui. À la fin, la seule chose qui compte, c'est que la personne en qui j'avais placé ma confiance m'a trahi. Cet ami qui m'était si cher, cette personne que je payais pour qu'elle prenne soin de mes intérêts financiers, s'est avérée être la dernière à qui j'aurais dû me fier. Plus tard, j'ai compris qu'il fallait que je mette la plus grande distance possible entre cet homme et moi.

Finalement, au printemps de 1979, j'ai décidé d'organiser un dernier rendez-vous avec Eagleson pour nous séparer à l'amiable. Peggy et moi l'avons rencontré à l'appartement d'un ami commun, à New York, sachant bien qu'il ne s'agirait pas d'un après-midi des plus agréables. À ce moment-là, il m'était clairement apparu que, dans l'exercice de ses fonctions en tant que représentant pour mes négociations de contrat et autres aspects de mes affaires financières, Alan Eagleson m'avait trompé. Admettre cela m'était extrêmement pénible ; premièrement, il m'avait fallu comprendre que cet homme s'était joué de moi, deuxièmement, je devais me tirer de ses griffes. Les malversations d'Eagleson étant devenues trop évidentes, la rupture représentait désormais la seule issue possible à notre association.

Même durant cette ultime rencontre au sommet, il a continué à me servir ses bravades typiques et m'a répété que tout se passerait bien si je restais son client. Il a eu le culot, même à ce stade, de tenter de me faire croire qu'il était dans mon intérêt de rester dans son « équipe ». À un certain moment, il m'a dit, les yeux dans les yeux :

— Ce serait une erreur de me quitter.

Soutenant son regard, je lui ai répondu :

— Alan, je me fiche de savoir comment les choses vont tourner. Je dois prendre mes distances.

On aurait pu couper l'air au couteau autour de nous. Mon seul désir était de quitter la pièce au plus vite et de laisser cet homme derrière moi. Pour la sauvegarde de ma propre santé mentale, je devais m'éloigner de lui.

Cette santé mentale était d'ailleurs à peu près tout ce qui me restait. Les forfaits d'Eagleson ne se limitaient pas à m'avoir caché la proposition des Bruins de faire de moi un copropriétaire de l'équipe; il me laissait pratiquement ruiné. Je n'avais pas été élevé dans un milieu très riche, et je connaissais des enfants qui venaient de familles encore plus modestes que la mienne, alors je ne veux pas utiliser le mot « ruiné » à la légère. Je ne veux pas non plus me lancer dans un inventaire de mes actifs et passifs à l'époque. Mais j'avais joué plus d'une décennie comme hockeyeur professionnel en étant l'un des joueurs les mieux payés de l'histoire de ce sport. Je n'étais pas en manque d'endossements. Et pourtant, quand j'ai quitté la LNH, je n'étais pas dans la situation financière à laquelle j'aurais été en droit de m'attendre.

Pendant des années, Eagleson avait répété à qui voulait l'entendre que je serais millionnaire à 25 ans. Ce n'est pas tout à fait ce qui est arrivé…

Où est passé tout cet argent? Je ne le saurai jamais. La plus grande part de ce qui restait a été absorbée par des taxes impayées. Celles-ci étaient-elles dues à son incompétence en tant que gestionnaire, sa cupidité ou sa mesquinerie? Ça non plus je ne le saurai jamais. Rien de tout cela n'a plus d'importance aujourd'hui. Tout ce que je peux dire, c'est que le peu qui me restait à ce moment-là, je l'ai vu quasiment disparaître.

Je n'ai pas été le seul joueur de hockey victime des pratiques d'Alan Eagleson. Chaque hockeyeur professionnel a payé le prix. Manifestement, avec bien d'autres membres de notre association de joueurs, nous avons manqué à nos devoirs concernant Alan Eagleson. Avec le temps, on a découvert bien des incohérences dans ses transactions, mais c'est sa personnalité que je ne comprendrai jamais.

Il possédait tout ce qu'une personne pouvait humainement désirer, mais cela ne lui suffisait apparemment pas. Par exemple, lors de la tenue de Coupe Canada, les joueurs et le personnel de l'équipe étaient habillés par un tailleur de Toronto du nom de Marty Alsemgeest. Tous ces achats étaient défrayés par des certificats-cadeaux achetés par Eagleson à même les fonds d'Équipe Canada. Mais selon les affirmations de

Marty, des amis d'Eagleson complètement étrangers à l'équipe se présentaient à son commerce avec ces certificats-cadeaux. Les amis d'Eagleson profitaient de ses largesses, mais au bout du compte ce sont les joueurs qui payaient la note.

Durant ces années-là, Eagleson multipliait à loisir ce genre de manigances. Je me souviens de plusieurs réceptions que donnait Eagleson à sa résidence torontoise. Chaque fois, avant de prendre congé de l'hôte, les invités se voyaient remettre un sac rempli de cadeaux. Nous n'avons pas tardé à nous rendre compte que ces sacs-cadeaux regorgeaient de produits qu'il avait reçus à titre gracieux de diverses compagnies qui avaient des liens avec l'un ou l'autre de ses innombrables clients. Il cherchait toujours à profiter d'une façon ou d'une autre de la situation et ne pouvait pas conclure un marché en toute honnêteté et en toute transparence.

Dans son ouvrage *Game Misconduct*, Russ Conway montre toutes sortes de cas où Eagleson s'est placé en conflit d'intérêts. Je ne m'aventurerai pas à les énumérer. Mais un exemple parmi tant d'autres illustre bien son avidité. Quand l'AJLNH a déménagé son siège, Eagleson a profité de l'occasion pour louer dix places de stationnement alors que l'association n'en disposait que de quatre. L'AJLNH et Hockey Canada ont épongé la facture.

Mon vieux coéquipier Gerry Cheevers a eu une répartie savoureuse peu après qu'Eagleson eut négocié pour lui un nouveau contrat. Quelqu'un lui a demandé le montant supplémentaire que les efforts d'Eagleson lui avaient rapporté, et Cheevers a répondu :

— Il est allé me chercher 1 500 dollars de plus, mais quand j'ai reçu sa facture, je lui devais le double !

Il est difficile de résumer une personne comme Alan Eagleson en seulement quelques mots. Il me donne l'impression d'un homme qui était, par-dessus tout, animé par la cupidité. Et ce mot, cupidité, semble revenir dans chaque conversation que vous avez avec des gens qui ont connu l'individu. Il en voulait toujours plus, peu importe les moyens par lesquels il y parviendrait et qui payerait la note. Mais il y a aussi un autre mot que j'associe maintenant à sa personne…

Quand je repense à toute une foule d'incidents dont j'ai été témoin pendant ces années où je l'ai côtoyé, je me rends compte qu'Eagleson avait élevé l'intimidation au rang de forme d'art. Il se servait de son pouvoir pour obtenir des gens ce qu'il voulait et il n'avait pas peur de les menacer afin de parvenir à ses fins. Je ne sais pas comment vous définiriez l'intimidation, mais je crois que les agissements d'Alan Eagleson la décrivent drôlement bien.

Je ne rappelle pas toutes ces scènes du passé pour susciter la pitié. Je ne veux pas me dépeindre sous les traits d'une victime, parce que j'étais en fin de compte la seule personne responsable de mes propres actions et de mes finances. J'ai confié à Alan Eagleson une grand part de responsabilités, mais cela restait ma décision. Ce manque de jugement – je parle de la confiance absolue que je lui vouais – est une erreur qui n'appartient qu'à moi. J'ai fini par comprendre que je n'avais pas veillé à mes propres affaires et je ne peux blâmer personne pour cette erreur. Eagleson me glissait des papiers légaux sous le nez en me demandant de les signer, et je les signais parce que je n'avais aucune raison de m'objecter. Il a peut-être abusé de ma confiance, mais il s'agissait bel et bien de ma signature.

Toutes mes énergies de l'époque étaient vouées à une seule priorité, et celle-ci consistait à être le meilleur possible dans le sport que j'aimais. Presque tout le reste n'était alors pour moi rien de plus qu'une distraction. Cela a été une erreur, une monumentale erreur, et j'en suis le seul responsable.

Les gestes d'Alan Eagleson m'ont blessé de toutes sortes de manières, financières et autres. Ils m'ont particulièrement blessé à cause de la relation que nous avions tissée. Nous étions des amis. Nous formions une équipe. Nous étions des frères. Je crois que l'une des pires choses qui puissent arriver à quelqu'un, c'est de voir sa confiance être trahie ainsi que l'a fait Eagleson à mes dépens. Je ne suis pas psychologue, mais je pense que les événements survenus à cette époque m'ont profondément changé. Je suis devenu bien plus vigilant dans mes relations avec les gens qui m'entouraient, autant en ce qui concernait leurs intentions que mes propres prises de décision. Toute cette aventure m'a laissé moins enclin à m'ouvrir aux gens. Avec le temps qui passe, j'ai appris à mieux apprécier des qualités telles que la fiabilité et la loyauté. Ces qualités sont les plus chères à mes yeux aujourd'hui, et elles constituent le cœur de toutes les relations importantes dans ma vie.

Il fut un temps où, après la trahison d'Eagleson, je n'aurais pas répondu de mes gestes si on m'avait laissé seul dans la même pièce que lui. Il a fait beaucoup de mal à toute ma famille et il a fait naître en moi une colère qui a mis très longtemps à s'apaiser. Mais tout cela est derrière moi maintenant.

À la fin, bien entendu, Eagleson a dû faire face à la justice. Il a été obligé de démissionner de l'AJLNH en 1992, entre autres raisons pour avoir abusé de son compte de dépenses. À partir de ce moment-là, les errements d'Eagleson ont commencé à être connus quand les journalistes se sont emparés de l'affaire. Il semblait être bien protégé par sa fortune personnelle et ses relations, et sans les efforts des procureurs américains dans ce dossier, il est probable que l'affaire aurait été étouffée. Je n'avais assurément pas les moyens de poursuivre Eagleson, pas plus que je n'en avais le goût. Je ne voulais qu'une chose : être débarrassé de lui. C'est pourquoi j'ai toujours été reconnaissant envers la justice américaine pour avoir réclamé son extradition du Canada afin qu'Eagleson puisse faire face à ses crimes.

En 1994, le FBI a déposé 34 chefs d'accusation contre Alan Eagleson, parmi lesquels racket, entrave à la justice, détournement de fonds et fraude. En 1996, la Gendarmerie royale du Canada a retenu contre lui huit chefs d'accusation de fraude et de vol. Des années ont été nécessaires pour le forcer à se présenter en cour, mais finalement, le 6 janvier 1998, il a été condamné dans une salle d'audience fédérale de Boston. Il a plaidé coupable à trois chefs d'accusation de fraude et a été condamné à une amende de 679 810 dollars américains (1 million de dollars canadiens). Peu de temps après, il a repris le chemin du Canada et a dû de nouveau plaider coupable à trois autres chefs d'accusation de fraude, qui lui valurent une peine d'emprisonnement de 18 mois. Toute notice résumant son parcours professionnel comprendra à jamais les mots « repris de justice ». Conséquemment à ces condamnations, Eagleson a été radié du Barreau canadien et a dû rendre sa médaille de l'Ordre du Canada. Quant au plus beau témoignage de ses accomplissements dans le monde du hockey, il lui a été retiré par les gens mêmes qu'il a bernés. Après la condamnation d'Eagleson, toute une brochette de légendes – incluant Brad Park, Gordie Howe, Bobby Hull, Johnny Bucyk et Ted Lindsay – ainsi que moi-même ont annoncé que si on permettait à Eagleson de rester membre du Temple de la renommée du hockey, nous renoncerions pour notre part à cet honneur.

Le 40e anniversaire de la Série du siècle aurait pu s'avérer un rappel de la manière par laquelle Alan Eagleson a déshonoré le sport dont la promotion semblait lui avoir tant tenu à cœur. Alors que joueurs et entraîneurs s'apprêtaient à se réunir pour commémorer l'un des moments les plus excitants de l'histoire du hockey, Alan Eagleson a vu son invitation à participer aux célébrations être révoquée par l'équipe. L'homme qui avait été l'un des grands artisans de cette série, moment marquant dans l'histoire du sport canadien, était devenu une source de honte. Même s'il est vrai que certains joueurs continuent à appuyer l'ancien chef de file de l'AJLNH, il n'était pas possible de l'admettre dans la même pièce que nombre de ses anciens amis qu'il avait volés. Il va de soi que si Eagleson avait été autorisé à assister aux célébrations, je n'y aurais pas pris part.

Bon, affaire classée. En ce qui me concerne, le sujet est clos. Alan Eagleson a changé le cours de ma vie, c'est un fait indéniable. Mais cela s'est passé il y a des décennies déjà. Il ne fait plus partie de ma vie depuis déjà longtemps. Les bons moments de cette époque sont ceux dont j'ai choisi de me souvenir. Bien de l'eau a coulé sous les ponts depuis, et tout cela est loin derrière moi. Sans compter que justice a été faite.

Encore aujourd'hui, je ne peux m'empêcher de me demander comment il peut composer avec plusieurs des gestes qu'il a faits. A-t-il pris conscience de tout le mal qu'il a causé à tant de gens ? Y parviendra-t-il un jour ? Je n'arrive tout simplement pas à comprendre comment il peut dormir la nuit. Mais connaissant l'homme, je crois bien qu'il dort comme un bébé, tant le sort d'autrui le laisse profondément indifférent.

CHAPITRE 10

Le dernier acte... et le suivant

C'était le soir de l'Halloween, en 1980, et nous donnions de pleines poignées de bonbons aux enfants du voisinage. Peggy avait un grand bol de friandises qu'elle distribuait à chaque enfant qui se présentait à notre porte. Je n'étais pas très loin d'elle, dans le couloir, d'où je pouvais jeter un coup d'œil aux déguisements de nos visiteurs. Je n'ai donc pu rater le passage de ces trois petits fantômes qui, accompagnés de leur père, ont gravi les marches de notre perron. Au moment où Peggy a tendu la main pour leur donner leur ration de bonbons, le père m'a aperçu à l'intérieur de la maison et a tout de suite demandé à ses enfants :

— Savez-vous chez qui nous sommes ?

Les trois petits fantômes se sont écriés à l'unisson :

— C'est la maison de Scout !

Puis, ayant fait le plein de bonbons, ils ont poursuivi leur chemin.

Scout, dois-je le préciser, était le chien de la famille Orr. Apparemment, il jouissait d'une belle popularité parmi les enfants du coin. Pouvais-je en dire autant de moi-même ? Mon numéro 4 était suspendu aux poutres du Boston Garden, mais mon chien était la célébrité de notre maisonnée. Y a-t-il meilleure manière d'illustrer à quelle vitesse ma vie avait changé ?

Il n'est pas facile de décrire l'anxiété que vous ressentez quand on vous enlève l'activité dans laquelle vous excelliez. Je sais que je ne suis pas le premier homme sur terre à s'être retrouvé sans travail. Je peux sympathiser avec quiconque a été remercié de son emploi sans raison, avec tous ces hommes et toutes ces femmes qui ressentent soudainement l'impression d'être désœuvrés. Je n'avais pas vraiment d'instruction, et le peu que j'avais ne m'avait préparé à aucun métier, aucune vocation. Les seules expériences de travail sur mon CV étaient celles que j'avais exercées du temps de mon adolescence. J'avais 30 ans et j'étais complètement inadapté au monde réel, ce monde que je découvrais peu à peu partout autour de moi. Je devais me mettre au boulot.

Ce qui avait constitué la réalité de mon quotidien à peine quelques mois auparavant me semblait maintenant appartenir à un lointain passé. Le hockey ne m'avait jamais semblé un travail. Peu importe l'intensité que je mettais à le pratiquer, il était resté un jeu pour moi, et je m'étais toujours considéré privilégié d'être payé pour jouer au hockey. Le style de vie d'un athlète professionnel est particulier. Au moins, rien ne pourrait jamais m'enlever ces formidables expériences que j'avais eu la chance de vivre. Mais quand j'ai constaté tous les changements qui survenaient dans ma nouvelle vie de retraité, je mentirais si j'avouais ne pas avoir éprouvé un sentiment d'angoisse. Au moment où mes genoux m'empêchaient de continuer à jouer au hockey, j'avais perdu beaucoup : mes économies, un ami qui comptait beaucoup, un style de vie auquel j'étais habitué et une carrière qui signifiait tout pour moi. Devant moi, il n'y avait qu'un épais brouillard.

En m'engageant dans ce brouillard, j'ai toutefois découvert ce que j'avais toujours tenu pour les fondations mêmes de ma vie – ce que mes parents m'avaient appris, ce que mes entraîneurs m'avaient inculqué, ce que j'avais vu de mes yeux vu –, que tout cela demeurait vrai, que je sois ou non un joueur de hockey. Les éléments les plus importants de votre vie ne changent pas quand le destin se retourne contre vous, et ces éléments sont les mêmes, que vous soyez une personnalité publique ou monsieur Tout-le-monde. Personne ne peut réussir sans encaisser des coups de la vie. Personne ne peut non plus réussir uniquement par lui-même. Même les exploits individuels sont le résultat d'un travail d'équipe. Et quand un coup du sort vous envoie au tapis pour le compte, il n'y a qu'une seule chose à faire.

◈

Je crois, et je n'ai pas le moindre doute à ce sujet, que si vous abordez un projet ou un défi avec un esprit de discipline, vous avez une chance de réussir. Mais cette conviction me vient avec le recul du chemin accompli. À ce moment-là de ma vie, il ne me paraissait pas du tout clair que j'allais me sortir du pétrin où je me trouvais.

Les Black Hawks ont tenté de m'aider à retomber sur mes pieds en me proposant un travail. Je voulais assurément tout faire en mon pouvoir pour aider l'équipe. J'avais l'impression de les avoir laissé tomber alors qu'ils m'avaient témoigné une énorme confiance. Mais j'ai trouvé terriblement difficile de me trouver dans l'entourage de l'équipe sans pouvoir jouer. Certaines personnes m'ont dit que tout irait mieux au fil du temps, mais plus je devais vivre loin du vestiaire, de la routine d'avant-match et du jeu lui-même, plus j'avais l'impression de tout rater. Je voulais aider l'équipe, mais je voulais par-dessus tout les aider sur la patinoire. Je regardais les parties, j'observais le jeu se développer et une seule conclusion s'offrait à moi : ma place aurait dû être sur la glace. Et plus je regardais des parties, plus je souffrais.

Quelques années plus tard, j'ai un peu agi à titre de consultant pour les Whalers de Hartford. Mon vieux coéquipier Eddie Johnston était devenu le directeur général de l'équipe et il croyait pouvoir faire revivre un peu de la magie d'autrefois en unissant nos deux « têtes de hockey ». Je devais partager sa foi, sinon je n'aurais pas accepté sa proposition. Mais une fois encore, j'ai trouvé atrocement difficile de m'impliquer dans le hockey ailleurs que sur la patinoire.

Il me semble également juste de préciser que je n'ai jamais été taillé sur mesure pour être entraîneur ou dirigeant, et cela pour une raison très simple : autant j'étais passionné du hockey, autant je ne le *pensais* pas. Le hockey est un sport rapide et complexe, qui ne vous permet pas d'anticiper avec précision la position de tous les joueurs à tel ou tel moment. Vous ne pouvez planifier quelque chose qui ne se prédit pas. Je prenais toutes mes décisions dans l'instant même, dans le feu de l'action, et pas la veille d'un match. C'est pourquoi je n'étais pas la meilleure personne à qui demander de dire aux autres comment jouer ou diriger l'équipe.

◈

Quand j'ai atterri sous les feux des projecteurs du monde du sport, il y a bien des années, j'étais terriblement timide. Je n'ai jamais développé le moindre penchant pour les caméras et les micros, mais au bout d'une dizaine d'années, je pouvais à tout le moins tenir mon bout dans toutes sortes de situations.

Que quelqu'un d'aussi timide que moi accepte un job à la télévision montre assez bien à quel point je désirais travailler. Moi qui suis plus ou moins à l'aise dans un petit groupe de gens, voilà que je me retrouvais analyste à la CBC pour *Hockey Night in Canada*. Les gens présents en studio ont toujours veillé sur moi, et je me souviens tout spécialement des efforts de Danny Gallivan, qui tâchait de m'aider de mille et une manières. Lorsque nous étions en ondes, ces vétérans du métier m'épaulaient en me posant les bonnes questions qui m'aiguillaient dans les directions appropriées. Il y avait toujours une équipe de trois personnes : l'animateur chargé de la description du jeu et deux commentateurs (j'étais l'un d'eux). Mais une nuit à Edmonton, nous sommes en ondes, et il n'y a que le descripteur du jeu et moi. Je cherche désespérément du regard l'autre analyste, mais il est invisible. Pendant un moment, j'ai bien cru que j'allais m'évanouir. J'ai donc compris assez rapidement que le monde merveilleux de la télévision n'était pas pour moi…

Cela dit, l'âge aidant, j'ai appris à être plus à l'aise en compagnie de gens que je ne connais pas. Du temps de ma jeunesse, l'idée de prendre la parole en public faisait naître en moi une peur panique. Mais quand vous êtes une personnalité publique, vous devez vous adresser à des audiences et converser avec des inconnus, que vous soyez là de votre propre chef ou que vous soyez rétribué pour l'occasion. Dans l'un ou l'autre cas, si vous devez faire une apparition publique, vous devez la faire bien ou alors pas du tout. Il ne s'agit pas de s'engager à assister à un événement pour ensuite s'éclipser par la porte arrière à la première occasion. Cela n'est ni professionnel ni correct, et pourtant j'ai vu la chose se produire sous mes propres yeux.

J'ai essayé de rester fidèle à cette éthique et j'ai partagé ma vision des choses au fil des ans avec mes amis et collègues. Par exemple, il y a plusieurs années, Derek Sanderson et moi étions, lors d'un événement relié au golf, les deux célébrités invitées. Après avoir terminé notre ronde, je ramenais mon sac dans ma voiture quand j'ai noté que Derek était déjà à bord de la sienne, prêt à partir. Je lui ai demandé où il s'en allait et il m'a répondu qu'il retournait à la maison. Je lui ai fait remarquer qu'il avait golfé avec seulement trois personnes durant la journée, et qu'aucune des cent vingt autres personnes n'avait eu la chance de le rencontrer. Je lui ai dit que notre devoir était de retourner à l'intérieur et d'aller voir d'autres gens du groupe. Derek s'est rallié à mon point de vue, m'a accompagné au chalet du parcours et bien des gens ont pu faire sa connaissance ce jour-là, comme il avait été prévu à l'origine. Malheureusement pour Derek, il avait laissé les fenêtres de son auto baissées en revenant avec moi au chalet, et peu après une furieuse averse a éclaté. Et le pauvre Turk est rentré chez lui dans une auto aux banquettes complètement détrempées, et sans doute maudit-il mon nom depuis ce jour-là...

Quand j'étais plus jeune, je n'aurais jamais osé penser qu'un jour mon gagne-pain consisterait à parler aux gens. Dans les années qui ont suivi mon départ de Chicago, j'ai fini par comprendre qu'échanger avec les gens ne devait pas constituer une torture, mais qu'il s'agissait en fait d'un privilège, et d'un privilège sans lequel je ne pouvais espérer composer. Et c'est ainsi qu'après ma carrière professionnelle, j'ai eu la chance de devenir le porte-parole de grandes et belles compagnies – Bay Bank, Standard Brands (aujourd'hui Nabisco), MasterCard et GMC – qui m'ont aidé à vivre la transition de joueur à retraité.

Je me considère très privilégié d'avoir connu des gens d'affaires extraordinaires qui m'ont aidé dans ce délicat passage qui a suivi ma carrière de joueur. Une fois encore, ce sont aux habiletés et aux leçons apprises dans le monde du hockey que je dois une grande part de mes succès dans diverses occasions d'affaires. Puis, en 1991, le monde du sport professionnel s'est de nouveau rappelé à mon bon souvenir quand je me suis joint à Woolf Associates afin de les aider à recruter des joueurs. Bob Woolf était un pionnier dans l'univers de la représentation, et la compagnie comptait déjà un secteur sports et divertissements qui comptait des clients tels que Larry Bird et Larry King. Mais curieusement, bien que basée à Boston, elle n'avait dans ses rangs aucun joueur de hockey. En compagnie d'autres partenaires, j'ai acheté la compagnie en 1996 et Rick Curran s'est joint à nous en 2000.

Deux ans plus tard, j'ai séparé les opérations relatives au hockey du reste de la firme, et c'est ainsi qu'est né le Orr Hockey Group.

Ce n'était un secret pour personne que je n'avais pas connu la meilleure expérience qui soit avec un agent. Les joueurs et leurs parents ne l'ignorent pas. Je suppose qu'il y a sans doute une forme d'ironie dans le fait qu'un homme ayant perdu de l'argent aux mains d'un agent en devienne un à son tour. Mais d'un autre côté, je crois que les parents des joueurs que je représente reconnaissent que mon expérience sous ce rapport m'a montré une facette du hockey que peu de gens ont sans doute connue.

Chez Orr Hockey Group, il y a une chose que nous ne faisons jamais : gérer l'argent de nos clients. Tout joueur, qu'il soit un de mes clients ou non, devrait tirer des leçons de mon expérience et prendre conscience qu'il est ultimement responsable de ses actes et qu'il ne devrait jamais confier la gestion complète de ses affaires à qui que ce soit sous aucun prétexte. L'argent qu'amasse un joueur durant sa carrière lui appartient, et il est de son devoir d'apprendre à protéger ses revenus. Cela peut prendre la forme de cours qui lui apprendront à lire des documents financiers ou à développer son habileté à poser des questions pertinentes sur d'éventuels investissements financiers. Après tout, si le fruit des efforts d'un joueur est gâché à cause d'un mauvais conseil, c'est le joueur qui en fera les frais. Les athlètes professionnels qui accumulent un patrimoine ont besoin de prendre le temps de faire leurs devoirs.

En tant qu'entreprise, nous ne recherchons pas que de bons joueurs de hockey. Nous essayons aussi de recruter des jeunes pourvus d'une bonne attitude. J'ai dit plus tôt dans ce livre que la facette mentale de ce sport était la plus dure à intégrer. Le talent peut seulement vous porter jusqu'à un certain stade. Nous recherchons aussi des parents qui comprennent cette réalité, parce que lorsque vous prenez un joueur comme client, ses parents viennent avec lui. C'est toujours une affaire de famille. Les jeunes hockeyeurs ont déjà autour d'eux suffisamment de gens qui leur disent quoi faire. Ils n'ont pas besoin que leurs parents – ou Bobby Orr l'agent – leur crient par la tête. Sous ce rapport, je cite souvent l'exemple brillant de la famille Staal, de Thunder Bay, en Ontario. Ces deux parents, ainsi que leurs fils, possèdent le type de personnalité et d'atouts qui les aident à envisager un succès durable. Quand j'ai la chance de pouvoir collaborer avec des gens comme les Staal, mon travail devient un plaisir.

Je sais que je ne cesse de répéter que j'ai tiré un grand profit des enseignements que m'a appris le hockey, et il est vrai que je me considère chanceux de pouvoir chaque jour exercer un métier où je peux appliquer ces valeurs. Personne ne réussit sans avoir autour de lui une équipe, et n'importe qui a besoin de coéquipiers qui viennent à son secours quand il va au tapis. Parmi mes clients, j'en compte qui gagnent la coupe, d'autres qui sont repêchés au tout premier rang du repêchage, et je suis enchanté pour eux. Cela n'est pas qu'une joie professionnelle, c'est la joie vraie que ressent quiconque quand une personne qui lui est chère vit quelque chose d'exceptionnel. Et j'ai aussi vu des disputes salariales plus ou moins jolies de clients exposées (plus ou moins joliment) dans les médias, sans compter les appels d'autres clients qui venaient d'être renvoyés dans les mineures. Et ce genre de situations me touche autant, professionnellement et personnellement, que les événements plus heureux de la vie d'un hockeyeur. Je me porte toujours à la défense de mes coéquipiers sans poser de question, tout comme eux sont venus à ma rescousse. J'agis en affaires de la même manière que sur une patinoire.

Je suis conscient que j'ai eu de la chance deux fois : comme athlète et comme entrepreneur. Dans les deux cas, ma bonne fortune tenait au fait que j'étais entouré de gens de qualité. Le succès est important, et je ne vois aucune raison de ne pas l'admettre. Mais les gens qui restent à vos côtés sont plus importants encore. Connaître ces deux félicités a sans doute été ce qui m'est arrivé de plus beau.

Aujourd'hui, l'amertume des déceptions passées est presque dissipée. Les déconvenues d'hier se sont estompées et plusieurs remèdes m'ont aidé à guérir. Je ne peux pas dire que tout a été facile ou que tout s'est résolu en un clin d'œil. En fait, des années entières m'ont été nécessaires. Quand je me débattais à Chicago, mes fils étaient encore des enfants. Tous les pères du monde entier veulent faire de leur mieux pour leur progéniture. Les joies de la victoire prennent leur vrai sens quand vous pouvez les partager avec ceux que vous aimez ; mais il n'est pas moins vrai que l'amertume de la déception est encore pire quand vous la vivez avec vos proches.

Aujourd'hui, il y a de nouveau des enfants dans ma vie. Quand on parle des grandes joies de la vie, je suppose que j'en ai eu ma part en tant que joueur de hockey. Mais la plus grande joie que j'ai vécue n'est pas celle qui accompagne une coupe Stanley ou un trophée, c'est celle que l'on éprouve en devenant grand-parent. Aucun mot ne saurait traduire la sensation de tenir contre soi une petite-fille ou un petit-fils, d'observer leurs expressions et de pouvoir les voir grandir. Bien des gens m'avaient parlé de leur joie de devenir grand-parent avant que Peggy et moi le soyons à notre tour, mais je m'étais toujours dit qu'ils forçaient un peu la note. Aujourd'hui je les comprends parce que je suis moi-même devenu l'un de ces fanatiques qui ne sort jamais sans avoir sur lui des photos de ses petits-enfants. Sans discussion possible, la plus grande joie que l'on peut vivre sur terre, c'est celle de devenir grand-parent.

CHAPITRE 11

Où en est le hockey ?

J'ai atteint la LNH à une époque où on pouvait assister aux exploits de légendes tels que Gordie Howe et Jean Béliveau sur la glace, Punch Imlach et Harry Sinden derrière le banc, et Foster Hewitt et Danny Gallivan sur la passerelle, derrière leurs micros. Quand j'ai entamé ma carrière, la ligue comptait 6 clubs ; quand j'ai tiré ma révérence, elle en comptait 18 ; aujourd'hui, elle en compte près du double. Au temps de mes débuts, un joueur gagnait ce qu'un travailleur de la classe moyenne aurait appelé un bon salaire. Aujourd'hui les joueurs de troisième trio sont millionnaires. À vue de nez, il semble manifeste qu'on ne parle pas du même sport.

Et pourtant, si. Je ne crois pas qu'il y ait tant de différences entre ce qui faisait hier la grandeur du hockey – celle d'une équipe, d'un joueur ou d'un jeu – et ce qui fait sa grandeur aujourd'hui. Vous triomphez en patinant. Vous triomphez en contrôlant la rondelle. Vous triomphez en défendant votre territoire. Un ingrédient-clé lie toutes ces choses ensemble et trace la frontière entre l'échec et la réussite : la passion. La passion est une chose qui ne change pas d'un bout à l'autre d'une carrière, ou d'une génération de joueurs à une autre. Bien des fois au fil des années, j'ai été à même de constater comment la passion pouvait influer sur l'issue d'un match, en saison régulière ou en séries. J'ai vu des carrières qui reposaient sur elle, des équipes entières qui étaient bâties autour d'elle. Quand vous l'avez, vous pouvez tout faire ; quand vous ne l'avez pas, vous serez chanceux si vous aboutissez quelque part, même avec tout le talent du monde, le meilleur coaching et les techniques d'entraînement les plus sophistiquées.

Comme la plupart des enfants, quand j'ai commencé à patiner, c'était pour le plaisir de me retrouver au grand air, sur la glace. On me dit que j'ai disputé ma première partie de hockey organisé à cinq ans, bien que je confesse ne pas m'en rappeler. Ce dont je me souviens très bien, en revanche, c'est le plaisir presque immédiat que m'a procuré le fait de patiner et de jouer au hockey. Pas un jour ne se passait sans que je me retrouve sur la glace. Toutes ces heures à patiner par grand froid, dans la lumière déclinante des trop courtes journées d'hiver, m'ont insufflé une chose dont je ne pouvais plus me passer. Elles ont fait de moi ce que je suis. Je n'ai pas été le fruit de ce que quelqu'un a souhaité me voir devenir, mais le fruit de ma passion, tout simplement.

Il n'y a aucun doute dans mon esprit que je dois à cette passion tous les succès que j'ai connus dans ma carrière. Le mot semble banal, mais il s'avère la pierre angulaire de bien des facettes de la vie. J'ai entendu dire que si vous désirez devenir de bons parents, vous n'avez qu'à découvrir ce pour quoi votre enfant est passionné et à l'appuyer dans cette voie – c'est peut-être plus facile à dire qu'à faire, tout dépendant de la nature de cette passion. Mais les parents qui préfèrent réprimer les passions de leurs enfants risquent de trouver la vie un peu plus difficile…

Trop souvent je vois la passion d'athlètes talentueux s'amenuiser au fur et à mesure que leur carrière sportive se transforme en une simple fin en soi. Certains voient l'étincelle les quitter très tôt, de telle sorte qu'ils ne deviendront jamais les joueurs qu'ils auraient dû être. D'autres abandonnent purement et simplement. Où les mènera un tel état d'esprit ? Chaque fois que j'ai l'occasion de rencontrer un leader dans un métier ou dans le monde des affaires, j'entends toujours ces mêmes sortes d'histoires et de philosophies autour de leur ascension au sommet. Il est question de se lever chaque matin et de se rendre au bureau – ou à la patinoire, ou au champ de balle –, avec l'idée bien arrêtée d'essayer d'être le meilleur dans son domaine. Heureusement pour moi, rien ni personne n'a jamais pu m'enlever ou diminuer ma passion du hockey.

Ce genre d'attitude ne vous met pas à l'abri des erreurs, pas plus qu'elle ne vous assure d'accomplir chaque jour un record ou un exploit – toute chose bien improbable. Mais si vous essayez, les aspects négatifs vont être déclassés par toutes les choses positives que vous accomplissez. Si vous vous engagez dans cette voie, votre passion ne se limitera pas à vous propulser vers l'avant : elle rendra aussi meilleurs les gens qui vous entourent. C'est ainsi qu'opère la chimie d'une équipe habitée par la passion. Quand chaque gars dans le vestiaire inspire son voisin de casier, il n'y a rien qui ne soit à votre portée.

Cette passion est une constante de ce sport et c'est pourquoi le hockey n'a pas vraiment changé. L'arrivée de bâtons en composite ou l'imposition du port du casque n'a rien changé de fondamental au jeu. En fait, si peu de choses ont changé que le hockeyeur qui était mon idole d'enfance est resté encore aujourd'hui celui que j'admire le plus : Gordie Howe.

Il y a eu, avant et après Gordie Howe, une foule d'autres joueurs que bien des gens prétendront meilleurs que Monsieur Hockey. Permettez à un joueur qui l'a affronté de vous dire ce qu'il en pense à cœur ouvert. Si vous vouliez jouer contre lui tout en finesse, il pouvait être encore plus fin que n'importe qui, car il appartenait à l'élite mondiale de son sport. Les statistiques ne sauraient mentir : Gordie Howe a terminé dans les 5 premiers compteurs de la ligue pendant 20 années consécutives. Personne ne pouvait l'arrêter. Il pouvait garder la maîtrise de la rondelle au plus fort de la circulation. Son tir était dangereux de partout. Bref, il pouvait vous battre avec son seul talent. Et si vous vouliez jouer au plus fort, il était bâti comme un bœuf et n'avait pas peur de laminer quiconque contre la bande en tout point de la patinoire. Et si l'envie vous venait de jeter les gants devant lui, il était heureux de vous accueillir sur son ring. (Il prétendait qu'il était un joueur religieux, en ce sens qu'il préférait donner que recevoir.)

On peut dire de Gordie Howe qu'il avait tout pour lui. Il avait la capacité de pouvoir jouer n'importe quel style de jeu, soir après soir, et jouer ce style mieux que quiconque. Comment rivaliser avec un joueur pareil ? En plus, Gordie était capable d'une chose qui m'a toujours fait défaut : rester en santé sur une très longue période de temps en s'adonnant à un sport extrêmement exigeant sur le plan physique. Et ce n'était pas parce qu'il fuyait les coins de patinoire et les mêlées pour éviter les contacts. Nous savons que c'était un guerrier, et quand vous ajoutez sa longévité à l'interminable liste de ses habiletés, il se situe nettement au-dessus du peloton des meilleurs compétiteurs de son sport. Y a-t-il eu des gars avec des mains plus agiles ? Sans doute. Avec un meilleur coup de patin ? Peut-être. Mais y en a-t-il un seul qui a joué avec une passion plus grande et plus soutenue que lui ? Je ne crois pas.

Après sa carrière, Gordie Howe a continué d'être aimé par ses admirateurs à cause de l'homme qu'il est et des valeurs qu'il prône. Oubliez l'idée de rencontrer un jour un joueur qui lui ira à la cheville. Ce fut un privilège de l'avoir comme adversaire, et c'est l'un des grands honneurs que m'a fait la vie de pouvoir le compter au nombre de mes amis.

Mais il y a bien plus que de l'amitié, toutefois, dans l'admiration que je lui voue. À mes yeux, Gordie Howe représente ce que notre sport a de meilleur à offrir. Je ne veux pas avoir l'air de l'un de ces vieux radoteurs qui cultivent une incurable nostalgie du hockey d'antan et qui répètent à qui veut l'entendre que tout était tellement mieux dans le bon vieux temps. Il y a certainement des aspects de ce sport que le passage du temps et l'expérience ont aidé à façonner et améliorer. Je ne contesterai pas le fait que la plupart des joueurs tirent avec plus de force et de vélocité qu'à mon époque. La plupart du temps, et pour toutes sortes de raisons, le hockey est plus rapide qu'autrefois. Les gardiens sont plus athlétiques. À l'évidence, le joueur moyen de la LNH est plus grand, plus fort et, dans bien des cas, plus talentueux. Les joueurs sont généralement mieux dirigés, ils sont en meilleure condition physique ; tout cela est indiscutable.

Tout en tenant compte de ces réalités, je crois qu'il est juste de se demander si tous ces changements mis bout à bout rendent le hockey *meilleur.* D'un point de vue tout à fait personnel, je ne peux que me demander si un seul entraîneur me laisserait aujourd'hui jouer le style de jeu dans lequel je me sentais à l'aise pendant ma carrière. De nos jours, on dit aux défenseurs dès leur plus jeune âge que le seul jeu intelligent pour sortir une rondelle de leur zone est le jeu le plus simple. Ne prenez pas de risque, leur répète-t-on sans cesse. Débarrassez-vous de la rondelle dans les gradins. Pour moi, toutes ces stratégies riment avec ennui.

Les joueurs d'aujourd'hui jouissent sans aucun doute d'un meilleur conditionnement physique que leurs prédécesseurs, mais ils sont rarement sur la glace pour plus de quarante secondes. Ils présentent peut-être de superbes habiletés, mais on défend à la majorité d'entre eux de ne rien faire d'autre que le jeu le plus sûr. Alors que les entraîneurs maîtrisent mieux leur métier, ils ont, paradoxalement, peut-être façonné le jeu d'une manière qui n'est pas toujours pour le mieux. Pensez à toutes ces parties que vous regardez et pendant lesquelles, sur de longues séquences, il ne se passe presque rien. Les parties que je vois aujourd'hui ont tendance à se dérouler le long des bandes, dans une aire de jeu très circonscrite, là où les risques de revirement sont moins grands. Il y a peu ou pas d'emphase mise sur la créativité parce que le jeu est dorénavant balisé par des systèmes.

Je crois que deux facteurs contribuent à étouffer le jeu. Premièrement, j'entends souvent dire des gens qui gravitent dans l'univers du hockey que la taille des contrats accordés aux joueurs a fondamentalement changé le sport. Leur raisonnement tient dans cette affirmation : si vous donnez à quelqu'un tout ce qu'il veut, vous lui faites perdre sa motivation. Et si ce contrat se trouve à être « à long terme et garanti », poursuivent les tenants de cette théorie, il affecte l'attitude avec laquelle le joueur se présente à l'amphithéâtre. Au début, je n'ai pas voulu adhérer à cette notion, parce que je n'arrivais pas à croire qu'un joueur professionnel ne veuille pas, soir après soir, jouer au meilleur de ses capacités. Pas seulement pour lui-même et par fierté, mais pour ses coéquipiers, les partisans, et tous les gens associés à son organisation. Mais plus vous examinez cette idée voulant que l'argent peut influencer l'attitude d'un joueur, plus l'évidence vous apparaît dans tout son éclat.

Quand je vois un joueur fournir son plein effort à tous les trois ou quatre matchs, ça me préoccupe. Quand je vois un joueur fournir une contribution minimale sur une période prolongée puis soudainement connaître la saison de sa carrière l'année précédant la renégociation de son contrat, cela me fait tiquer. Je regarde un grand nombre de matchs de hockey et j'observe beaucoup d'inconstance de la part de beaucoup de joueurs. Je suppose qu'il en devient normal de se poser cette question toute logique : « Si ce n'est pas l'argent qui a changé l'attitude des joueurs, qu'est-ce que c'est ? »

Je ne veux parler de quiconque en particulier et ne comptez pas sur moi pour accuser une génération entière de joueurs. Je travaille avec plusieurs vrais guerriers, qui jouent malgré la douleur, qui se portent à la défense de leurs coéquipiers alors qu'il leur serait facile de regarder ailleurs, des gars qui transporteraient toute l'équipe sur leur dos s'ils le pouvaient. C'est ainsi que devrait se comporter tout joueur, parce que c'est ce que doit être un joueur de hockey. Malgré tout, je me demande parfois si les hockeyeurs d'aujourd'hui ressentent par rapport à leur sport la même urgence que ceux d'autrefois. J'aimerais que ma position soit bien claire : le salaire que les athlètes font de nos jours ne me dérange pas le moins du monde. Ce que je me demande, par contre, c'est s'ils le méritent chaque soir.

Deuxièmement, je me questionne sur les fondements mêmes du hockey. Pour l'absolue majorité des jeunes joueurs, la plate réalité est qu'ils ne toucheront jamais un traître sou de la pratique du hockey et qu'ils ne pourront jamais espérer un poste sur l'équipe olympique canadienne. Le pourcentage de ceux qui y parviennent est infime. Pousser des jeunes à jouer au hockey pour en faire de futurs millionnaires est un mauvais investissement. Non pas seulement parce que les chances sont contre vous, mais parce que le hockey *n'est pas* un investissement.

On m'a demandé souvent quels étaient mes plus beaux souvenirs du hockey. Il y en a certainement plusieurs qui s'imposent, lors de mes années à Boston. Mais si on m'obligeait à n'en conserver qu'un seul, ce serait sans aucun doute ces jours entiers de ma jeunesse passés à patiner et jouer sur la baie glacée. Je n'exagère pas un instant quand je dis que ces moments vécus à Parry Sound sont aussi précieux que mes plus belles heures dans l'uniforme noir et or des Bruins. Aucun parent ne peut garantir à ses enfants qu'il aura la joie de gagner une coupe Stanley, mais il peut s'engager auprès d'eux à ce qu'ils aient la chance de tester leur passion pour le hockey.

Ces précieux souvenirs de mon enfance, je les souhaite à tout jeune garçon qui lace une paire de patins, parce que la passion du hockey naît et grandit à cette époque de la vie. Malheureusement, bien des gens n'ont pas la chance de pouvoir vivre une passion semblable. Combien de gens se lèvent chaque jour pour aller travailler en détestant leur emploi ? Je ne suis pas assez naïf pour penser que nous pouvons tous abandonner notre gagne-pain afin de nous consacrer à la passion de notre vie. Mais je me permets de demander pourquoi quiconque voudrait transformer l'enfance en camp de développement pour une éventuelle carrière de hockeyeur professionnel...

Mes deux fils n'ont jamais vraiment été engagés dans la pratique du hockey quand ils étaient jeunes, mais ils pratiquaient activement d'autres sports, tels que le baseball, le soccer ou le football. Comme parents, Peggy et moi avons vu Darren et Brent acquérir une belle expérience dans la pratique de sports au niveau mineur. Je ne les ai jamais forcés à faire quoi que ce soit, mais je ne voulais pas qu'ils ratent l'occasion de vivre l'expérience de jouer en équipe et de connaître les belles rencontres qu'on y fait ; je ne voulais pas qu'ils passent à côté de leçons qui leur seraient profitables durant toute leur vie adulte. Je crains que ce ne soit pas tous les enfants impliqués dans le sport mineur qui puissent en dire autant.

En qualité d'ancien joueur et d'amoureux du hockey qui suis resté très près de son sport, je rencontre des gens extraordinaires. Mais je ne peux m'empêcher de me demander pourquoi certains garçons ont choisi de se lancer dans le hockey, ou pourquoi certaines personnes décident de devenir entraîneur au hockey mineur. La plupart du temps, la réponse est facile : beaucoup de gens aiment ce sport comme je l'ai toujours aimé. Mais parfois la réponse n'est pas aussi claire. Certains jeunes ne sont pas attirés par le hockey comme mes amis et moi pouvions l'être. Ils me donnent quelquefois l'impression d'être forcés de suivre cette voie. Et dans mon esprit, si un jeune joue au hockey parce qu'on l'y oblige, il devrait faire autre chose. Peut-être a-t-il ou a-t-elle envie de pratiquer un autre sport ? Peut-être que c'est la musique qui l'intéresse ? Ou encore le théâtre ? La seule chose qui compte, c'est que les enfants fassent quelque chose qu'ils aiment et qu'ils le fassent en compagnie de leurs amis.

J'espère que ces quelques idées évoquées sans prétention pourront alimenter l'amorce de discussions futures parmi les décideurs du hockey mineur. Je vais moi-même apporter de l'eau au moulin en exposant dès maintenant les grandes lignes d'un programme qui me tient à cœur, un programme qui répond aux besoins fondamentaux des jeunes garçons et des jeunes filles qui jouent au hockey, mais qui, je crois, pourrait aussi bien convenir à tout sport pratiqué par la jeunesse. Si nous mettons très tôt nos enfants sur le bon chemin, nous avons de meilleures chances de les voir engagés dans la pratique d'un ou de plusieurs sports durant toute leur vie. Nous devons établir une nette distinction entre un jeu pratiqué par des enfants pour le plaisir et un jeu pratiqué par des adultes pour de l'argent. La très grande majorité des joueurs de hockey sont des jeunes, par conséquent commençons par eux...

POUR UN HOCKEY SÉCURITAIRE ET DIVERTISSANT

Pendant l'été 1998, je suis devenu de plus en plus préoccupé par plusieurs manchettes de journaux que je lisais à propos de problèmes concernant différents sports pratiqués au niveau mineur en Amérique du Nord. Certains de ces problèmes me choquaient profondément. Ces articles qui avaient attiré mon attention parlaient d'événements disgracieux où des parents et de très jeunes joueurs étaient impliqués dans des mêlées d'après-match. À une occasion, un décès avait même résulté d'une rixe entre parents de joueurs dans les gradins d'un amphithéâtre de la région de Boston.

Ces événements m'ont incité à penser que le temps était venu d'agir afin de faire œuvre d'éducation, et j'ai alors approché mon ami Dick Conlin, vice-président de General Motors. Quand je lui ai parlé de mes préoccupations au sujet du déclin des valeurs dans le sport organisé pour les jeunes, il m'a donné raison et puis m'a demandé : « Alors, que pouvons-nous faire à ce propos ? » Et c'est ainsi que le projet Chevrolet Safe & Fun Hockey est né. J'ai dit à Dick que nous ne pourrions pas guérir tous les maux associés à tous les sports, mais que nous devions tenter d'améliorer la situation dans la communauté du hockey à travers le Canada. Et c'est exactement ce que nous avons fait.

Depuis 1999, le programme a rejoint des centaines de milliers de joueurs, parents, entraîneurs et arbitres, et je tire une énorme fierté du message qu'il diffuse. Appuyé par un membre du Temple de la renommée, Michael Bossy, et l'ancienne porte-couleur de l'équipe olympique de hockey canadienne, Cassie Campbell-Pascall, qui veille aux besoins des jeunes filles de plus en plus nombreuses qui pratiquent ce sport, le programme a milité pour des changements dans les circuits de hockey mineur. Nos instructeurs ne font pas qu'enseigner le hockey; nous nous servons du hockey comme moyen d'inculquer des valeurs importantes.

Ce sport peut transmettre aux jeunes des notions d'esprit sportif, de dévouement et d'engagement; la chose est aussi vraie pour les parents et les entraîneurs. Nous produisons des manuels et des vidéos à l'intention de tous les participants. Les jeunes demeurent toutefois notre cible privilégiée. Il n'est pas toujours facile de faire comprendre aux jeunes, en quelques mots, la perspective globale du programme – après tout, ils sont là pour avoir du plaisir, pas pour entendre des discours –, alors nous nous servons de deux mots-clés pour symboliser nos intentions. Nous les appelons les « deux R » : respect et responsabilité.

Dans mon esprit, le respect est la pierre angulaire du concept, pas seulement dans le sport mineur, mais dans la vie quotidienne. Qu'il soit un coéquipier, entraîneur, préposé à l'équipement, enseignant ou tout autre personne, n'importe qui commande le respect – non seulement sur la patinoire, mais en tout lieu. Mais il se trouve qu'une patinoire est un endroit fabuleux pour enseigner cette notion.

Comme le respect, la responsabilité est quelque chose qu'un jeune athlète peut et doit appliquer dans toutes les situations de la vie courante quand il l'a apprise sur la patinoire. Une fois qu'un enfant apprend à ne pas blâmer les autres pour ses erreurs, ou à ne pas être égoïste quand les autres comptent sur lui, il ou elle devient non seulement un meilleur coéquipier, mais une meilleure personne. L'un des éléments les plus connus de notre programme consiste à faire prendre conscience aux jeunes d'être attentifs à l'égard d'autres joueurs se trouvant dans une situation où ils sont vulnérables aux coups. Frapper un adversaire par-derrière est une chose dangereuse et irresponsable, et si nous pouvons enrayer ce genre de comportement, nous saurons que nous avons fait quelque chose dont nous pourrons être fiers.

À l'extérieur de la patinoire, le concept de responsabilité peut s'appliquer à une multitude de situations : en classe, dans la cour d'école, à la maison en aidant les parents dans les tâches ménagères.

Ce sont des leçons de vie qu'on peut apprendre par le sport et qui se transposent partout au quotidien.

Il y a un petit exercice que nous faisons avec les jeunes dans nos camps. Nous leur demandons de faire un dessin représentant pour eux quelque chose qu'ils associent avec les mots « respect » et « responsabilité ». Leurs dessins sont toujours incroyables dans leur diversité et leur originalité : sortir le chien pour une promenade ou nettoyer leur chambre (responsabilité), ou serrer la main des adversaires à la fin d'une partie (respect). Lors d'une séance, il y a quelques années, avant de procéder à cet exercice, nous avons dit aux jeunes sur la patinoire que l'une des formes du respect consistait à écouter leur entraîneur quand ils jouaient. Plus tard, quand est venu le temps pour eux de faire leur dessin, plusieurs se sont évidemment inspirés de cette situation.

Nous nous sommes toutefois rendu compte que le sens de certains dessins nous paraissait moins évident, et ceux-ci semblaient se rapporter à l'univers scolaire. Quand nous leur avons demandé ce que représentaient leurs dessins, les jeunes nous ont répondu qu'ils dénonçaient l'intimidation. L'année scolaire venait de commencer et on avait donné à ces jeunes une conférence sur les méfaits de l'intimidation. Il nous est apparu que les jeunes écoutent réellement ce qu'on leur dit et que nous ne le réalisons pas toujours. De très jeunes enfants écoutent le message que nous, parents, leur envoyons, et ils le reçoivent cinq sur cinq. Notre but, en offrant le programme Safe & Fun Hockey, consiste à transmettre des messages positifs à nos jeunes dans l'espoir que s'opère, avec le temps, un changement de culture. Nous avons récolté au fil des années des réactions très favorables qui nous encouragent à persévérer dans cette voie. Mais cette invitation à prendre fait et cause pour le respect et la responsabilité doit sans cesse être mise de l'avant, car notre mission ne se limite pas seulement à sensibiliser les jeunes, mais aussi les parents, entraîneurs, arbitres ainsi que les dirigeants d'équipes et de ligues.

Marc Comeau est désormais la personne qui soutient le programme chez GM. Comme son prédécesseur, Marc comprend les nobles valeurs dégagées par le message de Safe & Fun Hockey. Harold Konrad est le cœur de ce programme, de par son titre de directeur ainsi qu'en qualité d'ami très cher. Harold est ce genre d'homme qui « livre la marchandise ». Il a été une personne-ressource inestimable et l'instigateur de toutes les innovations d'importance apportées au programme depuis plus de 15 ans. Sans lui, Safe & Fun Hockey n'aurait pu vivre et survivre.

Je cultive cet espoir que, plus les années passeront, et moins nous lirons de ces horribles nouvelles d'actes violents qui nous ont amenés à créer ce programme. Je cultive un autre espoir : que tous les enfants qui participent à un sport au niveau mineur auront la chance de vivre les mêmes plaisirs que j'ai connus, enfant, à Parry Sound. C'était l'une des raisons principales qui nous avaient poussés à créer le Chevrolet Safe & Fun Hockey : permettre aux enfants d'avoir du plaisir en pratiquant ce sport dans un environnement sécuritaire. Mais il y a encore bien du travail qui nous attend…

UN PROGRAMME HOCKEY POUR TOUTE L'ANNÉE

J'ai mentionné plus tôt dans ce livre que je n'avais jamais participé à une école de hockey avant l'âge de 18 ans – et j'y étais alors en tant qu'instructeur. Si j'ai pris la peine de souligner la chose, c'est que j'avais une idée bien arrêtée en tête. Bien que personne ne puisse vraiment s'opposer à ce qu'un jeune joueur prenne le chemin d'une école de hockey pour une ou deux semaines pendant l'été, je ne crois pas que cette saison soit la plus indiquée pour inciter les jeunes à la pratique d'un sport hivernal. Vous avez tout à fait le droit de penser : s'ils aiment le hockey et s'ils veulent prendre part à un camp d'été, pourquoi pas ? Laissons-les donc jouer. Du temps de mon enfance, j'aimais tellement le hockey que j'avais peine à penser à autre chose. Si j'avais eu la chance de pouvoir y jouer aussi l'été, je crois bien que je n'aurais pas hésité. En fait, je peux difficilement dire qu'il y a quelque chose de mal à ce qu'un jeune veuille continuer à jouer au hockey l'été. Mais ce que je vois – de tout jeunes enfants envoyés pour de longues périodes en camp de hockey par leurs parents, qui croient que cet environnement en fera des joueurs – me pousse à la réflexion et à la prudence. Disons les choses sans tourner autour du pot : personne ne fera jamais d'un enfant un joueur s'il ne respire et ne mange que pour jouer au hockey. En vérité, quel parent souhaiterait cela pour son enfant ?

Que nous parlions ici d'une école estivale de hockey, des ligues de printemps ou de leçons privées, certains parents pensent que leurs enfants doivent passer toute l'année sur la patinoire, sans quoi ils perdront du terrain. Mais avons-nous besoin de garder des enfants douze mois sur douze sur la glace afin de favoriser leur développement ? Je crois qu'il y a quelque chose qui ne tient pas la route dans ce principe. De mon point de vue, une brève expérience estivale reliée au hockey devrait être d'abord et avant tout un événement social, car à la vérité aucun instructeur de hockey au monde, si doué soit-il, ne pourra transformer votre fils ou votre fille en joueur étoile. Pas plus qu'un enfant ne devrait aller à une école de hockey en se disant qu'il devra en revenir un meilleur athlète.

Personnellement, je préférerais voir les enfants s'adonner à d'autres sports, surtout durant la saison morte, qu'il s'agisse de la crosse, du soccer ou du rugby, ou toute autre activité de leur choix. J'ai pour ma part beaucoup joué au baseball, une expérience entièrement différente du hockey qui me mettait en contact avec d'autres amis durant deux mois par année, ce qui ne peut être qu'une bonne chose. Il y a beaucoup à dire sur les vertus de ce qu'on appelle aujourd'hui le *cross-training* (formation polyvalente), une approche qui préconise pour les enfants la pratique simultanée de plusieurs sports, et non pas seulement celle du hockey. Cela signifie qu'un jeune devient un athlète, et pas seulement un joueur de hockey. Les jeunes engagés dans la pratique de plusieurs sports ont la chance de développer une plus grande variété d'habiletés, et cela ne pourra que les aider quand ils devront plus tard, l'adolescence venue, se spécialiser dans un sport. Je crois que ce type d'athlètes mieux équilibrés possède, à long terme, un avantage marqué sur les autres.

Si le but, en gardant des enfants douze mois par année sur la glace, est d'en faire des joueurs de hockey, ce plan pourrait échouer de toute façon. Les enfants qu'on pousse à jouer au hockey à longueur d'année développent parfois une indigestion de ce sport. À force d'être amenés à la patinoire pour enfiler un équipement de hockey en plein été, certains jeunes présentant de belles dispositions en deviennent malades. Pourquoi ne pas plutôt les laisser faire ce dont ils ont envie, du vélo de montagne ou du football ?

Ce ne sont pas tous les enfants qui sont doués pour le sport que leurs parents aimeraient les voir pratiquer. En fait, bien des enfants ne sont pas doués dans aucun sport. Mais les sports ne sont pas faits pour les enfants doués : ils sont faits pour tout le monde…

L'ENTRAÎNEMENT

Je comprends parfaitement l'importance de l'entraînement dans le sport, et je sais que les équipes nourrissent à ce sujet de très hautes attentes par rapport aux joueurs. J'ai assurément passé assez de temps dans les gymnases et les salles de musculation pour savoir que vous ne pouvez aller très loin sans consentir de grands efforts. Mais j'en suis venu, ces dernières années, à me demander si le surentraînement n'était pas à l'origine de blessures chez plusieurs joueurs. Bien sûr, le hockey requiert de la force et de la puissance – quiconque a pratiqué ce sport ne pourra nier cette évidence. Mais le hockey n'a rien à voir avec le fait de soulever des haltères, et les joueurs devraient veiller à ce que leurs séances d'entraînement ne les transforment pas en athlètes dont le corps est plus adapté à la lutte qu'au hockey. Il y a la force dans l'absolu, et la force telle qu'elle est requise dans la pratique du hockey. Le hockey ne demande pas une force brute, car alors nous ne verrions sur la glace que des colosses. Les colosses ont certainement leurs avantages. Mais prenez la colonne des dix meilleurs marqueurs à n'importe quel moment de l'année, et vous y trouverez rarement un géant… Les défenseurs ont tendance à être plus grands, mais à quelques exceptions près, les meilleurs défenseurs ne sont pas des géants.

Ce dont les joueurs ont besoin, à mon sens, c'est du bon *type* de force et de puissance. Il faut apprendre à considérer qu'un emploi bien dirigé de sa force et un bon positionnement sont aussi importants que la force brute quand on veut gagner des batailles sur la glace. Un bon synchronisme et une bonne condition physique me semblent plus utiles que le poids que vous pouvez lever au *bench press*. Combien de fois ai-je vu un gars avec un gabarit de joueur de ligne défensive « enligner » un adversaire moitié moins gros que lui pour le plaquer et puis rebondir comme une balle lors du contact ? Bien entendu, il y aura toujours de la place au hockey pour de gros et grands bonhommes qui veulent faire sentir leur présence. Mais la grande majorité des joueurs sont assez intelligents pour les voir venir, et assez costauds pour protéger le disque quand ils se font frapper.

Il y a des préparateurs physiques qui savent aider les athlètes à développer une force appropriée à celle que requiert le hockey – mais rappelons que leur enseignement n'est concluant que si les joueurs suivent leur programme. J'ai vu trop souvent des joueurs engager les meilleurs préparateurs physiques, mais ne jamais en retirer le moindre bénéfice puisqu'ils ne se présentaient jamais aux séances d'exercices…

Souvent, quand je suis sur la glace dans le cadre de Safe & Fun Hockey, je demande aux jeunes garçons ou jeunes filles de patiner vers moi et de chercher à me plaquer sur la bande. Le but de l'exercice est de montrer que même si l'on concède à l'adversaire un certain nombre de centimètres et de kilos, une bonne technique peut vous aider à surmonter un désavantage physique. Ajouter du muscle ne remplace pas l'apprentissage d'un sport.

Ma seconde réserve quant à l'entraînement tient au fait que je crois fermement que les athlètes ont besoin, à certains moments, de reposer à la fois leur corps et leur esprit. Eh oui : du repos, rien d'autre que du repos. Ils doivent laisser à leur corps le temps de se régénérer, à plus forte raison après une longue campagne où ils se sont peut-être rendus assez loin dans les séries éliminatoires. Certaines équipes constituées de jeunes disputent une bonne centaine de matchs dans une saison, et quand bien même ils débordent d'énergie, ces jeunes hommes deviennent fatigués. Préférez-vous que votre enfant joue fatigué ou frais et dispos ? J'ai expérimenté les deux situations et je peux vous l'assurer, j'ai toujours beaucoup mieux joué quand j'étais reposé. Rappelez-vous toujours que les joueurs fatigués sont plus enclins à subir des blessures ; gardez cela bien en tête quand votre fils ou votre fille montera d'un barreau dans l'échelle du hockey. Le corps humain a besoin d'un certain temps pour récupérer d'un tel genre d'effort physique. Il est important d'apaiser l'esprit et de rompre avec le stress mental associé au jeu. Vous pouvez croire que le stress mental est l'apanage des professionnels, mais la pression indue exercée sur plusieurs enfants par le nombre de matchs et par les attentes élevées des entraîneurs et des parents cause elle aussi des dommages. Et ces jeunes joueurs n'ont pas que le hockey dans leur vie : il y a aussi l'école, sans compter une foule d'autres activités. Nous ne devrions jamais perdre de vue qu'il ne s'agit que d'enfants.

LE RÔLE DES PARENTS

Assister à la progression de son enfant d'un niveau à l'autre du hockey peut entraîner pour des parents des moments à la fois enivrants et déroutants. Alors qu'ils exerçaient un contrôle dans bien des domaines de la vie de leur enfant, les parents doivent bientôt couper le cordon et laisser le jeune partir. Ils ne peuvent plus rien diriger. Leur enfant n'a pas l'assurance qu'il pourra jouer en avantage numérique, parce qu'aux niveaux élite de ce sport, il devra conquérir ce privilège de haute lutte. Quel conseil pourrais-je donner à ces parents qui pénètrent dans une période souvent stressante pour leur famille ?

Je repense toujours à cette conversation que mes parents avaient eue avec la famille Lindros, parce que j'adhère sincèrement à la sagesse des propos de mon père. Vous devez simplement vous écarter de la route et les laisser suivre la leur. Vous ne pouvez les amener là où leur talent ne les aurait de toute manière pas conduits. Tout le monde pense que, lorsqu'un joueur gravit les échelons dans le hockey, la communication ne cessera de s'améliorer et que toutes les parties concernées s'entendront à merveille, mais ce n'est pas nécessairement le cas. Autrefois point de mire de son petit monde, le même joueur doit maintenant s'adapter à une nouvelle réalité : il ou elle doit maintenant rivaliser avec le monde entier. Les joueurs, ainsi que les parents de joueurs, doivent faire preuve d'une grande force mentale. Rien ne s'acquiert aisément dans le monde du hockey, surtout au niveau professionnel, parce qu'il s'agit d'un énorme *business*. La capacité du joueur à produire déterminera son succès et personne ne peut présumer de sa place dans l'alignement ; seul le mérite peut la garantir.

Si j'avais un fils ou une fille qui se frayait un chemin dans le hockey, je ferais très attention à bien mesurer mes propos quand les choses iraient plus ou moins bien. Par exemple, dire à son enfant que l'entraîneur ne connaît pas son métier peut passer pour une bonne manière de remonter le moral d'un jeune découragé d'avoir peu de temps de jeu. Mais cela ne peut en fait qu'empirer les choses en lui fournissant des excuses toutes faites : « Ce n'est pas à cause d'un manque d'effort, songera-t-il. L'entraîneur ne sait pas comment m'utiliser. » Dans certains cas, l'entraîneur peut mériter une partie du blâme, mais cette sorte de stratégie n'est pas la mieux indiquée.

Nous apprenons à nos enfants dès leur plus jeune âge des concepts tels que la responsabilité, par conséquent les parents ne devraient pas faire en sorte que leur enfant dénie sa responsabilité dans la qualité de son jeu, cela même s'il y trouve momentanément un certain réconfort.

En tant que parents, il y a un phénomène que nous nous devons de comprendre : plus un joueur progresse dans sa carrière, plus nous devenons des fans de notre propre enfant. Bien entendu, un parent ne devrait jamais laisser quiconque abuser de son enfant. Vous devez toujours savoir ce qui se passe dans la vie de votre fils ou de votre fille. Comme je l'ai déjà dit plus tôt, chacun doit faire ses devoirs afin de ne pas devenir la victime d'une personne peu scrupuleuse ou d'un programme où le jeune se sent exploité. Mais une fois que toutes les décisions nécessaires ont été prises, la meilleure chose que peut faire un parent est de laisser aller les choses, de se détendre et de se rappeler qu'une carrière de hockeyeur est un marathon et non une épreuve de sprint. À plus forte raison quand vous n'êtes même pas le coureur !

LE RÔLE DES ENTRAÎNEURS

Durant ma carrière de joueur, j'ai été très chanceux de pouvoir compter sur toute une série d'entraîneurs qui ont été pour moi de merveilleux modèles et qui m'ont bien dirigé jusqu'à l'heure de la retraite. Vous ne devez jamais sous-estimer à quel point un entraîneur peut s'avérer important dans le cheminement d'un jeune. Entre autres choses, l'entraîneur est la personne qui gère le temps de jeu, ce qui signifie qu'il détient un immense pouvoir sur le développement de votre enfant. Le travail d'un entraîneur consiste aussi à motiver votre enfant et à tirer le meilleur de lui-même. Les entraîneurs doivent apprendre à connaître ce qui « branche » chaque joueur et à développer avec lui une relation très étroite. De nos jours, les joueurs ne hochent pas simplement la tête en disant « Oui, monsieur ! » quand on leur dit de faire quelque chose. Les joueurs d'aujourd'hui veulent savoir *pourquoi* et ne craignent de défier l'autorité. Si un entraîneur fait bien son travail, il ou elle en arrivera à connaître tous les joueurs qui prennent place sur son banc et saura comment s'adresser à chacun.

La relation joueur-entraîneur se construit sur la confiance et des valeurs communes. Votre enfant sera façonné par ces entraîneurs auxquels il accordera sa confiance et les valeurs qu'il partagera avec eux. Inutile par conséquent de vous dire que les entraîneurs sont parmi les gens les plus importants dans la vie de votre enfant, et plus celui-ci se rendra loin, plus sa relation avec l'entraîneur – et l'équipe – deviendra essentielle.

Je ne m'étendrai pas sur les abus de pouvoir commis par certains entraîneurs qui ont fait les manchettes dans le passé, car nous avons tous lu à ce propos. Fort heureusement, il s'agit de cas isolés, mais je crois que dans certains de ces cas, la culture du hockey a contribué à rendre possibles ces abus de pouvoir. De quelle manière ? Essentiellement parce que les entraîneurs ont souvent l'air de diriger leur formation de manière à connaître des succès immédiats. Ils pensent à survivre « ici et maintenant » au lieu de développer un programme de longue haleine qui tiendra la route.

Je n'ignore pas l'épée de Damoclès suspendue en permanence au-dessus de la tête des entraîneurs. Ils doivent gagner ou ils seront remerciés. Hélas, ce genre de dynamique ne se limite pas aux rangs professionnels, parce que même aux niveaux les plus primaires du hockey, je vois des entraîneurs en mode survie. J'ai toujours pensé que si nous formions des entraîneurs de manière adéquate, nos chances seraient bien plus grandes de produire des joueurs plus accomplis, et les entraîneurs jouiraient de postes plus assurés. Il n'y a pas de raccourcis au hockey. Les joueurs ont besoin de temps et d'encadrement pour se développer, et le maître du jeu est toujours l'entraîneur. Il s'agit pour lui d'une énorme responsabilité.

Hélas, si vous tombez sur un entraîneur qui se croit sous les feux de *La Soirée du hockey* alors qu'il se tient tout simplement derrière le banc d'une équipe de rang novice, eh bien, le plaisir ne risque guère d'être au rendez-vous. La victoire peut devenir une sorte de drogue pour les entraîneurs et ils aiment la sensation qu'elle leur procure. Mais cela peut avoir des conséquences sur les jeunes qui pratiquent le sport à ces niveaux mineurs. Plutôt que de succomber à la dépendance engendrée par la victoire, les entraîneurs devraient plutôt se livrer à un examen de conscience et se demander pourquoi ils dirigent une équipe. Si ce n'est pas dans le but de rendre meilleurs de jeunes gens par la pratique du sport, ces entraîneurs devraient peut-être avoir la sagesse de laisser leur place à d'autres.

J'aimerais mentionner une dernière chose à l'attention des entraîneurs. Si, une certaine saison, vous vous retrouvez aux commandes d'une équipe incapable de gagner, alors vous devez vous donner un autre but que celui de brandir un trophée à la fin de l'année. Dans de telles circonstances, le défi peut paraître difficile, mais j'ai toujours cru qu'un entraîneur digne de ce nom pouvait aussi exceller aux commandes d'une équipe affichant une fiche perdante – car tous les clubs ne peuvent en avoir une gagnante ! Les entraîneurs les plus doués trouveront toujours une manière pour que leurs joueurs s'amusent, même sans trophée à l'horizon. Créer de petites victoires au sein de toutes ces défaites se veut la meilleure preuve d'un excellent coaching, et je ne peux qu'applaudir tous ceux et celles qui empruntent cette voie.

LA ROUTE À SUIVRE

En tant qu'agent de plusieurs talentueux hockeyeurs de partout dans le monde, j'étais aux premières loges pour voir apparaître toutes les nouvelles ligues et programmes créés à l'intention des joueurs. J'ai assisté au premier lancer dans la LNH d'athlètes qui n'avaient jamais été repêchés et qui ont fait leur place au sein de la ligue, et j'ai vu trop souvent des espoirs identifiés comme des valeurs sûres être écartés avant d'accéder au saint des saints. Cela dit, il y a deux grandes routes qui mènent à la LNH : les ligues majeures canadiennes (la LHJMQ, la LHO et la LHOu) et la NCAA (National Collegiate Athletic Association) aux États-Unis. Presque tous les joueurs de la ligue ont fait leurs classes dans l'un de ces deux systèmes, peu importe leur nationalité. On voit de plus en plus de joueurs issus des États-Unis et de l'Europe convergeant vers le Canada pour s'initier au jeu d'ici et jouir de la visibilité de nos ligues junior majeures. Inversement, nous voyons aussi toutes sortes de joueurs canadiens bien cotés jouer pour des universités américaines. L'actuel capitaine des Kings de Los Angeles est un Américain qui a disputé son hockey junior au Canada ; celui des Blackhawks de Chicago, un Canadien qui a joué dans la NCAA, aux États-Unis. On me demande souvent quel est le meilleur des deux systèmes. Et, bien entendu, il n'existe pas de réponse simple à cette question.

Les deux systèmes se ressemblent beaucoup sur un point : ce sont deux énormes entreprises. Des carrières s'y jouent, et de grosses sommes d'argent aussi. Si un joueur peut aider un entraîneur ou un programme à se démarquer, il jouira de bons appuis. S'il n'y arrive pas, il devra probablement se débrouiller seul. Et cela vaut autant pour le hockey junior majeur que pour le hockey universitaire. Le hockey mineur existe pour les enfants ; au niveau suivant, il existe pour les partisans.

Il y a bien des années de cela, Rick Curran, mon partenaire à Orr Hockey Group, assistait à la réunion annuelle des entraîneurs de hockey de la NCAA à Naples, en Floride. Un des entraîneurs-chefs d'une puissante équipe de la NCAA avait accusé Rick de courtiser des joueurs qui lui semblaient encore trop jeunes pour attirer l'attention d'une agence de joueurs. Rick s'était entretenu avec les parents d'un joueur âgé de 15 ans, et l'entraîneur tenait à faire savoir à Rick qu'il était encore bien trop jeune pour être représenté.

Mon partenaire lui fit valoir que nous ne « représentions » pas des joueurs à un âge si jeune. Nous donnons des conseils sur demande, ainsi que la NCAA le permet, et cela dans un cadre défini par des règles très strictes. Rick posa à son tour une question à l'entraîneur : « S'il est inapproprié pour une agence de parler avec des joueurs de 15 ans, comment se fait-il que des institutions académiques consentent des bourses d'études à quelqu'un de cet âge ? »

Cette anecdote illustre une réalité de cet univers : le talent fait accourir beaucoup de gens, et si vous n'êtes pas parmi les premiers sur la brèche, vous ne pourrez avoir accès aux meilleurs espoirs. Vous pouvez mettre cela en perspective avec l'époque de mes 12 ans, quand une organisation, celle des Bruins, a accompli un travail fabuleux pour bâtir une relation de confiance avec la famille Orr tandis que la concurrence ne me portait aucun intérêt, ou si peu. C'est ainsi que fonctionnent les affaires au hockey, et vous devez vous préparer à cette conjoncture.

Si je devais décider de l'endroit où jouer mon hockey amateur afin de me préparer en vue d'une carrière potentielle dans ce sport, je prendrais en considération plusieurs aspects. Premièrement, un joueur doit avoir une idée bien arrêtée au sujet de la poursuite de ses études. C'est une perte de temps pour tout le monde si un jeune opte pour le scénario universitaire même s'il sait parfaitement que l'école n'est pas son rayon.

C'est une pure question de motivation, pas d'intelligence. Je n'ai jamais été très intéressé par les études et je ne pouvais m'imaginer passer quatre ans à l'université pour obtenir un diplôme. La toute première question que vous devez vous poser, et elle exige la réponse la plus honnête, concerne votre engagement scolaire. Je crois, sans aucune réserve, que les joueurs devraient tous étudier, mais les études sont à mes yeux une fin en soi, et non une manière de pouvoir faire partie d'un club de hockey. De toute façon, vous vous devez de posséder un certain niveau d'instruction, car vous aurez besoin d'une solution de rechange si vous ne faites finalement pas carrière au hockey.

Deuxièmement, les joueurs doivent penser en fonction du rythme de développement qui leur est propre. Si vous vous développez de façon très précoce en termes de talent et de potentiel, disons à 14 ou 15 ans, peut-être n'aurez-vous pas envie d'attendre jusqu'à vos 18 ans pour quitter l'école. Vous désirerez probablement être confronté immédiatement à un plus grand défi au niveau hockey. Par exemple, si vous étiez à la place des parents de Connor McDavid, qui a évolué au niveau junior majeur dès 15 ans, que choisiriez-vous ? « Trop jeune, trop bon » est un cas de figure qui se présente parfois. D'autres joueurs, en revanche, parviennent à maturité plus tard et ont besoin d'un peu plus de temps pour se développer à des paliers inférieurs avant de faire le saut. Les joueurs du junior majeur sont âgés de 20 ans et moins, bien que les joueurs d'élite atteignent la grande ligue bien avant leur vingtaine. Cependant, le hockey universitaire commence et prend fin plus tard. Ainsi, un jeune qui n'aurait pas été encore prêt à jouer junior pourrait tirer profit de ces années supplémentaires afin de prendre un peu de poids et de parfaire son jeu.

Un autre aspect important auquel vous devez songer est le groupe de joueurs auquel vous projetez de vous joindre. Même si cette facette n'est pas la plus déterminante dans votre décision, elle mérite elle aussi réflexion. Je vous donne un exemple. Si je suis un défenseur et que dans le programme qui m'intéresse on compte sept défenseurs déjà inscrits, je dois réfléchir au temps de jeu qui me sera consenti. Grossir les rangs d'une équipe championne de la NCAA ou des gagnants de la coupe Memorial est certainement une chose merveilleuse, mais si vous n'avez jamais la chance d'être en uniforme, votre développement stagnera et vous serez malheureux comme les pierres. Ne perdez pas de vue ce genre de considération. Bien des joueurs qui ont connu de belles carrières dans la LNH étaient issus de programmes modestes; vous n'avez pas toujours besoin de descendre de la cuisse de Jupiter pour réussir...

Ce n'est pas une décision facile à prendre. Une situation idéale pour l'un peut s'avérer désastreuse pour l'autre. Il faut aussi vous souvenir que lorsque vous serez recruté, on vous fera entendre les choses que vous désirez justement entendre. Mais celles-ci ne se passeront pas toujours comme on vous les avait présentées. Et soyez prêt, car rien ne vous sera offert sur un plateau d'argent. La voie à emprunter pour votre carrière pose un intéressant dilemme et elle requiert une intense réflexion. Utilisez toutes les ressources à votre disposition pour aller chercher l'information nécessaire qui vous aidera à faire un choix bien éclairé, et n'hésitez pas à interroger des joueurs qui ont été par le passé associés à l'équipe que vous avez dans votre ligne de mire. Sachez que votre décision, une fois prise, aura un impact important sur tous les autres aspects de votre vie.

LE RÔLE DES AGENTS

Quand j'ai décidé de me tourner vers la représentation de joueurs en 1991, et tout spécialement de joueurs de hockey, il s'agissait d'un choix mûrement réfléchi. Ce n'était un secret pour personne que je n'avais pas vécu la meilleure expérience qui soit avec un agent durant ma carrière. Beaucoup de joueurs – ainsi que leurs parents – avec lesquels je travaille le savent fort bien. Ils sont conscients que ces événements m'ont fait vivre des choses par lesquelles peu de gens sont passés.

Être agent d'athlètes aspirant à une carrière professionnelle de hockeyeurs a été une expérience passionnante qui m'a fait rencontrer des jeunes hommes inspirants, et leurs familles. Hélas, j'en ai aussi connu d'autres qui semblaient donner l'impression que tout leur était dû. Peut-être avez-vous aussi déjà rencontré ce genre de personnes, qui paraissent attendre beaucoup de ceux qui les entourent mais qui n'agissent pas avec le sens des responsabilités qu'on attend d'eux en retour. Tout athlète devrait toujours avoir en tête le vieil adage « On attend beaucoup de ceux à qui on donne beaucoup ». Je suis perpétuellement étonné de constater à quel point certaines personnes s'attendent à ce qu'on leur témoigne des égards qu'ils ne méritent tout simplement pas.

En tant qu'entreprise, nous devenons très proches de nos clients et de leurs familles. Pour eux, je veux ce qu'il y a de mieux. Quand les choses ne vont pas bien pour eux, je suis frustré. Quand un directeur général ou un journaliste leur donne du fil à retordre, mon instinct m'amène à prendre leur défense. Mais la plupart du temps, et particulièrement avec les jeunes joueurs, mon travail se borne à les garder dans le droit chemin. Un joueur peut avoir tout pour lui, mais s'il lui manque la discipline, son avenir peut aisément lui filer entre les doigts. Une fois qu'il est accompagné par un agent, il peut compter sur quelqu'un qui l'aidera à tirer le meilleur profit de son talent. Cela ne signifie pas seulement que l'agent négocie pour lui le meilleur contrat possible, mais surtout qu'il l'aide à faire les bons gestes. En termes clairs, cela veut dire qu'un agent est là pour l'aider à comprendre ce qu'exige une carrière professionnelle.

Il y a quelques années, lors d'un camp de hockey, j'ai distribué à nos clients une lettre dans laquelle je tentais de décrire le parcours qu'ils étaient en train de suivre – un parcours qui, bien que rempli de la promesse de belles récompenses, n'en était pas moins extrêmement ingrat et tortueux. L'itinéraire qui mène un jeune homme à une carrière d'athlète professionnel demande un type particulier de personnalité, capable de naviguer entre les hauts et les bas, et de conserver en tout temps de bonnes dispositions physiques et mentales qui lui permettent d'aller de l'avant et de constamment s'améliorer. Cette lettre est reproduite ci-dessous. Je tiens ici à remercier Dale Dumbar, qui a collaboré avec le Orr Group Hockey pendant des années, qui est à l'origine de la première mouture de ce document. Je crois que celui-ci a toujours son utilité et qu'il est susceptible d'aider joueurs et parents à voir plus clairement la vie qu'ils choisissent.

La vie de hockeyeur professionnel vous intéresse ?

« Si c'était si facile, tout le monde le ferait », dit la maxime populaire. Cela vaut aussi pour ceux qui veulent faire carrière dans le sport professionnel. Dans les lignes qui suivent, vous trouverez quelques questions et réflexions auxquelles toute personne qui s'apprête à vouer sa vie au sport devrait penser avant de consacrer le temps et les efforts indispensables à l'atteinte du succès. Il ne serait pas responsable de votre part d'être surpris par la tournure que va prendre votre vie simplement parce que vous n'aviez pas fait vos devoirs ! Prenez s'il vous plaît le temps de lire ce qui suit et venez nous parler si vous avez des questions relatives à ces informations.

Êtes-vous prêt à quitter votre foyer à un âge relativement jeune, peut-être aussi tôt qu'à 14 ans ?

- *Cela signifie que vous aurez probablement à cuisiner certains de vos repas, alors qu'ils sont habituellement préparés par l'un de vos parents.*
- *Dans le même esprit, vous pourriez avoir à faire votre propre lessive, une chose dont s'occupe aussi d'ordinaire l'un de vos parents.*
- *Cela signifie également que vous pussiez être hébergé par une famille d'accueil qui pourrait compter de jeunes enfants et où vous ne retrouveriez sans doute pas toutes les commodités de la maison, et tout cela en présence permanente d'étrangers.*
- *Vous pourriez souffrir du mal du pays.*

Êtes-vous prêt à trimer dur à chaque entraînement et à chaque partie, et à donner le meilleur de vous-même sans égard au temps de jeu qu'on vous accorde ?

Êtes-vous prêt à ramasser les rondelles après les entraînements, à charger l'autobus quand vous disputez un match à l'étranger, à être assis à côté d'un joueur de première année dans l'autobus, et accomplir en général toutes les choses qu'on attend d'une recrue – toutes choses qui font partie en quelque sorte de ce sport ?

Êtes-vous paré à l'éventualité de disposer d'un temps de jeu limité et même de regarder à l'occasion un match des gradins parce que vous êtes le plus jeune joueur de l'équipe ?

Êtes-vous préparé à jouer pour un entraîneur qui est furieux parce que l'équipe vient de perdre ou a très mal joué ? Vous pourriez réchauffer le banc ou être retranché au match suivant sans que l'entraîneur prenne la peine de vous en informer, une décision qui laisserait croire que vous êtes la raison de la défaite ou du piètre jeu de votre équipe.

Êtes-vous prêt à accepter qu'il s'agit du premier échelon de l'échelle du hockey professionnel et que tout doit être axé sur la victoire ?

Êtes-vous capable de rester positif et de continuer à travailler d'arrache-pied si on vous consigne au banc chaque fois que vous commettez une erreur ?

Êtes-vous prêt, si vous êtes échangé, à vous rapporter à une autre équipe où tout sera nouveau pour vous : coéquipiers, entraîneur, foyer d'hébergement ?

Serez-vous capable d'ignorer toute remarque négative qu'on vous adressera pendant une partie ou toute critique formulée à votre endroit dans les médias ?

Êtes-vous préparé à vivre toute votre vie sous l'œil des autres, dans un contexte où tout le monde saura tout de ce que vous dites et faites ?

Êtes-vous prêt à aller tous les jours à l'école et à faire de votre mieux pour étudier ?

Aurez-vous le courage de dire à vos amis ou coéquipiers que vous êtes fatigué, ou que vous avez des devoirs à faire, ou encore que vous devez vous reposer quand ils vous demanderont si vous voulez sortir, par exemple pour aller au cinéma ?

Aurez-vous le courage de refuser de consommer toute drogue ou tout alcool qu'on vous offrira ?

Quand tout le monde autour de vous aura une bière en main, aurez-vous le courage de dire non ?

Quand vous serez invité à un party dans un endroit où vous ne devriez pas vous retrouver, aurez-vous le courage de dire non ?

Si un ami ou un coéquipier fait quelque chose de mal, aurez-vous le courage de le lui dire et de le tenir à distance ?

Aurez-vous le courage de prendre vos distances par rapport à toute situation qui pourrait être nocive pour votre santé, votre bien-être ou votre réputation ?

Nous savons tous qu'il est dans la nature de bien des gens de ne pas vouloir voir les autres réussir. Des gens vous jalouseront et souhaiteront votre échec. Serez-vous capable de rester à l'écart de ces gens-là ?

Certains de ces problèmes pourraient se dresser sur votre route dans la poursuite de votre rêve, et nous voulons que vous soyez prêt à affronter toute éventualité. Si vous êtes l'un des quelques élus qui réussiront, je peux vous assurer que la vie de hockeyeur professionnel est merveilleuse. Ne trichez pas avec vous-même. Faites les bons choix. Prendre les bonnes décisions multipliera vos chances de réaliser votre rêve.

On pourrait croire que certains des passages de cette lettre brossent un portrait un peu sombre d'une carrière dans le hockey. En réalité, les sports pratiqués au niveau professionnel offrent plusieurs avantages bien définis à leurs participants, mais le processus par lequel on se rend au sommet n'est pas facile. Par conséquent, si un joueur désire réellement s'engager corps et âme dans la poursuite de ce but, je pense qu'il est essentiel pour lui de prendre très attentivement en considération le contenu de ce texte ! Pourquoi ? Parce qu'à la fin de ce processus, nous ne voulons pas qu'il fasse partie de ce groupe d'athlètes controversés qui font les manchettes pour les mauvaises raisons.

Si vous voulez connaître le succès, vous devez toujours consentir quelques sacrifices, et le sport professionnel ne fait pas exception à la règle. Je lis souvent dans les journaux des récits dans lesquels des athlètes professionnels se sont placés – et ont placé leur sport – dans des situations embarrassantes, et je ne peux m'empêcher d'en chercher les raisons. Comment ces gens peuvent-ils se sentir au-dessus de tout ? Pourquoi personne n'a-t-il pris très tôt la peine de s'asseoir avec eux et de leur expliquer les pièges à éviter et les règles à suivre en vue de leur future carrière ? C'est l'une des raisons pour lesquelles, dans notre compagnie, nous avons résolu de maintenir ouverts les canaux de communication avec nos clients dès le début.

Les jeunes ont besoin d'informations honnêtes et fiables s'ils veulent pouvoir s'adapter à la transition qui les attend lors du passage d'un niveau mineur à professionnel. Nos clients vont collaborer avec plusieurs personnes différentes dans notre organisation parce qu'ils s'y sentent à leur aise. En fin de compte, nous adressons tous le même message à ces jeunes. Nous essayons d'être honnêtes et ouverts afin de les aider à se développer comme athlètes et comme individus. Évidemment, cette communication s'effectue dans les deux sens. Les joueurs et leurs parents éprouvent eux aussi le besoin de communiquer. Nous ne pouvons pas deviner que quelque chose peut ne pas bien se passer. J'ai déjà entendu des parents dire qu'ils ne voulaient pas me « déranger pour rien ». Mais ils le devraient ; mieux encore, c'est leur devoir.

Une fois qu'un athlète devient professionnel, d'autres problèmes se présentent, dont beaucoup sont reliés à la performance. Parce que la réalité n'est pas simple, si vous participez à un programme gagnant, votre valeur augmente. Si vous êtes associé à la défaite, votre valeur baisse. Vous ne pouvez exercer aucun contrôle sur les gens qui vous entourent – sauf par l'exemple. Ce qui est en votre pouvoir, toutefois, c'est votre propre constance. Pendant ma carrière dans la LNH, j'ai eu toutes sortes de coéquipiers avec des niveaux de talents bien différents. La chose la plus frustrante pour un joueur, et je sais que cette chose peut rendre plus d'un entraîneur fou de rage, c'est d'avoir un coéquipier qui joue comme un athlète de classe internationale un jour, puis comme un gars de ligue de garage le lendemain. Tout cela est question de constance et là réside la clé de tout succès à long terme. Personne n'a à jouer au même niveau que Gordie Howe – d'ailleurs, qui le pourrait ? La constance, ce n'est pas cela. *La constance, c'est de démontrer, jour après jour, match après match, les talents que vous possédez, peu importe votre niveau de performance et le degré de talent que vous apportez à votre équipe.*

Il n'y a rien de pire que de compter dans son alignement un coéquipier dont le niveau de jeu n'est pas fiable. Tôt ou tard, ce joueur sera laissé de côté. Dans les premières moutures des Bruins que j'ai connues, Pie McKenzie était toujours le même joueur d'une partie à l'autre, nous savions que nous pouvions nous fier à Dallas Smith à la ligne bleue, et notre duo de gardiens Eddie Johnston et Gerry Cheevers nous offrait un jeu de qualité devant le filet, peu importe lequel des deux se retrouvait entre les poteaux. Afin de devenir une équipe championne, la contribution de tous se devait d'être constante. Un bon exemple de cette constance est illustré par mon regretté coéquipier Ace Bailey.

Ace ne pouvait jouer au même niveau qu'un Gordie Howe – en fait, bien peu d'entre nous le pouvaient. Et aucun de ses coéquipiers ne lui en demandait autant. Mais peu importe le degré de ses habiletés, nous attendions de lui qu'il en fasse profiter, soir après soir, notre équipe, et il le faisait à merveille. Ace a marqué quelques gros buts pour nous, tout particulièrement lors de notre lancée vers la conquête de la coupe Stanley, en 1972. Les grands entraîneurs n'essayent pas d'obtenir de leurs joueurs davantage que ceux-ci peuvent leur offrir. Une fois qu'ils évoluent dans les rangs professionnels, les joueurs savent ce qu'ils peuvent apporter – ou pas – à leur équipe. Le secret consiste à offrir tous les jours à votre équipe ce que vous êtes en mesure de lui donner.

C'est une leçon que devraient retenir tous les jeunes athlètes, car ils vont être évalués sans pitié par rapport à la constance de leur rendement sur une longue période de temps. Durant mon bref passage derrière le banc avec les Blacks Hawks, après ma retraite, je me rappelle d'une conversation que j'ai eue avec un jeune joueur qui ne jouait pas à la hauteur des attentes fondées en lui. Après que j'eus partagé avec lui mon point de vue sur la constance, il m'a dévisagé en me disant :

— Oui, bien sûr, c'est facile à dire pour toi, mais je ne peux pas jouer comme Bobby Orr !

D'accord, mais ce que je tentais de lui dire, c'est que je ne m'attendais pas à le voir jouer à un niveau qui n'était pas le sien, mais bien seulement à ce qu'il joue soir après soir à son niveau, peu importe à quel stade se situait celui-ci.

LES RÈGLEMENTS

Il est intervenu dans les règlements de notre sport, ces dernières années, des changements dont je ne suis pas sûr qu'ils aient rendu le hockey meilleur ou plus sécuritaire pour les joueurs. Selon moi, la sécurité de nos athlètes devrait constituer notre toute première priorité. Bien entendu, le hockey est un sport physique disputé par de grands et gros gaillards. Il n'y a pas de ligne de touche au-delà desquelles quelqu'un peut se mettre à l'abri, et le jeu se dispute à une vitesse très élevée. Quand vous additionnez tous ces éléments, il est facile de comprendre que surviennent inévitablement des blessures. Que l'on parle de hockey, de football, de rugby ou de tout autre sport de contact, cette réalité est incontournable et personne n'y pourra jamais rien changer. Quand vous vous penchez sur l'évolution du jeu sur plusieurs décennies, des questions se posent sur certains changements qui, à mon sens, sont susceptibles d'avoir desservi, plutôt qu'encouragé, la cause de la prévention des blessures. J'aimerais vous faire part de mon opinion sur certains de ces changements.

Par exemple, certains des nouveaux règlements visant à prévenir les interférences d'un adversaire me font me demander si je tiendrais vraiment à être un défenseur dans l'actuelle LNH. Je crois que si je jouais de nos jours, je laisserais mon adversaire récupérer lui-même la rondelle qu'il aurait dégagée dans le fond de ma zone. Traitez-moi de poule mouillée si vous voulez, mais tourner le dos au jeu pour récupérer une rondelle dégagée avec une fraction de seconde à ma disposition et sans renfort, ça me semble tout simplement insensé. Je préfère être une poule mouillée et ne pas avoir à me soucier d'une autre commotion cérébrale – très peu pour moi ! Même une fraction de seconde d'interférence sur un adversaire en échec-avant peut permettre à un défenseur de récupérer la rondelle, de faire un jeu et de se préparer à encaisser une mise en échec. Je penserais la même chose même si je n'étais pas le gars qui va récupérer la rondelle dans le coin de la patinoire. Vous devez me permettre de protéger la santé de mon coéquipier défenseur. Dans le hockey d'aujourd'hui, vous n'avez pas le droit de gêner un attaquant qui se rue vers le coin, avec pour résultat que les défenseurs sont forcés de choisir entre tenter un jeu et être laminés dans la baie vitrée. Absorber des coups fait partie de n'importe quel sport de contact, et ce genre de sacrifice est exactement ce dont une équipe a besoin pour gagner. Mais changer des règlements du hockey en exposant les joueurs à des risques de blessure soir après soir – car l'instinct d'un joueur lui dictera toujours de tout faire pour compléter un jeu – trahit un manque de vision regrettable.

Une autre partie du problème a trait à la suppression de la ligne rouge au centre de la patinoire. Si j'étais le commissaire de la ligue, l'espace d'un jour, mon premier geste consisterait à ramener la ligne rouge centrale afin de réduire les collisions à haute vitesse. Une fois de plus, je précise que personne n'a envie de voir les contacts être éliminés de notre sport. Les joueurs aiment faire sentir leur présence à leurs adversaires, et les partisans aiment le spectacle. Le hockey est un jeu robuste et c'est sa rudesse qui lui attire un vaste public. Mais quand vous avez des joueurs démarqués qui patinent à plus de 20 milles à l'heure et en pleine accélération, sans avoir à se soucier d'un possible hors-jeu, alors il est clair que des gars vont encaisser des coups dévastateurs. C'est absolument inévitable. Oui, bien sûr, les joueurs devraient garder la tête haute, et ils le font. Mais plus un joueur est bon, plus il va transporter la rondelle. Tôt ou tard, peut-être à la fin d'une longue présence sur la glace, ou au terme d'un long voyage, il évaluera mal la distance qui le sépare d'un défenseur en zone neutre, et soudainement les joueurs des deux équipes vont observer un gars inconscient sur la patinoire, victime de ce qui devrait être un coup parfaitement légal, mais qui a été administré à une vitesse dangereusement élevée.

C'est exactement le type de scène auquel nous avons assisté à répétition ces dernières années : un nombre record de commotions cérébrales, survenant souvent à des joueurs étoiles, entraînant souvent des séquelles à long terme. C'est une chose d'avoir les genoux en bouillie, mais le cerveau constitue un cas entièrement différent, et je crois qu'en ayant institué ces règlements nous avons rendu le sport plus dangereux qu'auparavant. La taille et le poids des joueurs contemporains doivent nous inciter à réfléchir et imposer des limites.

Une autre manière d'améliorer la protection des joueurs dans cet environnement à haute vitesse serait de supprimer le règlement du trapézoïde pour les gardiens. Selon la règle ayant cours actuellement, le gardien dispose de très peu d'espace quand il aide ses défenseurs à récupérer la rondelle. Cette règle autorise le gardien à manipuler une rondelle libre derrière la ligne des buts dans un minuscule espace cantonné derrière son filet. Quand l'équipe à l'attaque dégage la rondelle dans un coin de la patinoire, le gardien ne peut y toucher. Parce que celui-ci ne peut venir à la rescousse de ses défenseurs, cela les met donc automatiquement dans une position vulnérable vis-à-vis des avants adverses. Le contrôle de la rondelle est un art qui est presque perdu par la plupart des gardiens d'aujourd'hui, alors qu'il devrait constituer un atout pour n'importe quelle équipe. Un gardien habile avec le disque est comme un troisième défenseur qui commence un jeu avec une belle passe hors de sa zone. Je saisis bien l'intention de ce règlement, mais je crois qu'il a fait plus de mal que de bien et qu'il devrait être aboli.

Dans le but de réduire les blessures, j'aimerais voir un autre règlement adopté, celui du dégagement automatique[1], sans même avoir à toucher à la rondelle. Franchement, je ne comprends pas la raison pour laquelle on prend tant de temps à modifier ce règlement. Je comprends que la ligue soit frileuse devant l'adoption du dégagement automatique parce qu'il ralentira l'action en causant davantage d'arrêts de jeu. Mais combien de fois, avec le règlement actuel, voit-on un avant doubler un défenseur et toucher à la rondelle le premier ? Nous exposons des athlètes à des risques dans ces courses presque toujours dépourvues de sens, puisque le dégagement a lieu de toute manière. Le nombre des blessures qui résultent de ces courses entre avants et défenseurs pour toucher le premier au disque est bien documenté. Cette règle demande un changement immédiat.

Dans la foulée, il y a une autre règle relative au dégagement dont j'ai du mal à comprendre le bien-fondé. Quand on interdit à une équipe en situation de défense de changer ses joueurs quand survient un

1. Ce type de dégagement, dit aussi « hybride », a maintenant été adopté. (NdÉ)

Ci-contre : avec ma femme Peggy, le jour de notre mariage à Parry Sound.

Ci-dessous : en 1979, au vieux Boston Garden, pendant la Soirée Orr à l'occasion de laquelle mon chandail a été retiré. Je m'apprête à serrer les mains d'Al Secord, Terry O'Reilly et Peter McNabb avant la mise en jeu de ce match hors concours qui opposait les Bruins aux Ailes du Soviet.

Dans le sens des aiguilles d'une montre : mon père avec Walter Gretzky, à Parry Sound ; avec Michael J. Fox, lors d'un match bénéfice à Boston ; avec Frank Sinatra lors d'une soirée bénéfice pour Tony Conigliaro en 1983 ; avec Arnold Palmer, lors d'un tournoi au Nashawtuc Country Club.

Ci-dessus : lors d'une partie en plein air à Boston avec deux de mes Bruins préférés, Cam Neely et Ray Bourque.

Ci-contre : avec mon ami Ace Bailey, tragiquement disparu le 11 septembre 2001.

Ci-dessous : avec deux légendes sportives de Boston, Ted Williams et Larry Bird, sur le plateau de l'émission de Bob Lobel, *Sports Final*. C'était tout un privilège d'être honoré en même temps que ces deux hommes qui ont tant accompli dans leur sport respectif.

En haut, à gauche : pêche au saumon sur la rivière Cascapédia avec Fraser Baikie et Ted Williams.

En haut, à droite : pêche au bar au lac Saint-François, au Québec.

En bas, à gauche : pêche au saumon dans le nord de la Colombie-Britannique.

En bas, à droite : un petit tour de bateau en famille avec Peggy et mes fils Darren et Brent, tous deux d'excellents pêcheurs à la ligne.

En haut : tir au poignet avec Don Cherry dans l'Ouest canadien.

En bas : Don et moi au tertre de départ de mon tournoi de golf annuel à Parry Sound. Don est un habitué de l'événement. Les participants sont toujours ravis de l'y retrouver.

Ci-contre : lors de la cérémonie du retrait de mon chandail des Generals, à Oshawa. Don Cherry était l'un des invités surprises pour l'occasion.

Ci-dessous : le hockey joué en plein air demeure sans doute mon plus beau souvenir de jeunesse et je suis toujours heureux de pouvoir partager cette expérience avec les autres. Sur la patinoire aménagée au cœur du Fenway Park, je pose avec mon ami Dave Harkins, son gendre Jeremy Styles et ses petits-enfants Logan et Sadie.

Ci-contre : toujours au Fenway Park, avec les enfants de mon ami Phil Morse : Sawyer, Ben, Ryan, Will et Annie.

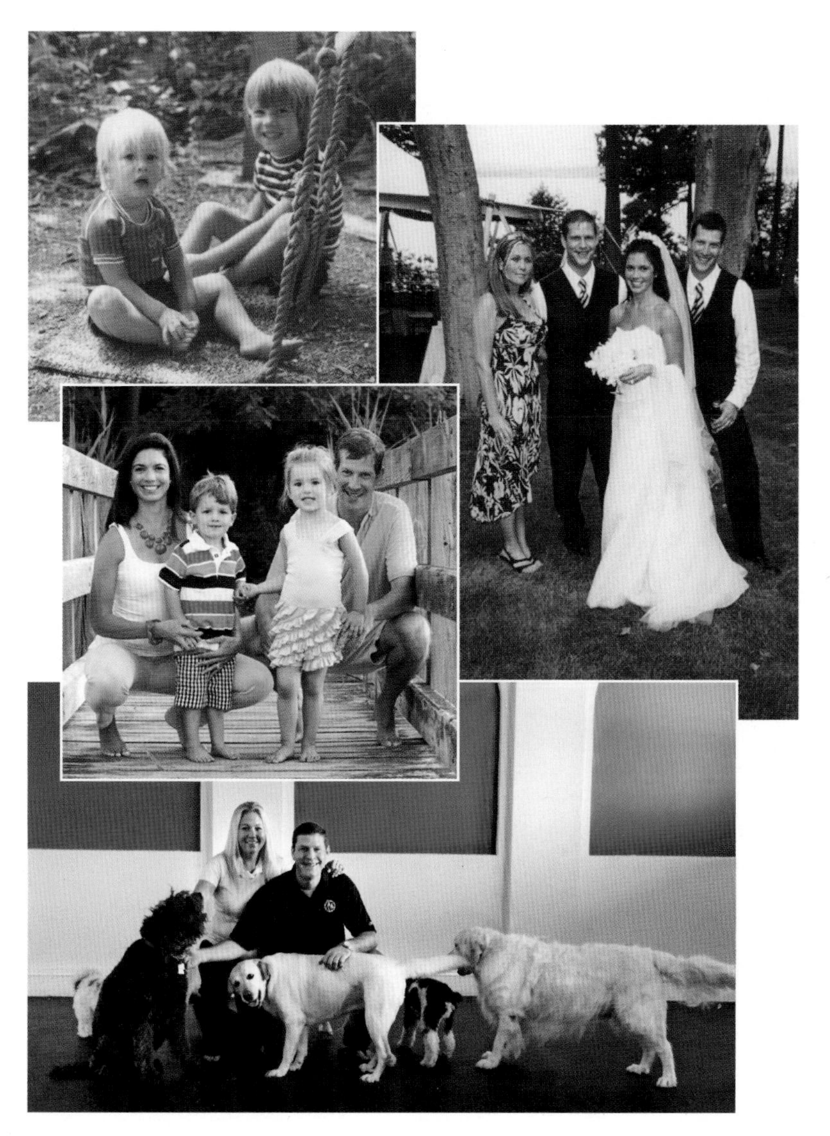

En haut, à gauche : mes fils Brent et Darren, enfants.

En haut, à droite : les voici à l'âge adulte, au mariage de Darren. Nous étions enchantés d'accueillir Chelsea dans la famille, tout comme nous l'avons été d'accueillir Kelley, la future femme de Brent.

Au centre : Chelsea et Darren avec mes petits-enfants adorés, Alexis et Braxton. Aucun sentiment n'approche la joie d'être grand-père.

En bas : Kelley et Brent en compagnie de quelques-uns de leurs pensionnaires chez Paws 4 Play, leur pension pour chiens à Jupiter, en Floride, une entreprise florissante.

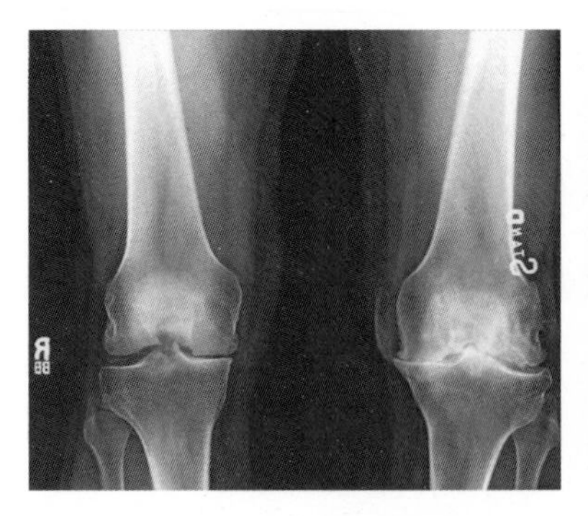

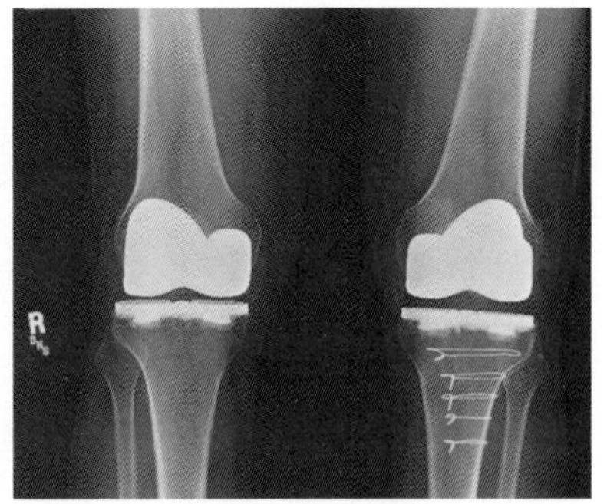

Ci-dessus : mes genoux, avant et après la grande opération. Nul besoin d'être chirurgien pour constater à quel point il restait peu de cartilage dans mes articulations. Entre 1982 et 2002, j'ai subi huit opérations supplémentaires. Puis, en 2004, j'ai fait totalement remplacer mes genoux, une opération à laquelle j'aurais dû me soumettre bien plus tôt.

Ci-dessous : la statue *The Goal* devant le Boston Garden. Ce partisan en pleine prière symbolise bien l'attachement des loyaux partisans de la ville à leur équipe.

dégagement, cela signifie que vous allez vous retrouver avec des joueurs fatigués sur la patinoire. Une fois de plus, je perçois très bien l'intention derrière le règlement, mais celui-ci fait abstraction d'une grave réalité : les joueurs fatigués commettent des erreurs, et les erreurs mènent souvent à des blessures. Le jeu est déjà assez dur sans qu'on garde sur la patinoire des joueurs épuisés qui ne peuvent momentanément jouer à la hauteur de leurs moyens.

Pendant que nous parlons règlements, il y a encore deux ou trois choses dont j'aimerais me délester. Au fil des dernières années, nous avons assisté à des changements avec lesquels je ne saurais être d'accord. Si j'étais toujours actif, je détesterais voir le résultat d'un match se décider par un but compté en avantage numérique alors qu'un joueur a été puni pour une effraction aussi anodine qu'un disque projeté par erreur au-dessus de la baie vitrée ou un coup de gant sur une rondelle dans le cercle de mise en jeu. Ce serait une manière vraiment trop pénible de perdre un match de hockey, ou pire encore, un match de finale de coupe Stanley. On voit à tous les matchs des joueurs projeter involontairement une rondelle dans la foule. En période de séries éliminatoires, ne serait-il pas souhaitable que chaque équipe dispose au moins d'une chance avant d'être pénalisée pour une faute aussi bénigne ?

Bien entendu, plusieurs de ces ajustements ont été apportés au jeu pour améliorer le rendement offensif. Mais nous devons arrêter de vouloir sans cesse créer plus de jeu offensif, car cet aspect est depuis toujours naturellement présent au hockey et il le sera à jamais. Que deux ou six buts soient marqués dans un match, le jeu offensif sera au rendez-vous. Regardez de quelle façon se préparent les équipes en vue des séries éliminatoires. Il y a aux quatre coins de la ligue de superbes matchs qui sont disputés chaque soir, et personne ne s'attarde à parler du nombre de buts marqués. Tout comme je n'ai jamais vu un amateur de baseball quitter un stade en plein match sans point ni coup sûr parce qu'il n'y a pas assez de balles en jeu ! Idem pour un match de football où une équipe musèle l'attaque adverse… Et vous, vous rappelez-vous avoir entendu des amateurs de hockey huer leurs favoris pendant un match endiablé d'un bout à l'autre en dépit d'un score de 1-0 ?

Il est intéressant d'observer comment un changement de règlement peut amener les entraîneurs à apporter des ajustements au style de jeu de leur équipe, ce qui affectera plusieurs autres facettes du jeu. Prenons l'exemple de la ligne rouge centrale. Elle a été supprimée afin d'augmenter le rythme du jeu, dans le but de générer davantage d'offensive. Mais les entraîneurs se sont adaptés à ce changement en instaurant en zone neutre un système défensif qui fait office de verrou – la fameuse « trappe ». Avec pour résultat que cette stratégie nous offre, selon moi, un hockey souvent ennuyeux où une grande proportion de l'action finit par aller et venir entre les deux lignes bleues. Une équipe lance la rondelle dans la zone adverse et tente de la récupérer, mais l'autre la reprend et lance la rondelle en zone adverse, et ainsi de suite.

Un mot sur les lignes bleues, pendant qu'on y est. Quand la ligue a déplacé la ligne bleue de quatre pieds en zone médiane, non seulement a-t-elle mis la pagaille et augmenté les risques de coups donnés à haute vitesse, mais elle a aussi donné aux joueurs évoluant à la pointe plus de temps et d'espace pour préparer des lancers frappés dévastateurs. Ce n'est certainement pas le fruit du hasard si nous voyons beaucoup plus de joueurs subissant des blessures à la suite de tirs bloqués ou de rondelles déviées en pleine figure ; les entraîneurs ont bien compris le parti qu'ils pouvaient tirer de ces quatre pieds de plus…

Dans mon esprit, les trois éléments les plus importants que nous pouvons intégrer au jeu pour le rendre plus sécuritaire pour nos joueurs sont : 1) des dégagements sans contact ; 2) nous débarrasser des coups à la tête infligés à haute vitesse sur des joueurs vulnérables ; 3) faire cesser tous les coups administrés par-derrière.

Personne ne désire que des innovations radicales soient apportées au jeu le plus excitant de l'univers. Si nous y changeons quoi que ce soit, allons-y avec précaution. Pourquoi essayer de réparer quelque chose qui n'est pas cassé ?

LES BAGARRES

Les opinions que je vais émettre à ce sujet doivent être lues et comprises dans leur contexte. Laissez-moi d'abord aborder cette section en affirmant qu'aucune bagarre ne devrait être tolérée au hockey mineur. Nous ne devrions jamais voir deux équipes pee-wee quitter leurs bancs pour s'engager dans une mêlée ; ce genre de spectacle n'a pas sa place dans notre sport et les gens qui le permettent devraient avoir honte. J'ai déjà entendu une mère dire que son mari et elle pensaient à inscrire leur fils à des cours de boxe afin qu'ils puissent se défendre adéquatement dans sa ligue. Leur garçon avait sept ans. Quand un enfant met un patin sur une patinoire en s'inquiétant des combats qu'il devra peut-être y livrer, quelque chose cloche sérieusement.

Vous pourriez penser qu'il s'agit d'un événement isolé, mais j'ai lu récemment sur le cas d'un entraîneur au hockey mineur suspendu pour avoir infligé à un de ses joueurs une commotion cérébrale alors qu'il apprenait les rudiments du combat sur patins à son équipe.

Peu importe ce que voient les enfants à la télévision, nous pouvons et nous devons exercer un contrôle sur le monde du hockey mineur. Si une masse critique de parents, d'entraîneurs et de dirigeants décide que les bagarres ne sont plus tolérées, celles-ci peuvent être rayées du hockey mineur. Il appartient à chacun de nous de relayer ce message à nos enfants. Après tout, nous sommes supposés exercer une supervision sur les activités auxquelles ils participent.

Il y a toutefois toujours deux faces à une médaille, et il en est également ainsi pour la problématique des bagarres au hockey professionnel. Sous cette acception de hockey professionnel, j'englobe tous les rangs professionnels ainsi que les plus hauts rangs du hockey junior majeur. J'inclus ceux-ci dans l'équation parce que les joueurs de ces rangs-là y jouent dans le but de parfaire leur apprentissage afin d'accéder au niveau suivant. Ils se doivent d'être prêts pour ce qui les attend, et les bagarres en sont une composante.

Bien entendu, personne ne veut voir de fier-à-bras au hockey junior. J'applaudis la sévérité des suspensions instaurées par les ligues junior afin de dissuader les récidivistes. Dans la Ligue de hockey de l'Ontario, par exemple, quand un joueur se bat un certain nombre de fois durant une même saison, il écope une suspension automatique de deux matchs pour chaque combat subséquent, et la sentence est gonflée à quatre matchs s'il est l'instigateur du combat. Il s'agit là à mes yeux d'une mesure appropriée dont toute ligue pourrait s'inspirer si une équipe ou un individu fait de la bagarre ou de l'intimidation un plan de match à part entière. Dans le cas de combats « prémédités », je serais favorable à une expulsion automatique. Il n'y a pas de place dans le hockey pour ce genre d'agissements.

Cependant, en ce qui concerne la question des bagarres au niveau professionnel, j'hésiterais à les bannir et voici pourquoi. En tant que jeune joueur de la LNH, on m'a défié à certaines occasions et j'ai dû répondre à ces défis en me battant, parce que je croyais que c'était mon devoir de le faire. Je ne peux pas dire que je prenais plaisir à me battre, mais j'avais compris le rôle que les bagarres jouaient au hockey. Je n'ai jamais voulu – et je n'ai d'ailleurs jamais senti le besoin – que quelqu'un prenne ma défense quand le jeu s'envenimait, et je crois que cela m'a bien servi durant le cours de ma carrière, tant auprès de mes coéquipiers que de mes adversaires. Mon premier combat s'est déroulé contre Ted Harris des Canadiens. Il voulait voir de quel bois j'étais fait, situation à laquelle n'échappe aucune recrue. Si vous répondez à l'invitation qu'on vous lance, vous gagnerez le respect de vos frères d'armes en même temps que celui de vos vis-à-vis.

Le hockey est un sport dur, qui requiert un jeu physique, et cela peut parfois conduire ceux qui le pratiquent à des accès de frustration. En tant qu'ancien joueur, quand ce genre de choses se produit sur la patinoire, je préfère affronter un adversaire seul à seul et à mains nues plutôt que d'entendre siffler des bâtons à mes oreilles ou d'être dardé à telle ou telle partie du corps. Dans le même esprit, frapper un joueur par-derrière est à mes yeux un geste lâche et inconscient – une pratique qui a provoqué, selon moi, des blessures aussi sérieuses que celles découlant de combats. Si le respect qu'un joueur voue à l'adversaire qui se trouve entre la bande et lui n'est pas assez grand pour l'empêcher d'administrer un coup salaud, peut-être une certaine peur des représailles y parviendra-t-elle…

Le sujet des bagarres et de leur place dans le hockey a fait couler beaucoup d'encre ces dernières années. Il est vrai que le sport professionnel peut être cruel pour ceux qui préfèrent le pugilat au talent, et que le métier d'homme fort est une manière assez pénible de gagner sa vie. Mais plus je considère l'état actuel de mon sport, et plus cette toute simple vérité s'impose à moi : la menace d'un combat, ou la crainte de commettre un geste qui pourrait entraîner une vengeance, constitue un excellent moyen de dissuasion. Elle l'a toujours été et elle le sera toujours.

Historiquement, les joueurs doués ont toujours joui d'une sorte d'immunité en matière de combats, et cette règle tacite était respectée dans toute la ligue. Appelez ça quelque chose comme l'honneur des bandits, si vous voulez, ou la loi de la jungle, mais cela marchait. De nos jours, je vois des joueurs du type « petite peste » qui portent des casques et des visières, et qui agissent comme des durs de durs, comme s'ils n'avaient pas à répondre de leurs action. Ces fauteurs de trouble sont un déshonneur pour leur sport et ne font que créer encore plus de chances de blessures. Leur travail consiste justement à provoquer des réactions de vengeance, et ce ne sont presque jamais eux, les instigateurs des bagarres, qui payent le prix pour leurs propres gestes.

Je sais que les partisans de hockey s'intéressent beaucoup au débat entourant les bagarres au hockey. D'un côté, vous avez Don Cherry, un farouche partisan du jeu robuste ; de l'autre, nombre de gens jugent les bagarres barbares et disent qu'elles devraient être bannies. La foule de données et de statistiques invoquées pour supporter ou condamner les bagarres sont souvent considérées avec scepticisme par les tenants de l'un ou l'autre parti, tout dépendant du côté où ils se rangent.

J'aimerais toutefois ajouter ce commentaire sur la place des bagarres dans le hockey. Je crois que chaque joueur, à plus forte raison au niveau professionnel, doit être responsable des actes qu'il fait, et la menace d'un combat répond à ce besoin. Il y a une réalité dont les amateurs de hockey doivent prendre conscience : vous ne parviendrez jamais à faire tomber les gants de certains joueurs si vous les invitez à se battre, et pourtant ces mêmes joueurs se permettent, dans le hockey d'aujourd'hui, de porter des coups qui n'ont pas leur place dans ce jeu. Pourquoi ? Tout simplement parce qu'ils le peuvent... Il ne devrait pas en être ainsi, et aucun joueur ne devrait avoir le droit de se comporter de la sorte. Ce qui m'amène à parler du rôle de ces joueurs qu'on appelle indifféremment policiers ou hommes forts.

Prenez l'exemple du grand Jean Béliveau. Pensez-vous qu'il aurait été aussi utile aux Canadiens s'il avait passé davantage de temps au banc des pénalités parce qu'il aurait eu à se défendre lui-même en livrant des combats ? Manifestement, la réponse à cette question est un non retentissant, et la direction de l'équipe a agi en conséquence à cette époque, en embauchant John Ferguson pour veiller à cette facette du jeu à la place de Béliveau.

« Fergie » était un policier, peu importe votre définition de ce rôle, mais il a aussi connu des saisons de 20 buts pour les Canadiens, ce qui montre bien que ce genre de joueur possède plus d'une dimension. Mais remplir le filet adverse ne constituait pas sa principale fonction. John était là pour s'assurer que personne ne s'aventure à chercher noise à l'un ou l'autre des joueurs étoiles de l'équipe, dont Jean Béliveau au premier titre. Vous pouviez le bousculer et vous en prendre à lui dans le feu de l'action, mais si vous franchissiez une certaine limite, tôt ou tard vous deviez composer avec la « loi ». John connaissait son rôle et il n'était pas un provocateur, mais plutôt une sorte de police d'assurance pour son équipe.

Maintenant, appuyez sur la touche « avance rapide » et posez-vous la même question aujourd'hui : préférez-vous voir Sidney Crosby déployer tout son talent sur la glace ou ronger son frein sur le banc des pénalités après s'être battu ? Là aussi, la réponse est claire, mais aujourd'hui les règles ont changé. Sidney Crosby ne dispose pas d'un John Ferguson : il est vulnérable. Les équipes adverses se permettent à son égard certains gestes, et si personne ne les en empêche, pourquoi ne pas tout faire en leur pouvoir afin de ralentir un joueur de cette trempe ? Le résultat de cette vulnérabilité a été illustré par toute une succession de blessures avec lesquelles Sidney a dû composer. Je n'ai aucune envie de le voir livrer des combats pour assurer sa propre protection. Il est le meilleur joueur de notre sport, et je veux le voir en parfaite santé et en action sur la patinoire, pas assis au cachot.

Bien entendu, les joueurs étoiles d'aujourd'hui ont aussi un rôle à jouer. Si quelqu'un tel que Sidney se permet de donner un coup de bâton à un adversaire, ou encore de lui adresser un commentaire provocant, il aura la monnaie de sa pièce. Vous récoltez toujours ce que vous semez à ce jeu. Mais ce que nous devons retenir de tout cela, c'est que si un joueur du statut de Sidney Crosby avait pu compter sur un policier, et je parle ici d'un vrai policier, dont la fonction première est de veiller sur le joueur étoile de son club, alors certains des assauts dont il a été la cible et la victime n'auraient peut-être jamais eu lieu. Les policiers remplissent un rôle très utile. Si la ligue désire voir vraiment briller ses étoiles, l'une des meilleures façons d'y parvenir est de leur accorder plus de temps et d'espace pour qu'ils puissent donner libre cours à leur créativité. Et c'est là que le rôle d'un policier prend toute sa valeur.

Le jeu semble malheureusement évoluer dans un sens contraire en raison de l'imposition faite aux officiels d'arbitrer chaque partie en suivant le livre des règlements à la lettre. Il n'y a pas si longtemps encore, ils jouissaient d'une plus grande marge d'interprétation et pouvaient arbitrer un match en se fiant autant à leur sens de la justice qu'au livre des règlements. Un coup jugé illégal dans un match sans histoire pouvait être le lendemain jugé acceptable dans un match chaudement disputé. Les arbitres pouvaient gérer le jeu selon leur sens de la justice. Mais dans la recherche d'un arbitrage uniforme, le jugement discrétionnaire des arbitres leur a été retiré et, avec lui, une certaine façon de « sentir » le jeu qui leur était propre.

Évidemment, les arbitres ne devraient pas avoir à chercher des pénalités, mais plutôt observer sans interférer. Dans beaucoup trop de cas, les arbitres réagissent à la chute d'un joueur sur la glace ou à une main que celui-ci porte à son visage plutôt qu'au bâton porté trop haut à l'origine de la situation. La chute d'un joueur ne signifie pas toujours qu'il y ait motif à pénalité.

C'est un très dur métier que celui d'arbitre, et je crois qu'ils abattent un formidable boulot dans un environnement très exigeant. Ils doivent prendre des décisions en une fraction de seconde devant des milliers de partisans – et des millions de téléspectateurs. C'est un sport qui se déroule à une vitesse éclair, et les joueurs sont assez intelligents pour tirer profit d'un arbitre qui regarde ailleurs. Les arbitres ne pourront jamais tout voir. Mais s'ils pouvaient recourir un peu plus à leur jugement, comme autrefois, je crois que cela contribuerait à éliminer un peu de ces situations absurdes qu'on voit parfois sur les patinoires.

Quand un agitateur s'en prenait à un joueur étoile, naguère, en vertu du code selon lequel nous jouions, il y avait toujours quelqu'un qui attendait l'heure de lui rendre la pareille. De nos jours, les lignes de démarcation sont plus floues, l'agitateur feint une chute quand l'arbitre s'apprête à rendre son verdict, et soudain l'équipe de la victime écope une pénalité, et l'agitateur est sur le banc de son club, riant dans sa barbe, aux premières loges pour assister à l'avantage numérique des siens. En d'autres mots, ce système récompense l'injustice. À une époque pas si lointaine, il n'était pas rare que l'arbitre « regarde ailleurs » quand l'agitateur recevait son dû. Cette forme de justice n'était peut-être pas la meilleure, mais elle gardait le jeu plus propre.

Les choses doivent aussi aller dans l'autre sens. Il y a très certainement des choses que les arbitres doivent chercher à enrayer, mais il y en a d'autres auxquelles ils ne devraient pas toucher. Pour être plus précis, beaucoup d'attention a été consacrée dernièrement aux coups très violents qui ont infligé des blessures à des joueurs. Que ce soit un coéquipier ou un adversaire, personne n'a envie de voir un joueur étendu sur la glace. Mais si le coup était légal, il était légal, et l'arbitre n'a pas à intervenir dans ces cas-là. Vous ne pouvez pas pénaliser des gars pour des résultats malheureux dont ils ne sont pas responsables, pas plus que vous ne devriez les suspendre. Après tout, ils ne faisaient que jouer selon les règles du jeu. Nous devons permettre aux arbitres de pouvoir se fier à leur bon sens et à leur jugement. Ce ne sont pas des robots et ils ne seront jamais parfaits, mais je préférerais donner une marge de manœuvre accrue à un arbitre d'expérience et faire appel à son jugement quand la situation le commande.

EN CONCLUSION

J'ai commencé ce chapitre en disant comment ce sport n'avait jamais réellement changé et je l'ai terminé en disant comment je le changerais. Je ne préconise aucune refonte majeure ni aucune mesure audacieuse. Non, tous les changements qui me viennent à l'esprit visent à redonner à ce sport ce qu'il a toujours été. En tant que partisan de hockey, je veux voir sur la patinoire ce que je voyais quand moi-même j'y étais.

J'aimerais voir un sport où on ferait davantage appel au jugement des arbitres ; où des règlements seraient créés pour favoriser un meilleur développement du talent et pour assurer la sécurité des joueurs ; où le respect préviendrait les coups donnés aux joueurs en situation vulnérable ainsi que les coups donnés par-derrière.

C'est de cette façon que devrait être joué le hockey. Quand les gars y jouent avec passion, on peut alors voir la vraie nature de ce sport. Les joueurs ne reçoivent pas de salaire en séries, juste un minuscule boni pour s'être rendus jusque-là. Et voyez comme ils jouent alors d'une manière tellement plus intense. Les joueurs ne sont pas non plus payés pour représenter leur pays aux Jeux olympiques ou dans des tournois internationaux, et c'est pourtant lors de ces occasions qu'ils disputent leur meilleur hockey. Ils ne font pas tout cela afin de s'enrichir, mais bien parce qu'ils aiment le hockey, et ils jouent comme ils jouent parce que c'est ainsi que ce sport doit être joué.

La créativité, l'esprit de compétition, les confrontations physiques, les bagarres elles-mêmes, peut-être, voilà le hockey à son meilleur. Nous devons simplement rester en retrait. Quand les changements apportés au jeu sont minimes et sans conséquences, j'en viens à la constatation que personne – propriétaire, dirigeant, joueur – n'est plus important que le hockey lui-même. Les époques se succèdent, mais ce jeu trouve toujours un moyen d'aller de l'avant. Peut-on imaginer une meilleure preuve de l'intégrité du sport lui-même, et de la passion des gens qui l'aiment, qu'ils soient sur la patinoire ou dans les gradins ?

Pourquoi ne pas garder les choses ainsi ?

Épilogue

Où ont filé toutes ces années? De Parry Sound à Oshawa, puis à Boston, et jusqu'à aujourd'hui, tout s'est passé en un éclair. Je repense à ce jour, encore tout récent, quand cette statue a été dévoilée devant le nouveau TD Garden, à Boston. Cet événement est allé rejoindre tous les autres dans le grenier à souvenirs, et l'horloge continue impitoyablement ses tic-tac. Et vous en venez à comprendre à quelle invraisemblable vitesse s'écoulent les plus belles années d'une vie.

Alors que je repense au processus qui a été nécessaire à la rédaction de ce livre, je suis frappé par le nombre et la qualité de tous ces gens merveilleux que j'ai eu la chance rencontrer dans ma vie, aussi bien dans le cadre du hockey qu'au dehors. Jusqu'à ce jour, cela représente toute une équipée pour moi, et la réalisation de ce projet m'a permis de me rappeler les gens et les événements du passé tout en revivant des amitiés et des souvenirs extraordinaires. Il arrive parfois que, dans la course effrénée de la vie, nous perdions la trace de certaines personnes qui ont tant fait pour nous et nos familles, et cela est malheureux. Lorsque vous vous attardez sur le passé, il arrive aussi que cet exercice de mémoire ravive des souvenirs douloureux. Des moments pénibles ressurgissent des limbes, et cela englobe également nos propres erreurs. Ce voyage temporel peut même amener à vous demander ce que vous feriez différemment si vous aviez la chance de tout recommencer à partir de zéro, et de quelle manière ces changements auraient pu profiter aux êtres les plus chers qui vous entourent.

Sérieusement, je crois que les gens qui prétendent n'avoir aucun regret n'ont plus la vue assez claire pour voir l'ensemble de leur œuvre, ou alors ils préfèrent embellir la réalité. Dans mon cas, je suis conscient que j'ai fait de ma carrière ma seule priorité pendant des années. Il est vrai que j'ai acquis une célébrité à la hauteur de mon dévouement au hockey, et je suis parvenu à remplir beaucoup des objectifs que je m'étais fixés. Néanmoins une vérité émerge de tout cela : il y a toujours un prix à payer dans ce genre de quête.

Comme bien d'autres, je ne peux m'empêcher d'éprouver des regrets pour tout ce temps que le hockey m'a obligé à vivre loin de ceux que j'aimais. Quand je regarde mon fils Darren interagir avec son fils et sa fille, mes deux petits-enfants, je dois confesser une certaine envie. Je dis cela parce que Darren a pu passer plus de temps avec ses enfants que moi avec les miens, à l'époque où Brent et lui étaient tout jeunes, et c'est une chose que je regrette encore aujourd'hui.

En repensant à cette époque de ma vie, je reste encore aujourd'hui ébloui par le support de Peggy tout au long de ces années. Elle s'est occupé de tant de choses pendant si longtemps, surtout sous le rapport de l'éducation de nos enfants. En écrivant ces lignes, je m'aperçois de ma tendance à invoquer ma carrière pour excuser mes carences en tant que père, et j'estime en toute sincérité que c'est un bien piètre prétexte. Quand vous avez une famille, vous devez être présent pour elle. Je suppose que j'aimerais bien avoir la chance de revivre certains des jours de ce temps-là…

En matière d'éducation, bien des choses ont changé dans ces dernières décennies. La plupart des familles d'aujourd'hui ont besoin de deux parents sur le marché du travail. Parfois, c'est le père qui reste à la maison pour s'occuper des enfants, et les pères, de nos jours, voient leurs enfants bien plus que ceux des générations passées, et je crois que c'est une excellente chose. La bonne nouvelle, c'est qu'il m'est donné une autre chance de passer du temps avec des tout-petits qui sont très chers à mon cœur.

Parler de parents et d'éducation me fait tout naturellement penser à ma mère et mon père, et tout particulièrement à mon père. Je me souviens de cette toute dernière fois où je suis allé pêcher avec lui. Cela s'est passé à l'un de ses endroits favoris, sur la rivière Cascapédia, au Québec, et bien qu'il s'agissait de notre ultime excursion, c'était la première fois où mon père s'essayait à la pêche à la mouche. Ce fut une expérience inoubliable, de le voir ainsi lancer sa mouche et d'y prendre autant de plaisir. Quels moments mémorables j'ai vécus ce jour-là ! J'ai marqué dans ma vie cette journée d'une pierre blanche.

Les années filant, l'âge aidant, vous apprenez à apprécier à leur juste valeur ces instants où l'argent, la gloire, le succès et même les statues n'ont aucune importance. Si ces expériences sont uniques et spéciales pour chacun d'entre nous sur un plan personnel, elles se ressemblent pourtant de bien des manières pour nous tous. Parce qu'elles touchent aux valeurs qui sont profondément enracinées en nous. Une partie de pêche avec notre père, le réconfort d'une mère, la fierté que nous font éprouver nos enfants, voilà bien les fils qui tissent une vie. Nous devons savourer ces moments, apprécier nos succès et apprendre à nous pardonner pour nos propres erreurs.

Récompenses et marques de reconnaissance

Quand votre carrière est terminée, une chose demeure à jamais : vos statistiques. Ces chiffres peuvent paraître bien froids. Ils ne révèlent pas grand-chose de l'aspect humain de l'histoire. Ces totaux finaux sont ce qu'ils sont, et vous devez composer avec eux. Mais la carrière d'un joueur professionnel signifie tellement plus que ces colonnes de chiffres… Ces statistiques ne peuvent traduire la moindre des pensées ou des émotions qui ont jalonné la création de ces chiffres, et elles ne peuvent exprimer les sensations qu'a éprouvées un athlète à certains moments particuliers.

On me pose souvent sur ma carrière des questions auxquelles ne peut répondre aucune de mes statistiques. J'ai eu la chance de jouer pour une équipe qui a connu de beaux succès dans la LNH, et les bons résultats obtenus par cette équipe m'ont valu d'être récompensé de quelques honneurs individuels au fil des ans. Même si je ne vois pas l'utilité de m'étendre sur aucun de ces honneurs individuels, il y a tout de même à ce sujet quelques petites choses qui me tiennent à cœur et que je voudrais partager avec vous. Oui, les chiffres valent ce qu'ils valent. Mais voici quelques commentaires qui vous diront ce que valent pour moi statistiques et récompenses.

La coupe Stanley

Si vous êtes un jeune homme qui a grandi au Canada et joué au hockey, vous avez certainement rêvé de gagner un jour la coupe

Stanley. Je n'étais pas différent de vous. Il est presque impossible de traduire en mots le sentiment qui vous envahit au moment où vous vous rendez compte que vous venez de remporter la coupe. Je peux vous dire qu'il s'agissait d'excitation et de soulagement, et la gagner une première fois m'a seulement donné l'envie de répéter l'expérience. Quand vous atteignez le sommet de votre profession, peu importe laquelle, il s'agit d'une sensation que vous ne pourrez jamais oublier. Dans l'univers du hockey, ce sommet était, est et restera toujours la conquête de la coupe Stanley.

Champion de la Coupe Canada

L'année 1976 demeurera toujours mémorable entre toutes pour moi, parce qu'elle marque le moment où j'ai pu, pour la première et la dernière fois, porter les couleurs de mon pays. Je dois avouer qu'à cette période de ma vie j'éprouvais de graves problèmes avec mes genoux, mais il est étonnant de voir ce dont vous êtes capable quand l'adrénaline déferle dans vos veines. Cette excitation, plus que toute autre chose, m'a rendu capable de participer au tournoi et, malgré les limitations auxquelles mon jeu était tenu, j'ai eu beaucoup de plaisir à apporter ma contribution à ce formidable groupe de joueurs. Cette expérience restera à jamais marquée dans ma mémoire.

Trophée James Norris

Je suis fier d'avoir remporté ce trophée. Mais le Norris dont je me souviens le plus est celui que je n'ai pas gagné… Lors de ma saison recrue, j'ai terminé deuxième au vote derrière le célèbre Harry Howell. En acceptant le trophée, cette année-là, il a fait quelques commentaires élogieux sur mon compte ainsi que de fort belles choses sur l'avenir qui s'offrait à moi, et je me rappelle avoir pensé : « Eh, c'est Harry Howell qui dit tout ça de moi ! » Étant donné le statut de cet athlète, ses paroles signifiaient beaucoup pour moi. Si j'ai pu gagner le trophée Norris, c'est parce que mes coéquipiers et mes entraîneurs m'ont laissé être moi-même ; je veux dire par là que grâce à leur support, j'ai pu jouer à ma manière.

Sélections aux matchs des Étoiles

Quand vous sautez sur la patinoire et que vous êtes entouré de joueurs comme Gordie Howe, Jean Béliveau, Ken Dryden, Yvan Cournoyer et tant d'autres, vous vous apercevez du caractère particulier du moment que vous vivez. Je n'ai jamais tenu pour acquis le fait de faire partie de cette galerie de grands compétiteurs et j'ai toujours apprécié cet honneur à sa juste valeur.

Membre du Temple de la renommée du hockey

En 1979, la LNH a fait pour moi un très beau geste. Elle a dérogé au délai normalement requis pour m'introniser au Temple de la renommée du hockey à l'âge de 31 ans. J'ai été tout particulièrement honoré d'être présenté à cette occasion par la veuve de Weston Adams, le propriétaire des Bruins à l'époque où j'étais une recrue. Elle était la première femme à introniser un membre dans ce cercle sélect.

Avec les années, je crois que le fait d'être membre de ce groupe très prestigieux a pris de plus en plus de sens à mes yeux. En vieillissant, j'en suis venu à apprécier davantage cette distinction, peut-être parce que sa signification change. À l'époque où a eu lieu la cérémonie, tout s'est déroulé assez rapidement. Des discours ont été prononcés, une bague m'a été remise, et voilà, c'était fini. Mais avec le temps écoulé et tous les événements qui se sont passés depuis, s'installe en vous un sentiment différent, et vous comprenez à quel point tout cela revêt un caractère exceptionnel.

Chaque fois que j'ai l'occasion de me retrouver au Temple, à Toronto, entouré par tous les portraits des légendes de notre sport, je prends de nouveau conscience du privilège qui m'est offert de faire partie de ces gens-là. C'est une marque de reconnaissance qui signifie énormément pour toute ma famille.

Membre de l'Ordre du Canada

Voilà un honneur tout à fait inattendu. Je suis encore tout étonné que l'on ait songé à accorder un tel témoignage d'estime à un « petit gars de Parry Sound » pour sa contribution dans le domaine du sport.

« Pour un meilleur pays » est la devise de l'Ordre du Canada. Le sport vous apprend que vous pouvez toujours vous améliorer, comme individu, mais je dois dire que le Canada, en tant que nation, me semble être un pays rudement solide. Si mon engagement dans le hockey a pu contribuer à le rendre encore meilleur, alors cela me comble de joie.

Trophée Lester B. Pearson (aujourd'hui le trophée Ted Lindsay)

En remportant ce trophée, votre excellence est reconnue par vos pairs, ce qui confère à cet honneur une valeur toute particulière. Gagner le respect de ses collègues, coéquipiers comme adversaires, est un objectif que caresse tout athlète professionnel ; vous comprenez donc la légitime fierté que j'ai ressentie en me voyant attribuer ce trophée.

Trophée Lester Patrick (pour services rendus au hockey aux États-Unis)

La liste des noms qui apparaissent sur ce trophée en fait un honneur sans pareil. La LNH a accompli un bon travail pour se développer aux États-Unis, et une part de cette expansion s'est accomplie pendant ma carrière dans la ligue. Il est merveilleux de constater à quel point le hockey s'est solidement implanté dans plusieurs villes et régions des États-Unis.

École élémentaire Bobby Orr

Cette école renommée d'Oshawa, en Ontario, foisonne d'enseignants dévoués et de jeunes élèves formidables. Il m'a été possible de la visiter à quelques reprises au cours des années. Bien entendu, les enfants d'aujourd'hui n'ont aucune idée de qui je suis, mais ce n'est pas grave ! C'est merveilleux d'être associé à une telle école qui arbore mon nom sur sa façade. Je suis tout particulièrement sensible au fait que cet établissement compte un département qui réponde à toute une gamme de besoins spéciaux pour des enfants qui le méritent bien.

Le Temple de la renommée Bobby Orr

La création de cette institution est un honneur dont je n'aurais jamais pu rêver, du temps de ma jeunesse à Parry Sound. Le Centre Charles W. Stockey, qui comprend une salle de spectacles et notre temple de la renommée, est un édifice très fonctionnel et un projet auquel je suis très fier d'être associé. Chaque année, dans le foyer du temple, nous honorons quelques lauréats triés sur le volet, des hommes et des femmes qui ont apporté des contributions exceptionnelles à la communauté et à la région, et la liste des gens célébrés à ce jour est impressionnante. C'est un plaisir de participer à ce témoignage de reconnaissance envers des citoyens qui ont tant fait pour le bien de tous.

La statue *The Goal, à Boston*

C'est réconfortant de savoir que ce moment dans l'histoire a été immortalisé d'aussi heureuse manière, et que l'héritage laissé par cette équipe survivra à travers cette statue. Peut-on imaginer une œuvre d'art plus gratifiante pour le sujet qu'elle met en scène ?

Numéros retirés par les Bruins de Boston et par les Generals d'Oshawa

C'est toute une sensation de savoir que ces deux organisations ont jugé mes contributions assez importantes pour décider de retirer mon numéro. Je suis certain qu'un bon nombre de personnes ne se sont pas aperçues qu'à Oshawa je portais le 2, et non le 4. J'y suis arrivé en 1962, à l'âge de 14 ans, et c'est dans cette ville que je suis vraiment devenu un homme. Je compte toujours de nombreux amis très chers dans cette ville et cette région. J'entretiens également toujours des liens avec General Motors du Canada, de telle sorte qu'Oshawa demeure encore aujourd'hui une partie importante de ma vie.

Le jour où les Bruins ont élevé mon chandail jusqu'aux combles du Garden a aussi été un jour particulièrement émouvant pour moi. Il y avait ce soir-là un match hors concours entre une équipe soviétique et mon ancien club, et la cérémonie a duré une éternité, parce que les partisans n'ont pas arrêté d'applaudir avant que j'enfile mon vieux chandail des Bruins. Je suis sûr que les membres de l'équipe russe devaient se demander qui diable pouvait bien être ce numéro 4 ! Mais mes meilleurs souvenirs restent ceux des partisans de la ville de Boston – les meilleurs de toute la planète hockey.

Porte-drapeau olympique

Quel spectacle s'offrait à ma vue, quand je suis entré dans le Stade olympique des Jeux d'hiver de 2010, portant l'un des coins du drapeau olympique ! Je n'oublierai jamais cette cérémonie unique qui m'a permis de rencontrer et d'échanger avec des personnalités telles que les regrettées Betty Fox et Barbara Ann Scott, Donald Sutherland, Anne Murray, Jacques Villeneuve, le sénateur Roméo Dallaire et Julie Payette, mes co-porte-drapeaux qui méritent amplement que je les nomme ici.

Comme je l'ai souvent évoqué dans ce livre, j'avais eu la chance de représenter mon pays en tant qu'athlète seulement une fois, en 1976, et le fait de porter le drapeau olympique était pour moi une nouvelle opportunité de représenter le Canada, d'une manière différente. J'en garde le souvenir de l'une des expériences les plus extraordinaires de ma vie. Cela même si ma famille et mes amis n'ont pas manqué de me taquiner sur le complet blanc et les souliers rouges qu'on m'avait demandé de porter ce jour-là !

Contrats

Brunswick

MOTOR HOTEL

TELEPHONE 746-5834

PARRY SOUND, ONTARIO

Sept. 3/62
Parry Sound Ont.

Mr. + Mrs. Douglas Orr,
21 Great North Rd.,
Parry Sound Ont.

Dear Mr. + Mrs Orr -
This letter will serve as agreement made between you, (on behalf of your son Bobby) and the Boston Professional Hockey Association Inc. regarding Bobby signing a Jr "A" playing card with the Oshawa Jr "A" Hockey Club, sponsored by the Boston Bruins. Under terms of this agreement the card to be signed on this date.

Terms

1 - That Bobby will play four (4) games only of Jr. A hockey coming until Nov. 4th of this coming 1962-63 hockey campaign. Upon completion of these four games the Boston Bruins agree to release him back to the Parry Sound Minor Hockey Ass. for the balance of this season. Bobby will reside in Parry Sound and will commute week-ends for the aforementioned four games.

2 - That in consideration of signing the Junior A card on this date the Boston Bruins will pay to Bobby Orr, One Thousand (1000.00) Dollars in trust.

3 - Further to the above the Boston Bruins will pay to have the Orr residence at 21 Great North Rd. stuccoed in full at a cost of approximately

BRUNSWICK HOTEL (PARRY SOUND) LTD.

(over)

Voici mon premier contrat, écrit de la main même de Wren Blair, qui séjournait alors à l'hôtel Brunswick. Daté du 3 septembre 1962, ce document stipule que je m'engage à jouer pour les Generals d'Oshawa pour au moins quatre parties durant la saison à venir, contre une somme de 1 000 dollars et une allocation de 12 dollars par semaine. En boni, les Bruins s'engageaient à ce que notre maison soit revêtue de stucco « au grand complet, pour un montant approximatif de 850 dollars » et que papa reçoive une voiture usagée, « jusqu'à un modèle de 1956, au choix de mon père ».

II

$850.00

(4) - After Bobby has been released back to Parry Sound, he will return to Oshawa next season to play Jr A hockey, where the Boston Bruins will pay his school tuition completely through high school, pay his room and board through the full school terms, buy his school books through-out school, and pay him a weekly sum of money for pocket expenditures throughout the entire school terms. Weekly sum to be $12.00 per week, for pocket expenditures.

(5) Signed card not to be registered until all requisites for Orr to return and play minor Hockey in Parry Sound Ont.

(6) The Boston Bruins agree to provide a car up to a 1956 model of the father's choice (Douglas Orr) to be purchased by Mr Orr and paid for by the Boston Bruins as an integral part of this contract.

Wren A Blair

Per Boston Professional Hockey Association Inc.
Personnel Director

NATIONAL HOCKEY LEAGUE

STANDARD PLAYER'S CONTRACT

This Agreement

BETWEEN: Boston Professional Hockey Assn. Inc.
hereinafter called the "Club",
a member of the National Hockey League, hereinafter called the "League".

—AND— Robert Orr
hereinafter called the "Player".

of Parry Sound, Ontario in {Province / State} of Canada

Witnesseth:

That in consideration of the respective obligations herein and hereby assumed, the parties to this contract severally agree as follows:—

1. The Club hereby employs the Player as a skilled Hockey Player for the term of one year commencing October 1st, 19 66 and agrees, subject to the terms and conditions hereof, to pay the Player a salary of

Ten Thousand -- Dollars ($ 10,000.00

Bonuses in addition to the above, profided the player remains with the Boston Bruins Hockey Club, are as follows:
$5000.00 if the player plays a majority of games with the Boston Bruins Hockey Club.
The Boston Bruins Hockey Club will match all league (National Hockey League) awards that the player earns in the 1966-67 season.

The following contract will be in effect for the 1967-1968 season commencing October 1, 1967.
Players salary will be $15,000.00 (Fifteen thousand dollars) in addition the player will receive an additional $5000.00 if the player plays a majority of games with the Boston Bruins Hockey Club, and the Club will match al

Payment of such salary shall be in consecutive semi-monthly instalments following the c
ship Schedule of games or following the date of reporting, whichever is later; provided,
of the Club for the whole period of the Club's games in the National Hockey League Ch
part of the salary in the ratio of the number of days of actual employment to the numbe
of games.

And it is further mutually agreed that if the Contract and rights to the services
otherwise transferred to a Club in another League, the Player shall only be paid at the

.... Doll

or .... Doll

or .... Doll

2. The Player agrees to give his services and to play hockey in all League Cham
games to the best of his ability under the direction and control of the Club for the said

The Player further agrees,

(a) to report to the Club training camp at the time and place fixed by the Club,
(b) to keep himself in good physical condition at all times during the season,
(c) to give his best services and loyalty to the Club and to play hockey only for th
exchanged or loaned by the Club,
(d) to co-operate with the Club and participate in any and all promotional activ
the opinion of the Club promote the welfare of the Club or professional hocke
(e) to conduct himself on and off the rink according to the highest standards of h
and to refrain from conduct detrimental to the best interests of the Club, the

The Club agrees that in exhibition games played after the start of the regular sc
charity, or where the player has agreed otherwise) the player shall receive his pro rata sh
mate expenses of such game. This provision re exhibition games is applicable in the Nati

3. In order that the Player shall be fit and in proper condition for the performan
Player agrees to report for practice at such time and place as the Club may designate and
arranged by the Club within thirty days prior to the first scheduled Championship gan
and meals en route from the Player's home to the Club's training camp. In the event of f
in exhibition games a fine not exceeding Five Hundred Dollars may be imposed by the
stipulated herein. At the conclusion of the season the Club shall provide transportation

4. The Club may from time to time during the continuance of this contract esta
ing of the Player, and such rules shall form part of this contract as fully as if herein
any conduct impairing the thorough and faithful discharge of the duties incumbent upon
fine upon the Player and deduct the amount thereof from any money due or to become
the Player for violation of any such rules. When the Player is fined or suspended he shal
of the fine and/or the duration of the suspension and the reason therefor.

STANDARD PLAYER'S CONTRACT

National Hockey League

The Boston Professional Hockey Association, Inc.

of Boston, Massachusetts U.S.A.

WITH

Robert Orr

Parry Sound, Ontario, Canada

I hereby certify that I have, at this date, received, examined and noted of record the within Contract, and that it is in regular form.

President National Hockey League.

Dated .... 19 ......

Amended Form
September 1965

Pour mon premier contrat avec les Bruins, je recevrais, à chacune de mes premières années, un boni de 5 000 $ si je disputais la majorité des matchs de l'équipe. En contrepartie, je m'engageais à « donner le meilleur de mes efforts et de ma loyauté au club » et à « me conduire sur et hors de la patinoire selon les plus hauts critères d'honnêteté, de moralité, d'esprit sportif et de courtoisie ».

5. Should the Player be disabled or unable to perform his duties under this contract he shall submit himself for medical examination and treatment by a physician selected by the Club, and such examination and treatment, when made at the request of the Club, shall be at its expense unless made necessary by some act or conduct of the Player contrary to the terms and provisions of this contract or the rules established under Section 4.

If the Player, in the sole judgment of the Club's physician, is disabled or is not in good physical condition at the commencement of the season or at any subsequent time during the season (unless such condition is the direct result of playing hockey for the Club) so as to render him unfit to play skilled hockey, then it is mutually agreed that the Club shall have the right to suspend the Player for such period of disability or unfitness, and no compensation shall be payable for that period under this contract.

If the Player is injured as the result of playing hockey for the Club, the Club will pay the Player's reasonable hospitalization until discharged from the hospital, and his medical expenses and doctor's bills, provided that the hospital and doctor are selected by the Club and provided further that the Club's obligation to pay such expenses shall terminate at a period not more than six months after the injury.

It is also agreed that if the Player's injuries resulting directly from playing for the Club render him, in the sole judgment of the Club's physician, unfit to play skilled hockey for the balance of the season or any part thereof, then during such time the Player is so unfit, but in no event beyond the end of the current season, the Club shall pay the Player the compensation herein provided for and the Player releases the Club from any and every additional obligation, liability, claim or demand whatsoever. However if upon joint consultation between the Player, the Club's physician and the Club General Manager, they are unable to agree as to the physical fitness of the Player to return to play, the Player agrees to submit himself for examination by an independent medical specialist and the Parties hereto agree to be bound by his decision. If the Player is declared to be unfit for play he shall continue to receive the full benefits of this Agreement. If the Player is declared to be physically able to play and refuses to do so he shall be liable to immediate suspension without pay.

6. The Player represents and agrees that he has exceptional and unique knowledge, skill and ability as a hockey player, the loss of which cannot be estimated with certainty and cannot be fairly or adequately compensated by damages. The Player therefore agrees that the Club shall have the right, in addition to any other rights which the Club may possess, to enjoin him by appropriate injunction proceedings from playing hockey for any other team and/or for any breach of any of the other provisions of this contract.

In Witness Whereof, the parties have signed this ______ day

of ______ A.D. 19 66

WITNESSES:

Boston Professional Hockey Asn., Inc
Club

By ______ President

______ Player

Parry Sound, Ontario, Canada

Home Address of Player

the Club shall, by notice in writing delivered personally to the Player or by mail to the address set out below his signature hereto advise the Player of the name and address of the Club to which he has been assigned or loaned, and specifying the time and place of reporting to such club. If the Player fails to report to such other Club he may be suspended by such other Club and no salary shall be payable to him during the period of such suspension.

The Club shall pay the actual moving expenses incurred by a player during the playing season when such move is directed by the Club and is not part of disciplinary action.

12. If the Club shall default in the payments to the Player provided for in Section 1 hereof or shall fail to perform any other obligation agreed to be performed by the Club hereunder, the Player may, by notice in writing to the Club, specify the nature of the default, and if the Club shall fail to remedy the default within fifteen (15) days from receipt of such notice, this contract shall be terminated, and upon the date of such termination all obligations of both parties shall cease, except the obligation of the Club to pay the Player's compensation to that date.

13. The Club may terminate this contract upon written notice to the Player (but only after obtaining waivers from all other League clubs) if the player shall at any time:

(a) fail, refuse or neglect to obey the Club's rules governing training and conduct of players,

(b) fail, refuse or neglect to render his services hereunder or in any other manner materially breach this contract,

(c) fail, in the opinion of the Club's management, to exhibit sufficient skill or competitive ability to warrant further employment as a member of the Club's team.

In the event of termination under sub-section (a) or (b) the Player shall only be entitled to compensation due to him to the date such notice is delivered to him or the date of the mailing of such notice to his address as set out below his signature hereto.

In the event of termination under sub-section (c) it shall take effect fourteen days from the date upon which such notice is delivered to the Player, and the Player shall only be entitled to the compensation herein provided to the end of such fourteen-day period.

In the event that this contract is terminated by the Club while the Player is "away" with the Club for the purpose of playing games the instalment then falling due shall be paid on the first week-day after the return "home" of the Club.

14. The Player further agrees that the Club may carry out and put into effect any order or ruling of the League or its President for his suspension or expulsion and that in the event of suspension his salary shall cease for the duration thereof and that in the event of expulsion this contract, at the option of the Club, shall terminate forthwith.

15. The Player further agrees that in the event of his suspension pursuant to any of the provisions of this contract, there shall be deducted from the salary stipulated in Section 1 hereof an amount equal to the exact proportion of such salary as the number of days' suspension bears to the total number of days of the League Championship Schedule of games.

16. If because of any condition arising from a state of war or other cause beyond the control of the League or of the Club, it shall be deemed advisable by the League or the Club to suspend or cease or reduce operations, then:

(a) in the event of suspension of operations, the Player shall be entitled only to the proportion of salary due at the date of suspension,

(b) in the event of cessation of operations, the salary stipulated in Section 1 hereof shall be automatically cancelled on the date of cessation, and

(c) in the event of reduction of operations, the salary stipulated in Section 1 hereof shall be replaced by that mutually agreed upon between the Club and the Player.

17. The Club agrees that it will on or before October 15th next following the season covered by this contract tender to the Player personally or by mail directed to the Player at his address set out below his signature hereto a contract upon the same terms as this contract save as to salary.

The Player hereby undertakes that he will at the request of the Club enter into a contract for the following playing season upon the same terms and conditions as this contract save as to salary which shall be determined by mutual agreement. In the event that the Player and the Club do not agree upon the salary to be paid the matter shall be referred to the President of the League, and both parties agree to accept his decision as final.

18. The Club and the Player severally and mutually promise and agree to be legally bound by the Constitution and By-Laws of the League and by all the terms and provisions thereof, a copy of which shall be open and available for inspection by Club, its directors and officers, and the Player, at the main office of the League and at the main office of the Club.

The Club and the Player further agree that in case of dispute between them, the dispute shall be referred within one year from the date it arose to the President of the League as an arbitrator and his decision shall be accepted as final by both parties.

The Club and the Player further agree that all fines imposed upon the Player under the Playing Rules, or under the provisions of the League By-Laws, shall be deducted from the salary of the Player and be remitted by the Club to the N.H.L. Players' Emergency Fund.

19. The Player agrees that the Club's right to renew this contract as provided in Section 17 and the promise of the Player to play hockey only with the Club, or such other club as provided in Section 2 and Section 11, and the Club's right to take pictures of and to televise the Player as provided in section 8 have all been taken into consideration in determining the salary payable to the Player under Section 1 hereof.

20. The Player hereby authorizes and directs the Club to deduct and pay, and the Club hereby agrees to deduct and pay, to the National Hockey League Pension Society, out of the salary stipulated in Section 1 hereof on behalf of the Player the sum of Fifteen Hundred Dollars ($1500.00) (Canadian Funds) or such lesser proportion thereof as the number of days' service of the Player with the Club under this contract bears to the number of days of the League Championship Schedule of games, and to obtain from the National Hockey League Pension Society a proper receipt for such sum in the name of the Player.

21. It is severally and mutually agree that the only contracts recognized by the President of the League are the Standard Player's Contracts which have been duly executed and filed in the League's office and approved by him, and that this Agreement contains the entire agreement between the Parties and there are no oral or written inducements, promises or agreements except as contained herein.

In Witness Whereof, the parties have signed this ______ day

of ______ A.D. 19 66

WITNESSES:

Boston Professional Hockey Asn., Inc
Club

By ______ President

______ Player

Parry Sound, Ontario, Canada

Home Address of Player

Statistiques et records

Année	Équipe	Ligue
1962–63	Generals d'Oshawa	Metro Junior A
1963–64	Generals d'Oshawa	LHO
1964–65	Generals d'Oshawa	LHO
1965–66	Generals d'Oshawa	LHO
1966–67	Bruins de Boston	LNH
1967–68	Bruins de Boston	LNH
1968–69	Bruins de Boston	LNH
1969–70	Bruins de Boston	LNH
1970–71	Bruins de Boston	LNH
1971–72	Bruins de Boston	LNH
1972–73	Bruins de Boston	LNH
1973–74	Bruins de Boston	LNH
1974–75	Bruins de Boston	LNH
1975–76	Bruins de Boston	LNH
1976–77	Black Hawks de Chicago	LNH
1978–79	Black Hawks de Chicago	LHN
Total pour la LHO		
Total pour la LNH		

Saison régulière										Éliminatoires			
PJ	**B**	**A**	**PTS**	**MP**	**+/-**	**AN**	**DN**	**BG**	**PJ**	**B**	**A**	**PTS**	**MP**
34	6	15	21	45	—	—	—	—	—	—	—	—	—
56	29	43	72	142	—	—	—	—	6	0	7	7	21
56	34	59	93	112	—	—	—	—	6	0	6	6	10
47	38	56	94	92	—	—	—	—	17	9	19	28	14
61	13	28	41	102	—	3	1	0	—	—	—	—	—
46	11	20	31	63	+3	3	0	1	4	0	2	2	2
67	21	43	64	**133**	+65	4	0	2	10	1	7	8	10
76	33	87	120	125	+54	11	**4**	3	14	**9**	11	20	14
78	37	**102**	**139**	91	**+124**	5	3	**5**	7	5	7	12	10
76	37	80	117	106	+86	11	**4**	4	15	5	**19**	**24**	19
63	29	72	101	99	+56	7	1	3	5	1	1	2	7
74	32	90	122	82	+84	11	0	4	**16**	4	14	18	**28**
80	**46**	89	135	101	+80	**16**	2	4	3	1	5	6	2
10	5	13	18	22	+10	3	1	0	—	—	—	—	—
20	4	19	23	25	+6	2	0	0	—	—	—	—	—
6	2	2	4	4	+2	0	0	0	—	—	—	—	—
193	**107**	**173**	**280**	**391**					**29**	**9**	**32**	**41**	**45**
657	**270**	**645**	**915**	**953**	**+597**	**76**	**16**	**26**	**74**	**26**	**66**	**92**	**92**

Records

- Plus de points pour une saison dans la LNH par un défenseur (139, en 1970-1971).
- Plus de mentions d'aide pour une saison dans la LNH par un défenseur (102, en 1970-1971).
- Plus haut total de + / – pour une saison dans la LNH (+ 124, en 1970-1971).
- Ex æquo pour le plus grand nombre de mentions d'aide en un match dans la LNH par un défenseur (6, avec Babe Pratt, Pat Stapleton, Ron Stackhouse, Paul Coffey et Gary Suter).

Honneurs individuels

- Membre de la 1re équipe d'étoiles de la Ligue de hockey de l'Ontario en 1964, 1965 et 1966.
- Lauréat du trophée Calder (recrue de l'année) en 1967, plus jeune joueur à recevoir cette récompense, et à l'époque plus jeune joueur à recevoir un trophée majeur de la LNH.
- Membre de la 2e équipe d'étoiles de la LNH en 1967 (en tant que recrue). Il s'agit de la seule saison complète où Bobby Orr n'a pas été élu sur la 1re équipe d'étoiles.
- Membre de la 1re équipe d'étoiles de la LNH huit années consécutives, de 1967 à 1975, sa dernière saison complète.
- Lauréat du trophée Art Ross (accordé au meilleur compteur de la LNH) en 1969-1970 et 1974-1975.
- Meneur au chapitre des + /– en 1969, 1970, 1971, 1972, 1974 et 1975, plus qu'aucun autre joueur dans l'histoire de la LNH.
- Lauréat du trophée Hart (accordé au joueur le plus utile à son équipe dans la LNH) trois années consécutives, de 1969-1970 à 1971-1972.
- Lauréat du trophée Conn Smythe (accordé au meilleur joueur des séries éliminatoires de la LNH) en 1970 et 1972, le premier à remporter deux fois cet honneur.
- Gagnant de la coupe Stanley en 1970 et 1972.
- Lauréat du trophée Lou Marsh (athlète canadien de l'année) en 1970.
- Meilleur joueur de la partie des Étoiles de 1972.
- Nommé Athlète de l'année 1970 par le magazine *Sports Illustrated*.
- Élu le plus grand athlète de l'histoire de la ville de Boston par le quotidien *Boston Globe* en 1975, devant des vedettes de baseball et de basketball telles que Ted Williams, Bill Russell, Carl Yastrzemski et Bob Cousy.
- Lauréat du trophée Lester B. Pearson (meilleur joueur de la LNH par vote auprès des joueurs de la ligue) en 1975.
- Meilleur joueur du tournoi Coupe Canada en 1976.
- Lauréat du trophée Lester Patrick (meilleur joueur de la LNH par vote auprès des joueurs de la ligue) en 1979.

- Élu membre du Temple de la renommée du hockey en 1979, sans le traditionnel délai de trois ans après la retraite d'un joueur, ce qui a fait de Bobby Orr le plus jeune intronisé de l'histoire à 31 ans.
- Élu le deuxième plus grand joueur de l'histoire du hockey par un comité d'experts en 1997 par le magazine *Hockey News,* derrière Wayne Gretzky et devant Gordie Howe, et élu plus grand défenseur de tous les temps.
- Nommé au 31e rang du sondage d'ESPN *SportsCentury: 50 Greatest Athletes of the 20th Century* en 1999.
- Nommé le plus grand défenseur de tous les temps en 2010 par le magazine *Hockey News.*

Postface

Si vous êtes censé rencontrer Bobby Orr à 6 h 30 du matin, assurez-vous d'être là quinze minutes plus tôt. Vous n'avez qu'à ajuster votre montre à l'« heure Orr » si vous ne voulez pas être en retard. Qualifier l'homme de matinal relève de l'euphémisme.

Au printemps 2010, j'attendais Bobby sur le vert de pratique d'un parcours de golf de la Floride. Nous devions entreprendre notre ronde vers 7 h, ce qui, selon l'heure Orr, signifiait que j'avais à me présenter un quart d'heure plus tôt, et même une demi-heure si j'avais la prétention de prendre une tasse de café et de faire quelques roulés d'entraînement avant que nous nous dirigions vers le premier tertre de départ dès 6 h 45.

À la seconde près, Bobby est apparu au volant de sa voiturette de golf, me signalant qu'il était prêt à jouer. Nous avons procédé à notre premier coup de départ de la journée, et des badauds auraient ri en voyant ma tête piquer vers l'avant puis basculer vers l'arrière chaque fois que notre conducteur appuyait sur l'accélérateur.

Les trous se sont succédé à un rythme d'enfer jusqu'au 7e. Si ma mémoire ne me joue pas de tours, je venais de caler un roulé égalant la normale de Bobby, ce qui me conférait à ce moment une avance de trois coups sur lui. (Il s'agit de ma version de l'histoire et je la maintiens avec opiniâtreté, contre vents et marées.) Quoi qu'il en soit, je suis retourné m'asseoir dans la voiturette, côté passager, attendant que Bobby écrase de nouveau le champignon.

Je me préparais pour un nouveau traumatisme cervical, mais rien ne s'est produit. « Voilà qui est bien étrange, me suis-je dit. Nous sommes en train de perdre notre rythme. » Quand je me suis tourné sur ma gauche, le numéro 4 était appuyé sur le volant en me regardant d'un air curieusement méditatif. Puis il a fini par sourire avant de lâcher :

— Alors, ce livre, on le fait ?

Et pendant les onze trous restants, ce jour-là, nous avons bavardé sur les objectifs que ce livre poursuivrait, ainsi que sur les sujets qui seraient développés dans certains chapitres. Je n'avais sur moi qu'un de ces petits crayons que l'on vous remet au chalet pour tenir la carte de pointage, et je multipliais notes et aide-mémoire sur le moindre bout de papier que je pouvais dénicher. Si Bobby Orr décide d'écrire un livre, vous ne voulez pas en perdre un seul mot. C'est ainsi que les premiers mots de ce livre ont été griffonnés sur une serviette en papier, sous le soleil de la Floride.

Il s'agissait pour moi d'une journée bien spéciale puisque nous avions parlé de ce projet bien des années auparavant. Bobby et moi avions travaillé ensemble sur d'autres projets, et j'avais collaboré à d'autres livres, alors notre association nous paraissait aller de soi. Mais quand j'avais évoqué le sujet pour la première fois, la réponse était venue aussi vite que sèchement :

— Moi vivant, je n'écrirai jamais un livre.

Cette réaction initiale avait été suivie par une question un tantinet conciliante :

— De toute façon, qui voudrait bien lire ça ?

Tout Bobby Orr tient dans cette seule phrase. Cet homme a redéfini le jeu du hockey. Il a accompli sur les patinoires des exploits qui donnent encore des frissons aux gens quarante ans plus tard. Sa vie hors de la patinoire relève elle aussi de la légende. Et il se demande sérieusement si son histoire vaut la peine d'être lue. Cela n'a rien à voir avec de la fausse modestie. Il sait très bien qui il est et ce qu'il a fait. C'est juste qu'il ne tient pas pour acquis que ses réalisations doivent nécessairement lui valoir les éloges de qui que ce soit.

Plus que toute autre chose, peut-être, c'est la simplicité désarmante de Bobby Orr qui vous déconcerte. Voilà un gars venu d'une petite ville, un gars qui n'est pas seulement devenu quelqu'un de célèbre, mais qui a aussi, sans doute, été le meilleur à avoir jamais joué au hockey, et rien de tout ça ne l'a jamais changé d'un iota. Il ne pense sincèrement pas qu'il est meilleur que personne d'autre. J'espère que c'est de cette manière que le personnage de Bobby Orr a été rendu tout au long de ce livre.

S'il y a une chose dont Bobby Orr ne désire pas parler, c'est de lui-même. Inutile de vous dire que la tâche de lui consacrer une biographie ne s'annonçait pas comme une sinécure. Trouver les bons mots pour exprimer des choses qu'il aurait été heureux de ne pas raconter a constitué un défi qui nous a donné bien du fil à retordre pendant longtemps. Son refus de mettre sa personne à l'avant-plan explique la raison pour laquelle toute une catégorie d'anecdotes n'apparaissent pas dans cet ouvrage: tout ce qui pourrait lui donner l'air de briller, de se mettre en vedette. Les buts qu'il a marqués, les combats qu'il a gagnés, les records qu'il a établis, les trophées et les récompenses qu'il a amassés. Rien de toutes ces choses ne valait pour lui la peine de se retrouver noir sur blanc dans un livre.

Il y a une autre facette de Bobby Orr qui le rend unique: des générations entières d'amateurs de hockey sont fascinées par l'homme. Je suis content que Bobby m'ait demandé de l'aider à coucher par écrit ces mots parce que cela m'a donné la chance de l'amener à parler de lui d'une manière qu'il n'aurait jamais osé faire par lui-même. Les propos et les réflexions qui figurent dans ce livre sont, du début à la fin, ceux de Bobby, mais j'aime à croire que certains d'entre eux n'auraient jamais été écrits si je ne l'avais pas un peu « poussé »... Cela n'a pas été simple. Si j'essayais de glisser l'un de ses exploits au détour d'un paragraphe, il secouait la tête et me disait de laisser tomber. Si je lui suggérais une phrase dont la tournure ne lui ressemblait pas, il secouait la tête et disait:

— Trop de moutarde.

Personne ne va faire faire à Bobby un geste qu'il ne veut pas faire, personne ne va lui enfoncer des mots dans la bouche. Fort heureusement, je n'ai jamais eu à le faire. Mon travail consistait à restituer la voix véritable de Bobby Orr, parce que c'est cela qu'il voulait donner à lire aux gens.

Pour avoir passé beaucoup de temps avec lui depuis des années, j'ai développé une bonne idée de la manière dont il parle et exprime le fond de sa pensée. Quand il entame une phrase, je sais habituellement comment il va la terminer. Je présume que cela veut dire que j'en suis venu à connaître assez bien le vrai Bobby Orr, et c'est cette personne qui ressentait le besoin de se livrer dans ces pages.

On peut dire en général que le public a élevé Bobby Orr au rang de mythe, et il arrive souvent que les célébrités respirant cet air raréfié des hautes cimes ne correspondent pas à l'image qu'elles projettent. Mais ce n'est pas le cas avec cet homme. Je ne veux pas insinuer par là qu'il n'a jamais connu un mauvais jour. À vrai dire, il y a des jours où il est préférable que les gens gardent leur distance avec lui. Lui arrive-t-il parfois de ressentir une légitime irritation lorsque, trois heures après le début d'une séance d'autographes, la 415e personne d'une file exhibe plusieurs articles à signer alors que la limite d'un seul a été clairement spécifiée ? Je l'ai déjà vu à ces moments-là arborer un œil mauvais auquel certains adversaires ont sans doute eu droit autrefois. Mais je peux toutefois vous dire qu'il n'a jamais oublié ses origines.

J'avais beau connaître déjà Bobby, ce livre, avec toutes les recherches qu'il a nécessitées et les heures passées à y travailler ensemble, m'a fait apprécier encore davantage l'athlète qu'il a été, l'homme qu'il est et les causes qu'il soutient. Il n'y a personne de tout à fait libre en ce monde, et des gens tels que Bobby Orr ont certainement payé un prix pour leur célébrité. Dans son cas, je crois qu'il a utilisé la sienne avec une dignité et une élégance qui vont au-delà de toutes les attentes que pouvait nourrir le public.

Ses parents ont vraiment fait du bon travail en l'éduquant, et Bobby leur fait honneur tous les jours de sa vie.

Vern Stenlund

Remerciements

Je souhaiterais exprimer ma gratitude à plusieurs personnes qui m'ont aidé à atteindre mes objectifs en réalisant ce projet. Sans l'intégrité et l'excellent travail de Nick Garrison et de son équipe chez Penguin Books du Canada, ce livre n'aurait jamais fini par voir le jour. Son soutien exceptionnel dans la réalisation de ce livre ne peut être passé sous silence. Merci à toi, Nick, et à toute l'équipe de Toronto. C'est sans compter sur l'apport des gens de Penguin à New York, menés par Neil Nyren, qui m'ont été d'une aide inestimable lors du lancement du livre aux États-Unis. Toute ma reconnaissance à vous aussi.

Merci à tous les amis et tous les membres de la famille qui m'ont aidé à faire ressurgir les détails du passé, me permettant de valider mes souvenirs de certains événements. Vous êtes tous trop nombreux pour que je puisse vous nommer ici un par un, mais vous vous reconnaissez au détour de cette phrase et je vous remercie du plus profond de mon cœur pour votre concours. Merci.

Enfin, j'adresse ici mes plus sincères remerciements à mon ami Vern Stenlund pour m'avoir aidé à coucher tout cela sur papier. Ensemble, nous avons collaboré à bien des projets, mais aucun ne nous avait demandé une telle patience.

Sources documentaires

Certains détails contenus dans les chapitres 1 et 2 de ce livre ont été extraits de l'ouvrage *Early Hockey Years in Parry Sound: The Orr / Crisp Years*, 2e partie, 1942-1973, par Rick Thomas.

Certains détails contenus dans le chapitre 3 de ce livre se rapportant aux Generals d'Oshawa ont été extraits de l'ouvrage *The Bird: The Life and Times of Hockey Legend Wren Blair*, par Wren Blair, en collaboration avec Ron Brown et Jill Blair, Quarry Heritage Books, Kingston, Ontario, 2003.

Certains détails contenus dans le chapitre 9 de ce livre se rapportant à Alan Eagleson ont été extraits de l'ouvrage *Game Misconduct: Alan Eagleson and the Corruption of Hockey*, édition révisée, par Russ Conway, Macfarlane Walter & Ross, Toronto, 1997.

Certains détails contenus dans le chapitre 11 de ce livre se rapportant au texte « *So You Want to Be a Professional Hockey Player...* » (« Si la vie de hockeyeur professionnel vous intéresse... ») sont une version modifiée d'un texte aimablement distribué par Dale Dunbar aux clients de Orr Hockey Group.

Les informations contenues dans la section « Statistiques et records » sont tirés du site Internet bobbyorr.com.

Crédits des photographies

Toutes les photos figurant dans ce livre proviennent des archives personnelles de l'auteur, à l'exception des suivantes :

— Avec l'équipe midget du département des incendies de 1962 (gracieuseté du Temple de la renommée Bobby Orr)
— Avec Anthony Gilchrist et autres (gracieuseté du Temple de la renommée Bobby Orr)
— À l'entraînement avec Derek Sanderson (gracieuseté de The Brearley Collection Inc.)
— Dernière année avec les Generals d'Oshawa (Frank Prazak/ Bibliothèque et Archives Canada)
— Séquence du but du 10 mai 1970 (gracieuseté du Temple de la renommée Bobby Orr)
— Avec « Frosty » Forrestall (Al Ruelle)
— Avec Milt Schmidt (Al Ruelle)
— Avec Phil Esposito, Bobby Hull et Gordie Howe (Frank O'Brien/ *The Boston Globe*, par l'entremise de Getty Images)
— À l'annonce de sa retraite (© Bettmann/CORBIS)
— Soirée Orr (© Bettmann/CORBIS)
— Statue *The Goal* (Jaclyn Currier/Befria Photography)

Index

Table des matières

Suivez-nous

Achevé d'imprimer en octobre 2014
sur les presses de l'imprimerie Marquis-Gagné
Louiseville, Québec